OES Y BYD I'R IAITH GYMRAEG

Map 1 Sir Fynwy gan ddangos yr ardal ddiwydiannol

Oes y Byd i'r Iaith Gymraeg

Y Gymraeg yn ardal ddiwydiannol Sir Fynwy
yn y bedwaredd ganrif ar bymtheg

SIAN RHIANNON WILLIAMS

CAERDYDD
GWASG PRIFYSGOL CYMRU
1992

Manylion Catalogio Cyhoeddi'r Llyfrgell Brydeinig

Mae cofnod catalogio'r gyfrol hon ar gael gan y Llyfrgell Brydeinig.

ISBN 0-7083-1157-1

Cysodwyd yng Nghymru gan Megaron, Caerdydd
Argraffwyd yn Lloegr gan Hartnolls Cyf., Bodmin, Cernyw
Cynllun y siaced gan Design Principle, Caerdydd

Cyflwynedig i'm rhieni, a phlant, athrawon
a chyfeillion Ysgol Gymraeg Rhymni

Rhagair

'Os bydd y Gymraeg farw yn Sir Fynwy,
yn Nhwyn Carno, Rhymni, y digwydd.'

(Ben Davies, *Y Ford Gron*, 1934)

Rhan uchaf tref Rhymni yw Twyncarno. Dyma gornel eithaf gogledd orllewin yr hen sir Fynwy. Pan y'm maged i yno yn ystod y chwedegau, y Gymraeg oedd iaith y sgwrs ar lawer 'stepyn drws' a thros gownteri siopau 'rŵm ffrynt' y tai teras serth. Cefais aelwyd Gymraeg, addysg Gymraeg a chapel Cymraeg, ac ymddangosai i mi bryd hynny mai'r Gymraeg oedd prif iaith y gymdogaeth. Erbyn hyn, gwn mai ond 28 y cant o boblogaeth pen uchaf tref Rhymni a fedrai'r Gymraeg yn 1961. Nid yw hynny'n peri syndod oherwydd cofiaf fel yr oedd y Saesneg hefyd yn iaith gwbl naturiol i mi pan oeddwn yn blentyn.

Yn raddol, deuthum i sylweddoli sefyllfa ieithyddol unigryw Twyncarno, encil olaf yr iaith Gymraeg yn yr hen sir Fynwy. Hynny, mae'n debyg, a'm sbardunodd i geisio deall pam y bu i weddill ardal ddiwydiannol y sir Seisnigeiddio i'r fath raddau, gan adael y Gymraeg yn brwydro am ei heinioes mewn cornel fechan ar y ffin orllewinol. Go brin y meddyliais y deuai'r fath gyfoeth o hanes, a llu o gwestiynau i'r golwg wrth ymchwilio.

Eleni, wrth i restrau gwreiddiol Cyfrifiad Iaith cyntaf Cymru ddod i afael haneswyr, mae'r ystadegwyr yn bwrw ati i ddadansoddi canlyniadau cyfrifiad olaf yr ugeinfed ganrif. Diau felly fod profiad Sir Fynwy yn y bedwaredd ganrif ar bymtheg yn amserol ac yn berthnasol i Gymru gyfan erbyn hyn.

Sian Rhiannon Williams
Mehefin 1992

Cynnwys

Cydnabyddiaeth

Pleser yw cael diolch yn ddidwyll i bawb a'm cynorthwyodd wrth baratoi'r gyfrol hon: i bobl Gwent a Chwm Rhymni am eu diddordeb yn hanes y Gymraeg yn eu hardal, ac, yn arbennig, i ysgrifenyddion a chyn-ysgrifenyddion y capeli ymneilltuol hynny a fu gynt yn achosion Cymraeg. Buont yn barod iawn i rannu eu gwybodaeth â mi, a chefais groeso twymgalon ganddynt wrth droedio ffyrdd yr hen sir.

Hoffwn ddiolch yn gynnes i staff Llyfrgell Genedlaethol Cymru, Aberystwyth, Llyfrgelloedd Canolog Caerdydd a Chasnewydd, Archifdy Gwent, Cwmbrân, Llyfrgell Salisbury, Caerdydd, ynghyd â nifer o lyfrgelloedd lleol yng Ngwent am eu parodrwydd i'm helpu bob amser.

Diolch arbennig iawn i Mary Hoskins, Caerdydd am ei hamynedd di-ben-draw wrth baratoi'r deipysgrif; i'r Athro J. Beverley Smith, Aberystwyth, am gywiro'r testun, ac iddo ef a'r Athro Ieuan Gwynedd Jones, cyfarwyddwr y traethawd ymchwil gwreiddiol, am eu hawgrymiadau gwerthfawr, eu harweiniad a'u hanogaeth ar hyd y ffordd.

Mawr yw fy nyled i'm cydweithwyr gynt yn Adran Addysg y BBC, ac yn arbennig i Mr Meirion Edwards, Cyn-bennaeth Radio BBC Cymru am fod mor gefnogol wrth ganiatáu i mi gael cyfnod yn rhydd o'm swydd i ysgrifennu.

Bu Mr Ned Thomas, Cyfarwyddwr Gwasg y Brifysgol yn barod iawn ei gymorth a'i gyngor, a phleser oedd cydweithio â'r golygyddion Susan Jenkins ac Esyllt Penri.

Cefais gynhaliaeth ddiflino gan fy rhieni, ac oni bai am eu cefnogaeth hwy a'm gŵr, Euros, ni fuasai'r gyfrol hon wedi ymddangos.

Byrfoddau

CMA	Calvinistic Methodist Archive
HO	Home Office
HMSO	Her Majesty's Stationery Office
LLGC	Llyfrgell Genedlaethol Cymru
LlGanC	Llyfrgell Ganolog Caerdydd
LlGanCas	Llyfrgell Ganolog Casnewydd
PP	Parliamentary Papers
PRO	Public Record Office
RG	Registrar General

I

Dylifiad Pobloedd

> Tredegar sydd dref boblog wedi ei hadeiladu yn y blynyddoedd diweddaf ar un o fryniau gwyrddleision Mynwy . . . Nis gellir dywedyd fod ond nifer leiaf o'i thrigolion wedi hanu o'r hen Gymry gwrol a anneddant y broydd a'r bryniau hyn . . . yn yr oesoedd a aethant heibio, ond estroniaid a'u had . . . a . . . gymmerasant feddiant o'r wlad . . . . Yn awr yma gwelir y llwythau wedi dyfod ynghyd o wahanol genhedloedd ac ieithoedd y ddaear . . . [1]

> Ac o fewn i'r deugain mlynedd cyntaf o'r ganrif bresennol y bu dylifiad pobloedd yma o bob rhan o'r wlad. Byddai yn anhawdd rhoddi amcangyfrif o'r Cymry a fudasant yma o fewn i'r cyfnod hwn, ond rhaid bod y nifer yn fawr.[2]

Ac eithrio trigolion Merthyr Tudful, prin bod neb yng Nghymru yn hanner cyntaf y bedwaredd ganrif ar bymtheg yn medru tystio i'r fath newid chwyldroadol yn eu hardal a'u cymdeithas â Chymry gorllewin Sir Fynwy, ac, yn arbennig, drigolion y Blaeneudir. Ardal o weundir uchel a chymoedd dyfnion ydoedd, a hyd at chwarter olaf y ddeunawfed ganrif bu'n gymharol ddigyfnewid, a'r boblogaeth brin yn cadw tyddynnod ar y llethrau. Gwyddai'r trigolion am fodolaeth y mwynau a orweddai'n haenau cyfoethog yn nwfn y ddaear. Bu gweithgarwch diwydiannol ysbeidiol yn yr ardal ers rhai canrifoedd. Yn ystod y ddeunawfed ganrif bu ffwrneisiau haearn yn Aber-carn, Machen, Tredegar ger Casnewydd a Phont-gwaith-yr-haearn yng Nghwm Sirhywi, ynghyd â nifer o weithiau glo bychain ar hyd a lled y cymoedd.[3] Byddai llawer o'r tyddynwyr yn cadw mulod er mwyn cludo glo a chalch i Loegr i'w gwerthu, ac, am gyfnod, bu hon yn fasnach lewyrchus.[4] Ond datblygiadau ar raddfa fach oedd y rhain. Ar droad y ganrif ystyriwyd yr ardal o hyd fel '*The Wilds of Monmouthshire*', ac anaml iawn y deuai ymwelwyr i'w thramwyo.[5] Buan iawn y byddai hynny'n newid, fodd bynnag. O'r 1780au a'r 1790au (dechrau cyfnod y chwyldro technolegol a'r mentro masnachol mawr), rhoddwyd erwau lawer o dir yr ardal ar brydles i gyfalafwyr anturus. O'r tu allan i Gymru y deuai'r sbardun gan amlaf. Masnachwyr o borthladdoedd Bryste a Llundain a gŵyr busnes o ardaloedd diwydiannol Swydd Amwythig, canolbarth Lloegr a'r Alban oedd perchnogion cyntaf y gweithfeydd haearn. Erbyn y 1830au yr oedd holl adnoddau'r ardal yn nwylo cnewyllyn o gyfalafwyr cefnog, a'u 'teyrnasoedd haearn' yn ymestyn o Flaenafon i Rymni ac o Bontlotyn i Bont-y-pŵl.[6] Er gwaethaf ambell gyfnod byr o ddirwasgiad, patrwm cyffredinol o dwf a geir yn hanes y diwydiant haearn rhwng 1800 a 1830. Cyflymodd y cynnydd yn ystod y 1820au wrth i'r fasnach reiliau newydd ddechrau. Yng Nglynebwy y cynhyrchwyd y rheiliau ar gyfer Rheilffordd Stockton-Darlington yn 1829, er enghraifft. A chanlyniad y datblygiadau yn y diwydiant haearn oedd symbylu twf y diwydiant glo.

Er mai atodiad i'r diwydiant haearn oedd y fasnach lo yn bennaf yn hanner cyntaf y bedwaredd ganrif ar bymtheg, ni ddylid diystyru pwysigrwydd gorllewin Mynwy fel ardal arloesol yn y cyfnod. Dechreuwyd suddo pyllau dwfn yng ngogledd Dyffryn Llwyd mor gynnar â'r 1820au, ac erbyn diwedd y 1830au yr oedd rhai o byllau dyfnaf y cyfnod yn ardal Rhisga a Thredegar. Gwelodd y 1840au ehangu'r fasnach glo môr (glo a allforiwyd), ac yn sgil y breiniau arbennig a oedd gan borthladd Casnewydd o dan Ddeddf Camlas Mynwy, daeth hon yn un o ardaloedd diwydiannol pwysicaf Prydain.[7]

Dengys astudiaeth J. Gwyn Davies o blwyfi Bedwellte ac Aberystruth fod y boblogaeth yn 1801 eisoes yn arddangos nodweddion poblogaeth ardal ddiwydiannol.[8] Yn 1779, 500 o bobl oedd yn byw ym mhlwyf Aberystruth.[9] Cafwyd cynnydd o 61 y cant erbyn 1801, ac erbyn hynny hefyd yr oedd mwy o ddynion nag o ferched yn y ddau blwyf. Yn awr yr oedd Uwchlaw'r-coed a Man-moel, rhannau uchaf plwyf Bedwellte, yn fwy poblog nag Islaw'r- coed, prif ardal yr anheddu cyn-ddiwydiannol, oherwydd mai yno y sefydlwyd y gweithfeydd haearn. O 1801 ymlaen, cydredai'r cynnydd yn y boblogaeth â'r twf diwydiannol, a throdd cynnydd sylweddol yn ddeinamig wrth i boblogaeth Sir Fynwy gynyddu'n gynt nag unrhyw sir arall yng Nghymru a Lloegr. Yn 1841, trigai 50,713 o bobl yn Ardal Gofrestru'r Fenni, ardal a gynhwysai drefi newydd Blaenafon, Nant-y-glo, Y Blaenau, Pen-y-cae (Glynebwy), Tredegar a Rhymni. Gellir cymharu hyn â'r 10,417 o bobl a oedd yno yn 1801, – cynnydd o 386 y cant. Yr oedd ardaloedd diwydiannol newydd Ardaloedd Cofrestru Pont-y-pŵl a Chasnewydd hefyd yn cynyddu'n aruthrol fel y dengys Atodiadau 1 a 2.[10]

Cafwyd cynnydd llai syfrdanol yn ardal y glo môr, megis Islaw'r-coed, Rock Bedwellte a Mynyddislwyn, a natur y diwydiant oedd i gyfrif am hynny. Am fod yr unedau cynhyrchu yn fychan, a'r datblygiad ar raddfa lai nag yn y Blaeneudir, cafwyd patrwm anheddu gwahanol yn y de. Pentrefi bychain, gwasgaredig a oedd yn nodweddu'r ardal hon, yn hytrach na'r trefi 'cyfansawdd' yn cynnwys sawl cnewyllyn pentrefol fel a gaed o amgylch y gweithfeydd haearn yn y gogledd. O ganlyniad, crewyd amodau cymdeithasol gwahanol yn y ddwy ardal, ffaith a fyddai'n berthnasol i hanes y Gymraeg.

Er gwaetha'r gwahaniaethau, yr un dylanwad oedd i gyfrif am y cynnydd ym mhoblogaeth y ddwy ardal, sef mewnfudo. Gwyddys bod cynnydd naturiol yn ffactor bwysig yn nhwf y boblogaeth yn y cyfnod hwn, ond ni ellir amau rhan allweddol mewnfudo. Dadansoddodd J. Gwyn Davies raddfa dwf poblogaeth plwyfi Bedwellte ac Aberystruth rhwng 1811 a 1851 drwy ei chymharu â graddfa dwf Cymru a Lloegr yn gyffredinol. Mae'r gwahaniaeth rhwng y twf gwirioneddol a'r twf disgwyliedig yn brawf o bwysigrwydd mewnfudo:[11]

Blwyddyn	Poblogaeth Bedwellte ac Aberystruth	Poblogaeth Bedwellte ac Aberystruth ar raddfa dwf Cymru a Lloegr	Cynnydd drwy fewnfudo
1811	6,216	2,559	3,657
1821	10,441	7,341	3,100
1831	16,629	12,091	4,538
1841	33,685	19,040	14,645
1851	41,566	37,963	3,603

Wrth gwrs, nid oedd y cynnydd yn gyson. Cafwyd sawl cyfnod o ddirwasgiad yn y diwydiant haearn a'r diwydiant glo. Er enghraifft, lleihaodd y mewnlifiad rhwng 1841 a 1851 oherwydd dirwasgiad difrifol, ac effeithiwyd ar sefydliadau Cymraeg rhai ardaloedd wrth i'r mewnfudwyr gwreiddiol ymadael. (Gweler yr ail bennod.) Adlewyrchir hyn yn y ffaith i Islaw'r-coed golli poblogaeth trwy fudo rhwng 1841 a 1851.[12] Ar y cyfan fodd bynnag, yr oedd y twf diwydiannol cyffredinol a'r mewnlifiad parhaus yn ddigon i wneud iawn am y colledion lleol. Rhwng 1841 a 1851 yr oedd y cynnydd a oedd i'w briodoli i fewnfudo yn Sir Fynwy yn 6.4 y cant.[13] Cadarnheir hyn gan ffynonellau llenyddol y cyfnod. Tystia'r wybodaeth a geir yn nhroednodiadau'r cyfrifiadau swyddogol mai mewnlifiad o weithwyr o fannau eraill a oedd yn bennaf gyfrifol am gynnydd poblogaeth yr ardal.[14] Yn 1849 disgrifiodd Syr Thomas Phillips boblogaeth yr ardal fel hyn:

> ... a population congregated together in large numbers which has grown with the rapidity of which there is scarcely another example, not by the gradual increase of births over deaths but by migration from other districts.[15]

Y cwestiwn allweddol i haneswyr yr iaith Gymraeg yw, o ble y deuai'r mewnfudwyr hyn? Yn anffodus, nid yw Cyfrifiad Cyhoeddedig 1841 yn ddefnyddiol iawn o ran ateb y cwestiwn. Dengys y tablau fod cyfran uchel iawn o'r boblogaeth wedi eu geni y tu allan i'r sir, 65 y cant o boblogaeth Uwchlaw'r-coed, a thros 40 y cant mewn sawl man arall. (Gweler Atodiad 3.) Ond gwybodaeth anghyflawn a geir yn y Cyfrifiad. Er iddo ddosbarthu'r boblogaeth yn ôl mannau geni, ni wahaniaethir rhwng Cymru a Lloegr. Rhennir y sir yn gantrefi yn hytrach na phlwyfi neu Ardaloedd Cofrestru, ond y mae'r wybodaeth ar gyfer y ddau gantref yr effeithiwyd arnynt gan y Chwyldro Diwydiannol yn Atodiad 4.[16]

Fel y gwelir, yr oedd yr elfennau Gwyddelig ac Albanaidd yn ganran cymharol fychan o'r boblogaeth ddwad, ond gellir bod yn sicr bod cyfran uwch o Saeson yn eu plith. Saeson oedd y meistri haearn bron yn ddieithriad, a daeth rhai â chyflenwad o weithwyr crefftus gyda hwy. Daeth teulu Harford â gwŷr o Swydd Gaerwrangon i Ddyffryn Llwyd, er enghraifft, ac yn y blynyddoedd cynnar bu profiad ar-benigwyr o Swyddi Amwythig a Stafford yn gynorthwy i'r gweithwyr lleol ddysgu'r dechnoleg newydd. Yr oedd gweithwyr di-grefft o Loegr hefyd yn elfen bwysig o'r gweithlu. Yn y traethawd a anfonodd i un o gystadlaethau Eisteddfod y Fenni yn 1838, cyfeiria Einion ap Haiarn at '. . . y Lloegrwys anwaraidd . . . pa rhai . . . a ymdyrent yn fintau mawrion . . .'[17] Byddai'n gymharol hawdd i weision fferm o ganolbarth a de-orllewin Lloegr groesi'r ffin i Sir Fynwy; yn arbennig felly o Swydd Gaerloyw a Gwlad yr Haf.

Un o'r prif ffactorau a effeithiai ar gyfansoddiad y boblogaeth oedd agosrwydd neu bellter daearyddol. Gan ei bod hi'n haws i'r Saeson deithio i ddwyrain yr ardal ddiwydiannol newydd caed cyfran uwch o Saeson yno nag yn y plwyfi gorllewinol. Yn ôl amcangyfrif a wnaed gan G. S. Kenrick yn 1840, yr oedd 44 y cant o boblogaeth plwyf Trefethin yn Saeson, 51 y cant yn Gymry, a 5 y cant yn Wyddelod; tra yn ardal Blaenafon yr oedd 38 y cant yn Saeson, 61 y cant yn Gymry ac 1 y cant yn Wyddelod.[18] Gellid meddwl bod yr arolwg yn gormodi ynglŷn â nifer y Saeson, yn arbennig gan fod cyfran y boblogaeth a anwyd yn Lloegr yn Ardaloedd Cofrestru Pont-y-pŵl a'r Fenni dipyn yn is na hyn yn 1851. (Gweler Atodiad 5.) Ond pan ystyrir lleoliad dwyreiniol y ddwy ardal oddi mewn i'r Ardaloedd Cofrestru, mae'n bosib eu bod yn gywir. Hwyrach y gellir priodoli'r cyfran uwch o Saeson yn ardal Trefethin i'r ffaith fod y plwyf yn llai anghysbell i fewnfudwyr o dde-orllewin Lloegr na Blaenafon, a hefyd ei fod yn cynnwys tref Pont-y-pŵl a fu'n agored i ddylanwadau Seisnig ers y ddeunawfed ganrif. A hyd yn oed os na ddylid gosod gormod o bwys ar y ffigurau, mae'r gwahaniaeth rhwng cyfansoddiad y boblogaeth yn y ddwy ardal yn arwyddocaol. Yn ogystal â ffactorau daearyddol, rhaid cofio hefyd bod amodau economaidd lleol yn peri bod maint y mewnlifiad yn amrywio o un man i'r llall, ac yn newid yn barhaus. 'That migration,' meddai Syr Thomas Phillips yn

1849, *'is not constant in its operations and regular in its amount, but fluctuating and abruptly suspended.'*[19]

Erbyn 1851 darperir gwybodaeth fanylach am fannau geni'r boblogaeth gan y Cyfrifiad Cyhoeddedig.[20] Fel y gellid disgwyl, caed cyfran uwch o fewnfudwyr o Loegr yn nwyrain a de-ddwyrain yr ardal (Ardaloedd Cofrestru Pont-y-pŵl a Chasnewydd), nag yn y plwyfi gorllewinol (Ardal Gofrestru'r Fenni), lle deuai cyfran uwch o'r mewnfudwyr o rannau eraill o Gymru. (Gweler Atodiadau 5 a 6.)

Oddi mewn i'r unedau eang hyn, fodd bynnag, caed cryn amrywiaeth. Daw hyn yn amlwg wrth ddadansoddi cyfansoddiad y boblogaeth mewn ardaloedd bychain iawn. Defnyddiwyd Rhestrau Gwreiddiol y Cyfrifydd a dewiswyd tri lle oddi mewn i Ardal Gofrestru'r Fenni ac iddynt nodweddion a hanes ieithyddol gwahanol.[21] Astudiwyd rhan o Dwyncarno, Rhymni, am fod yr ardal ar ffin orllewinol eithaf y sir, ac am fod hwn yn fan a gadwodd y Gymraeg hyd at yr ugeinfed ganrif. O blith y 791 o bobl a drigai mewn saith stryd ym mhen uchaf Twyncarno yn 1851, pedwar ar bymtheg yn unig a oedd wedi eu geni y tu allan i Gymru, wyth ohonynt yng Ngwlad yr Haf.

Ganwyd 75 y cant o'r penteuluoedd mewn rhannau eraill o Gymru (hynny yw, y tu allan i Fynwy a Morgannwg). Hanai'r mwyafrif o'r rhain o siroedd Brycheiniog, Ceredigion, Caerfyrddin a Threfaldwyn. Yr oedd dros 15 y cant o'r boblogaeth yn lletywyr, gydag 83 y cant ohonynt wedi eu geni mewn rhannau eraill o'r Gymru Gymraeg. O ddadansoddi mannau geni'r boblogaeth gyfan caed bod 12.2 y cant yn hanu o Sir Forgannwg, 84.3 y cant o rannau eraill o Gymru, 3.3 y cant o Loegr a 0.2 y cant o Iwerddon. Diddorol hefyd yw sylwi bod y mewnfudwyr o rannau eraill o Gymru yn hanu o 120 o blwyfi gwahanol. Y rhai a enwid amlaf yn y gofrestr oedd Llangynidr, Defynnog, Llanidloes, Llangurig, Llanegryn, Llancynfelyn, Llanbadarn Fawr, a Chil-y-cwm. Diddorol yw nodi hefyd bod sawl ffurflen wedi ei llenwi yn Gymraeg. Mae'n amlwg i natur drwyadl Gymraeg y mewnfudo cynnar i Dwyncarno osod sail gadarn i'r iaith Gymraeg yn y gymdogaeth.

Yn achos Victoria, Glynebwy, astudiwyd ardal a gynhwysai 1,824 o bobl yn 1851. Datblygwyd yr ardal yn ddiweddarach na Thwyncarno, ac yn ddiweddarach na Glynebwy ei hun. Agorwyd y gwaith haearn yn 1837, a phobl ddwad oedd mwyafrif y gweithwyr. Yn 1838 synnai *Y Diwygiwr* at gyflymder y cynnydd wrth i bobl heidio yno 'fel morgrug'.[22] O blith y trigolion a aned y tu allan i Sir Fynwy yn 1851, ganed 20 y cant yn Sir Forgannwg, 46 y cant mewn rhannau eraill o Gymru, 31 y cant yn Lloegr a 3 y cant yn Iwerddon. Gwelir felly bod nifer sylweddol heb fod yn Gymry, a chynhwysai'r boblogaeth Seisnig nifer mawr o Wlad yr Haf. O gymharu â Thwyncarno, felly, yr oedd cyfran llawer uwch o Loegr. Os cymherir y mewnfudwyr o rannau eraill o Gymru yn y ddwy

ardal gellir sylwi bod cyfran uwch o'r mewnfudwyr i Victoria yn hanu o
Sir Faesyfed, sir a oedd eisoes yn dechrau Seisnigeiddio yn y cyfnod hwn.

Mae'r drydedd ardal a ddewiswyd yn rhan isaf plwyf Bedwellte. Yno,
y diwydiant glo môr oedd yn cynnal y boblogaeth, yn hytrach na'r
diwydiant haearn. Y Coed-duon oedd prif aneddle'r ardal, ac
astudiwyd poblogaeth rhan o'r dref honno, a gynhwysai 661 o bobl. O
ddosbarthu'r boblogaeth hon yn ôl mannau geni, saif y canrannau fel a
ganlyn:

Sir Forgannwg	11.5%
Rhannau eraill o Gymru	14.5%
Lloegr	43.5%
Iwerddon	30.5%

Yn sicr felly, yr oedd cyfran uwch o Saeson yn ardal y glo môr yng
ngwaelod plwyf Bedwellte nag ydoedd yn y gweithfeydd haearn yn y
pen uchaf. Nodwedd arall yw'r gyfran uchel o Wyddelod, a oedd yn
lletywyr gan fwyaf.

Er gwaethaf cyfyngiadau amlwg y dadansoddiad anwyddonol
uchod, dengys yn bendant na ellir cyffredinoli ynglŷn â natur y
mewnfudo i'r ardal ddiwydiannol newydd. Gallai'r canran o Saeson
amrywio'n fawr o un man i'r llall, oddi mewn i'r un plwyf, a hyd yn oed
oddi mewn i'r un dref. Ymhellach, gan mai cymdeithas ansefydlog iawn
oedd hi, newidiai safle cymharol y ddwy iaith yn gyson. Dylanwadodd y
patrymau amrywiol a sefydlwyd yn sgil mewnlifiad hanner cyntaf y
bedwaredd ganrif ar bymtheg ar gryfder y Gymraeg yn y gwahanol
fannau erbyn ail hanner y ganrif, a bu datblygiadau'r cyfnod
diweddarach hefyd yn allweddol i safle'r iaith.

Poblogaeth gymysg oedd poblogaeth newydd gorllewin Sir Fynwy
felly. Yn sicr, nid cymdeithas unffurf, uniaith mohoni. Wedi nodi hynny
fodd bynnag, rhaid casglu mai Cymry, a Chymry Cymraeg, oedd
mwyafrif y mewnfudwyr yn ystod hanner cyntaf y ganrif. Oherwydd, er
gwaetha'r ffaith fod rhan helaeth o ardal ddwyreiniol Sir Fynwy,
ynghyd â rhannau o Sir Faesyfed a Sir Benfro, wedi Seisnigeiddio erbyn
y cyfnod hwn, yr oedd mwyafrif y boblogaeth ddwad i bob pwrpas, yn
drwyadl Gymraeg.

> Y mae yr hanner nesaf i Forgannwg o'r Afon Wysg a'i thrigolion yn gyffredin
> yn siarad yr iaith Gymraeg, yn selog a phybyr dros ei llwydd a'i thragwyddol
> gadwedigaeth.

meddai Eiddil Ifor (T. E. Watkins, Blaenafon) yn ei draethawd, 'Hanes
Gwent . . . ' a anfonwyd i gystadleuaeth Eisteddfod y Fenni yn 1836.[23] Ac
yn wir, nid oes prinder tystiolaeth, o ddarllen ffynonellau llenyddol y
cyfnod, mai'r Gymraeg oedd prif iaith y 'werin weithyddol' yn y

blynyddoedd hyn. Mae dadansoddiad ystadegol J. Gwyn Davies o Restrau Gwreiddiol y Cyfrifydd ar gyfer plwyfi Bedwellte ac Aberystruth (dau blwyf mwyaf Ardal Gofrestru'r Fenni) yn 1851 yn ategu hynny. Yn y flwyddyn honno yr oedd 79 y cant o benteuluoedd y ddau blwyf wedi eu geni yng Nghymru, ac yr oedd y gwragedd priod hyd yn oed yn fwy Cymreig o ran eu cefndir (86 y cant ohonynt wedi eu geni yng Nghymru). Yr oedd hyd yn oed mwyafrif y lletywyr, grŵp iau, llai sefydlog na'r penteuluoedd, yn hanu'n bennaf o Gymru (69 y cant ohonynt wedi eu geni yn y wlad).[24] Fe ymddengys felly, mai'r Gymraeg oedd iaith gyffredin, ac i bob pwrpas ymarferol, unig iaith mwyafrif poblogaeth gorllewin y sir hyd at 1851. Oedd, yr oedd y Cymry'n prysur ddysgu'r iaith Saesneg, fel y dangosir yn yr ail bennod, serch hynny, y Gymraeg a ddefnyddid yn gyffredin.

Yn amlwg, nid oedd yn bosib i'r ardal brofi'r fath fewnlifiad heb i'r mewnfudwyr ddylanwadu'n fawr ar eu cymdeithas fabwysiedig. Yn ei draethawd i Eisteddfod y Fenni 1838, dadleua Einion ap Haiarn fod cymeriad yr ardal wedi gwella ers sefydlu'r gweithfeydd, ac mae'n priodoli hyn i ddylanwad mewnfudwyr o orllewin a gogledd Cymru'n arbennig:

> Trwy y cynnydd parhaus ar y gweithiau a dyfodiad cannoedd o drigolion Ceredigion, Caerfyrddin, Dyfed a Gogledd Cymru . . . yr oeddynt (trigolion y gweithfeydd) yn gwellhau eu moesau . . . ac er prawf o hynny yn yr oes hon y maent yn fwy gwybodus, yn fwy crefyddol, ac yn hawddach eu trin fel gwladeiddwyr . . . [25]

Cyfeirio y mae'r traethodydd at y rhan a chwaraewyd gan fewnfudwyr yn sefydlu capeli ac yn cynyddu dylanwad Ymneilltuaeth yn yr ardal. Dengys hanes yr enwadau Anghydffurfiol yng ngorllewin Sir Fynwy fod perthynas glòs rhwng amseriad y datblygiadau diwydiannol, mewnfudo, a thwf y capeli. Y mae hyn yn arbennig o wir am Fethodistiaeth.

Yn achos y Methodistiaid Calfinaidd, ychydig iawn o'r hen eglwysi Cymraeg a sefydlwyd yn ystod y ddeunawfed ganrif a oroesodd hyd at gyfnod y Chwyldro Diwydiannol. Ceir eithriadau nodedig, wrth gwrs, ond ar y cyfan, perthyn Methodistiaeth Galfinaidd Gymraeg Sir Fynwy i'r bedwaredd ganrif ar bymtheg. Mewnfudwyr o orllewin a gogledd Cymru a sefydlodd y capeli cryfaf yn y sir, a lleolid y rheini yng nghymoedd y gorllewin. Bu dylanwad gwŷr Ceredigion yn amlwg iawn. O Flaenannerch y daeth Owen Enos i Gwm Ebwy gan osod sylfeini Methodistiaeth yno. O'r un sir hanai rhai o selogion cyntaf capeli Carmel, Abertyleri; Gobaith, Blaenau; Bethesda, Cendl; Bethany, Pontnewydd; Ebeneser, Pont-y-gof a Sion, Tredegar. O Abergwaun y daeth George a Dinah Davies, sefydlwyr capel Ebeneser, Twyncarno, ac un o Sir Fflint oedd Thomas Jones, rheolwr pyllau glo, a sefydlydd

Nazareth, Aber-carn. Yn aml, gallai dylanwad un teulu gychwyn achos, megis teulu'r Thomosiaid o Fachynlleth, aelodau cyntaf Salem, Nant-y-glo.[26]

Mae hanes ieithyddol y Wesleaid yn wahanol i eiddo'r Methodistiaid Calfinaidd gan mai'r Saesneg oedd unig gyfrwng eu cenhadaeth yn y blynyddoedd cynnar. Yr oedd presenoldeb cynulleidfaoedd Wesleaidd yn negawdau cyntaf y ganrif yn arwydd o fewnfudo o Loegr, ac yn wahanol i'r enwadau eraill, y Saeson oedd y garfan gryfaf yn eu plith hyd at ganol y dauddegau pan ddechreuodd y mewnlifiad o gefn gwlad Cymru gynyddu. Adeiladwyd sawl capel gan y Wesleaid Cymraeg wedyn, Bethel, Nant-y-glo (1827); Capel y Farteg (1829); Bethcar, Glynebwy (1830); Capel Ucha, Machen (1830); Tabernacl, Rhymni (1837) a Phont-y-pŵl (1839). Yn yr un cyfnod cynyddai capeli Cendl, Brynmawr, Tafarnau Bach a Phontlotyn. Adlewyrchai'r twf gynnydd y mewnlifiad o Gaerfyrddin a Meirionnydd, ac, yn arbennig, o Geredigion a Threfaldwyn. Yr oedd twf Cylchdaith Wesleaidd Tredegar yn gysylltiedig â mewnfudo o Lanidloes, Llangurig a Llandinam. Deuai llawer o aelodau'r Wesleaid yn Rhymni hefyd yn wreiddiol o gyffiniau Llanidloes a Llangurig, ynghyd â Swyddffynnon a Llandysiliogogo. Gwelwyd dylanwad hen gapel Tre'r ddôl ymhob capel Wesleaidd Cymraeg yn yr ardal bron, ac yr oedd cysylltiad arbennig o agos rhwng y capel hwnnw â Wesleaid Pontlotyn.[27] Ond lleiafrif oedd y cynulleidfaoedd Cymraeg ymhlith y Wesleaid. Ar y cyfan, adlewyrchu mewnfudo Saesneg yr oedd presenoldeb yr enwad. Ac arwydd o gynnydd y boblogaeth Saesneg oedd twf y Methodistiaid Sylfaenol (*Primitive Methodists*) hefyd. Dechreuodd yr enwad genhadu yn Sir Fynwy yn 1825 pan sefydlwyd Cylchdaith Blaenafon. Er mai ond dau gapel oedd gan yr enwad yn y sir erbyn 1841, gwelwyd cynnydd cyflym wedyn, ac erbyn 1851 yr oedd dau ar bymtheg o gapeli ganddynt yn yr ardal ddiwydiannol.[28]

Er bod cynnydd enwadau Saesneg yn tanlinellu'r ffaith mai poblogaeth gymysg ei hiaith oedd y boblogaeth newydd, y Gymraeg, a'r enwadau Cymraeg, a deyrnasai wrth i'r tri phrif enwad, y Bedyddwyr, yr Annibynwyr a'r Methodistiaid Calfinaidd, ill tri brofi cynnydd anghyffredin yn yr ardal. Er i'r Bedyddwyr a'r Annibynwyr sefydlu ambell gapel Saesneg ar gyfer y boblogaeth ddi-Gymraeg yn y dauddegau a'r tridegau, bychan iawn oeddynt o'u cymharu â'r achosion Cymraeg a atgyfnerthwyd yn gyson gan newydd-ddyfodiaid o gefn gwlad Cymru. Yn gyffredinol, dilyna hanes y capeli batrwm llanw a thrai llif y boblogaeth. Caed capeli'n edwino oherwydd effaith dirwasgiad diwydiannol sydyn, ac yna'n adfywio yn sgil mewnlifiad o Gymry Cymraeg i waith newydd yn y cylch (Gweler yr ail bennod.) Byddai maint a pharhad y mewnlifiad o gefn gwlad Cymru felly yn ffactor hollbwysig ym mharhad sefydliadau Cymraeg yn yr ardal ddiwydiannol.

Y dystiolaeth gryfaf sy'n profi goruchafiaeth ddiamheuol y Gymraeg yn y cymoedd diwydiannol yn ystod hanner cyntaf y ganrif (ac am gyfnod sylweddol wedi hynny mewn rhai mannau), yw'r modd y cymathwyd mewnfudwyr mor llwyr yn y gymdeithas newydd. Wrth ddangos bod 'trigolion y gweithiau' (yn wahanol i drigolion 'trefydd yn gyffredin') yn ffyddlon i'w hiaith, dadleuai'r traethodydd buddugol yn un o gystadlaethau Eisteddfod Cymreigyddion y Fenni yn 1837 bod y Gymraeg ar ei hennill yn yr ardal ddiwydiannol newydd. Y rheswm am hynny oedd bod:

> ... cannoedd o'r Lloegrwys, ac yn neilltuol eu plant, yn ymroddi i ddysgu yr iaith Gymraeg, mal nad allai dyn dieithr adnabod y gwahaniaeth rhyngddynt, a hyn sydd yn ffaith anwadadwy ... [29]

Er mai 'ymroddi i ddysgu' yw disgrifiad yr awdur o'r modd y cymathwyd y Saeson, y mae'n amlwg bod llawer o'r mewnfudwyr yn dod i siarad Cymraeg heb *ddysgu'r* iaith fel y cyfryw, ond drwy ddod i gysylltiad â Chymry Cymraeg yn y gymdeithas, a chlywed yr iaith o'u cwmpas. Mae'n debyg bod y plant yn dysgu drwy chwarae â phlant y Cymry, neu drwy ymuno â'r ysgolion Sul Cymraeg, oherwydd cyfran fechan ohonynt a gâi addysg ddyddiol, ac yr oedd yr addysg honno bron yn ddieithriad yn uniaith Saesneg fodd bynnag. Yn sicr, yr oedd y capeli yn gyfrwng pwysig i gymathu mewnfudwyr. Ceir digon o enghreifftiau o unigolion yn dod yn rhugl yn y Gymraeg drwy ymaelodi â'r capel. Un enghraifft yw Mrs M. Morgan a anwyd yn Stafford yn 1791. Daeth i Bont-y-pŵl yn blentyn, ac er mai ei thad oedd sefydlydd capel Saesneg y Wesleaid yno, daeth hithau'n un o selogion achos y Wesleaid Cymraeg yn y dref.[30] Albanwr oedd Enoch Smith a fagwyd yng Nglynebwy yn ystod y tridegau. Daeth yntau'n un o gewri'r achos yng nghapel Cymraeg Penuel.[31] Ymunodd nifer o Saeson â chapel Cymraeg Bethesda, Cendl, rhwng 1820 a 1850, a daeth enwau megis Skyman, Wornell a Parancy yn enwau cyffredin ar y rhestr aelodaeth. Ganed Richard Wornell yn Rhydychen ac ymsefydlodd yng Nghendl yn ugain oed. Dysgodd Gymraeg drwy fynychu'r Ysgol Sul (tua'r pedwardegau) ac erbyn diwedd ei oes yr oedd yn fwy rhugl yn y Gymraeg nag yn ei famiaith.[32] Yn wir, cymathwyd rhai mewnfudwyr mor llwyr hyd nes iddynt anghofio'u mamiaith. Daeth George Brown i Rymni yn bymtheg oed yn 1832 yn Sais uniaith o Bridgewater. Ni fu'n hir cyn dysgu'r Gymraeg. Ymaelododd â chapel Wesleaidd Tabernacl, ac ymhen blynyddoedd dyrchafwyd ef yn ddiacon. Dywedwyd ei fod yn siarad yn 'llithrig yn ei iaith fabwysiedig, gydag ambell goll yn nhreigliadau'r llythrennau'.[33]

Nid y capel oedd yr unig gyfrwng i gymathu'r mewnfudwyr. Un o wŷr y dafarn oedd John Treasure, Rhymni, Sais a ystyriai ei hun yn fardd Cymraeg o fri. Ansafonol iawn oedd ei gerddi fodd bynnag; eto, dengys ei hanes gryfder y Gymraeg yn yr ardal yn y chwedegau a'r saithdegau oherwydd teimlai 'nad oedd modd iddo ef fyw gyda'r graddau lleiaf o hapusrwydd . . . heb ddysgu eu hiaith Gymraeg'.[34]

Yn y lofa y dysgodd un o deulu'r Skyman o Gendl y Gymraeg, gan ddod yn rhugl drwy wrando ac ymarfer sgwrsio gyda'i gydweithwyr yno.[35] Ac mewn cymdeithas ddiwydiannol lle y tra-arglwyddiaethai'r gwaith ar bob agwedd ar fywyd, yr oedd dylanwad y lle gwaith yn ganolog i'r broses o gymathu mewnfudwyr. '*The great majority of colliers, miners and men at the ironworks were principally of one language, Welsh.*' Dyna dystiolaeth Ignotus (Captain Russell) yn 1867 wrth gyfeirio at gyfnod ddeng mlynedd ar hugain ynghynt.[36] Yn sicr, Cymraeg oedd iaith pawb yng ngefail gwaith Sirhywi yn y cyfnod 1840–70; 'cyfnod pan oedd pob sheet haearn . . . yn wyn o linellau cywyddau'.[37] Yn 1854 Cymry Cymraeg oedd gweithwyr gwaith Alcan Aber-carn bron y ddieithriad, ac ar adeg y danchwa yn y pentref hwnnw yn 1878, tua saithdeg o'r 280 o lowyr a laddwyd a anwyd yn Lloegr.[38] Yn dilyn ffrwydriad yn un o byllau Rhisga yn 1860 rhoddodd nifer o'r glowyr dystiolaeth yn Gymraeg yn y cwest, a dywedwyd fod gan bob gweithiwr gopi Cymraeg o reolau'r pwll er diogelwch.[39] Hyd yn oed yn 1885 gallai Dafydd Morgannwg, swyddog a ymwelai'n gyson â holl byllau de Cymru, ysgrifennu:

> Yr wyf yn sicr nad wyf yn dangos gormodedd o ogwydd Cymreig, nac yn gwyro dim oddi wrth y gwirionedd wrth ddywedyd fod tua deunaw o bob ugain o lowyr de Cymru yn siarad Cymraeg yn y gwaith. Hyhi yw iaith y glofeydd.

Sylw'r addysgwr Dan Isaac Davies ar hyn oedd:

> Dylai y rhai hynny sydd yn meddwl fod y Gymraeg yn marw yn sir Fynwy gofio fod pyllau glo Mynwy o fewn cylch ymweliadau . . . ein cyfaill.[40]

Yn sicr, yr oedd hyn yn wir am weithfeydd ardal Rhymni erbyn y cyfnod hwnnw. Cymraeg oedd iaith holl swyddogion y gwaith haearn yn ogystal â mwyafrif mawr y gweithwyr.[41] Ac wrth gyfeirio at y Lefel Glai a fu'n gweithio yno rhwng 1838 a 1895 dywed yr awdur lleol, D. T. Williams:

> . . . *It was opened, managed, worked, run and closed in the Welsh language . . . Irishmen, and immigrants from Gloucester, Hereford and Somerset coming here to work, needed to have a working knowledge of Welsh in order to give a workmanlike approach to the job . . . Some of my friends of Irish extraction tell me that their fathers and grandfathers spoke fluent Welsh. Local families like the Greeneys, O'Haras, Coughlins, Herrimans, Cusacks, Robins, Summers, Spacey, Hollises and Oakleys have all had their quota of Welsh speakers.*[42]

Ond os oedd hyn yn wir am Rymni ar ddiwedd y bedwaredd ganrif ar bymtheg ac wedi hynny, nid oedd gweithfeydd dwyrain maes glo Sir Fynwy yn cymathu mewnfudwyr i'r un graddau erbyn ail hanner y ganrif. Yn 1869, er enghraifft, caed tystiolaeth nad oedd y merched a weithiai yng ngwaith priddfeini Blaenafon yn siarad Cymraeg â'i gilydd: '*All the five girls . . . could understand, and some could speak Welsh; but speak English among themselves*'[43]. Ac ar y cyfan, erbyn traean olaf y ganrif mae'n amlwg fod y gwrthwyneb i'r broses gymathu yn digwydd. Hyd yn oed yn hanner cynta'r ganrif yn y lle gwaith y deuai llawer o Gymry i gysylltiad â'r Saesneg am y tro cyntaf. Ac er bod y gweithwyr yn aml iawn yn Gymry Cymraeg, y Saesneg oedd iaith weinyddol y gweithfeydd, iaith y cyfrifon a'r iaith angenrheidiol er mwyn ennill dyrchafiad. Fel y dadleuir isod, bu hyn, o reidrwydd, yn elfen yn y broses o ddisodli'r Gymraeg yn yr ardal.

Yn ystod hanner cyntaf y ganrif, fodd bynnag, yr oedd, yn y rhelyw o ardaloedd, ddigon o Gymry Cymraeg i beri ei bod hi'n rheidrwydd ar gyfran helaeth o'r mewnfudwyr ddysgu'r Gymraeg. Os nad oedd ganddynt sbardun i fynd ati i ddysgu, yna, yn aml iawn, caent gyfle i gyfarwyddo â'r iaith wrth wrando ar sgwrs y Cymry o'u cwmpas yn y stryd neu yn eu llety. Byddai cyfran helaeth o'r newydd-ddyfodiaid yn lletya am gyfnod cyn cael eu cartrefi eu hunain, ac er y gwyddys bod llawer yn lletya gyda phobl a hanai o'r un ardal (teulu a oedd wedi symud o'u blaenau gan amlaf), dengys Rhestrau Gwreiddiol y Cyfrifydd yn 1851 a 1861 fod llawer o Saeson yn lletya gyda theuluoedd Cymraeg. Teg yw amcanu bod nifer da ohonynt yn dysgu Cymraeg os mai dyna brif iaith neu unig iaith y cartref. Sefyllfa gyffredin arall yn yr ardal oedd priodas rhwng gwŷr ifanc o Loegr a merched lleol, neu ferched o rannau eraill o Gymru. Er nad oedd priodasau rhwng merched o Loegr neu Iwerddon â llanciau o Gymru yr un mor gyffredin, ceir nifer helaeth o enghreifftiau o hyn yn Rhestrau Gwreiddiol y Cyfrifydd. Nid yw'n bosib bod yn sicr ynglŷn â'r iaith a siaredid ar aelwydydd cymysg yn y gorffennol. Ar y cyfan, fe ymddengys mai'r tueddiad fyddai i'r pâr ddewis y Saesneg. Eto mae'n deg dyfalu y byddai angen i ŵr neu wraig a briodai aelod o deulu Cymraeg ddysgu rhyw gymaint o'r iaith er mwyn cael derbyniad ganddynt. Hwyrach bod hyn yn arbennig o wir yn achos priodasau rhwng mewnfudwyr o Forgannwg a gorllewin Cymru â Saeson, oherwydd gwyddys bod mewnfudwyr o ardaloedd cyfagos yn cynnal perthynas agos â'u perthnasau yn y wlad. Wrth gwrs, fe allai'r gwrthwyneb fod yr un mor wir, ond gan fod mwy o ddynion nag o ferched yn y gweithfeydd a mwy o briodasau rhwng gwŷr o Loegr ac Iwerddon a merched o Gymru nag i'r gwrthwyneb, fe allai ffactorau fel hyn fod yn arwyddocaol.

Anodd hefyd ydyw amcangyfrif pa gyfran o blant y priodasau cymysg a fyddai'n cael eu magu'n Gymry Cymraeg. Barn J. E. Southall, yr addysgwr a'r argraffydd o Gasnewydd, oedd mai dylanwad y fam oedd yr elfen allweddol yn hyn o beth. Credai ei bod hi'n annhebygol y buasai plentyn i wraig ddi-Gymraeg yn medru'r Gymraeg er mai dyna iaith gyntaf y tad.[44] Dangosodd astudiaethau yn Lloegr bod gan y fam lawer mwy o ddylanwad na'r tad ar fagwraeth y plant yn y cyfnod,[45] ac yn sicr, pwysleisiai cylchgronau Cymraeg yr oes ran allweddol y fam, a'i dyletswydd i sicrhau bod y Gymraeg yn cael ei throsglwyddo i'r genhedlaeth nesaf.[46] Eto, gwyddys bod mamau Sir Fynwy, rhai ohonynt yn uniaith Gymraeg, yn ceisio siarad Saesneg bratiog â'u plant mor gynnar â'r 1820au.[47] Rhaid cofio hefyd am ddylanwad y tad, a'i rôl fel penteulu awdurdodol. Yn wir, y mae sawl ffactor i'w hystyried, ac mae angen astudiaeth fanwl o ddylanwad merched a dynion ar gadwraeth yr iaith yn y teulu, heb sôn am bwyso a mesur dylanwad yr aelwyd o'i chymharu â dylanwad cyfryngau eraill yn y gymdeithas.

Agwedd arall o hanes ieithyddol y mewnlifiad, sy'n haeddu sylw manylach nag a geir yma, yw'r modd yr oedd y boblogaeth ddwad yn ymrannu, i raddau helaeth, yn ddaearyddol ac yn gymdeithasol.

They came . . . as Christians and as pagans, thrifty and profligate, clean and dirty; and gradually sorted themselves out in their new surroundings according to tradition and habit.[48]

Dyna ddisgrifiad Thomas Jones o'r modd yr ymsefydlodd y boblogaeth newydd yng Nghwm Rhymni ar ddechrau'r bedwaredd ganrif ar bymtheg. Mae golwg ar Restrau Gwreiddiol y Cyfrifiad yn cadarnhau fod gan bobl o'r un cefndir ac iaith duedd i ymsefydlu yn ymyl ei gilydd. Dengys rhestrau 1851, 1861 a 1871 mai Twyncarno oedd ardal Gymreiciaf tref Rhymni, tra oedd y rhan isaf ychydig yn fwy cymysg (er bod y Cymry yn y mwyafrif yno hefyd), a'r canol yn cynnwys cymuned fusnes, a swyddogion y gweithfeydd (Saeson ac Albanwyr yn bennaf), ynghyd â rhai strydoedd lle trigai cyfran uwch na'r cyffredin o Wyddelod.[49] Fe barhaodd y patrwm hwn hyd yn ddiweddar iawn, gyda Thwyncarno yn aros yn fwy Cymreig na gweddill y dref. Byddai'r Gwyddelod yn tueddu i sefydlu cymunedau ar wahân. Yn 1857 disgrifiwyd ardal a elwid 'Sodom' gerllaw Pontlotyn fel '*the particular abode of Irishmen earning 12/- to 15/- a week*'.[50]

Nid nodwedd unigryw i Rymni oedd grwpio o'r math hwn. Dengys gwaith manwl yr Athro Harold Carter a Sandra Wheatley fod hyn yn wir am Ferthyr Tudful yn y cyfnod, ac fe ymddengys mai felly yr oedd hi yn y cymunedau diwydiannol eraill hefyd.[51] Yr oedd Sirhywi (i'r gogledd o Dredegar) yn fwy Cymreig na chanol y dref, a Chendl, yn yr un modd, yn Gymreiciach na Glynebwy. Yn 1861, yr oedd Fletchers Court a Sowhill ym Mhont-y-pŵl yn gartref i'r Gwyddelod tra mai

Saeson o swydd Gaerloyw a Gwlad yr Haf oedd trigolion George Street a Railway Side bron yn gyfan gwbl.[52] Fe ymddengys bod tuedd gan Gymry o'r un ardal i ymsefydlu yn ymyl ei gilydd hefyd. Dywed Adroddiad Addysg 1847 wrth gyfeirio'n benodol at Ddowlais: '*The workmen . . . live together very much in clans . . . the Pembrokeshire men in one quarter, Cardiganshire men in another, and so on*'.[53]

Yn Rhymni, hanai trigolion Old Company Shop Row bron i gyd o Geredigion, a mwyafrif trigolion Tre Evans o Geredigion a Brycheiniog. Wedi dweud hynny, fodd bynnag, ceir llawer o enghreifftiau o strydoedd lle'r oedd Cymry o wahanol ardaloedd drwy'r trwch, a strydoedd eraill (yng ngwaelod y dref yn arbennig) lle caed Cymry, Saeson ac ambell deulu Gwyddelig yn gymysg. Yn aml iawn, ymsefydlent yn ôl galwedigaeth yn hytrach nag yn ôl cenedl. Glowyr oedd trigolion Price Row bron yn ddieithriad. Mwynwyr oedd yn byw yn Brickyard Row a Chwm Carno, tra mai gofaint, pwdlwyr a gweithwyr eraill y gwaith tân a drigai yn y strydoedd agosaf at y gwaith.[54]

Yn ei Adroddiad Addysg a gyhoeddwyd yn 1861 dywed John Jenkins:

> *In many towns . . . the Welsh language holds a kind of divided reign with the English . . . where the Welsh language prevails in one part of the town and the English in the other. Indeed, the case of the use of both languages in the same street by different sections of the population is by no means an infrequent occurrence.*[55]

Awgryma felly fodolaeth sefyllfa o ddwyieithrwydd cydradd lle y gallai dwy gymuned ieithyddol fyw ochr yn ochr heb ymyrryd â safleoedd ei gilydd. Mae'n bosib y bu hyn yn wir am rai mannau ar rai adegau, ac yn sicr buasai'r ffaith fod y Cymry yn crynhoi yn ddaearyddol yn sicrhau goruchafiaeth y Gymraeg mewn un ardal o leiaf. Ond buasai'n rhaid dadansoddi'r boblogaeth yn fanwl dros gyfnod o amser cyn medru dod i gasgliad ynglŷn ag effaith patrymau anheddu ar gynhaliaeth y Gymraeg. Y mae ffactorau eraill i'w hystyried hefyd, wrth gwrs. Deuai'r gwahanol genhedloedd i gysylltiad â'i gilydd yn y gwaith, yn y tafarndai ac yn y capeli. Yn wir, byddai unrhyw gyfathrach gymdeithasol yn arwain at ryw gymaint o ymgyfarwyddo ag ieithoedd ei gilydd. Ymhellach, rhaid ystyried dylanwad pwysau cymdeithasol a gwleidyddol o blaid y naill iaith a'r llall.

Ar y cyfan, fodd bynnag, cafodd mewnlifiad hanner cyntaf y bedwaredd ganrif ar bymtheg ddylanwad cadarnhaol ar safle'r Gymraeg. Cymathwyd cyfran helaeth o'r mewnfudwyr di-Gymraeg, ac er gwaethaf rhai cyfnodau o ddirwasgiad, atgyfnerthwyd y gymuned Gymraeg gan y mewnlifiad o gefn gwlad Cymru. I raddau, dibynnai safle'r iaith ar barhad y broses hon. 'Yn y trefydd poblogaidd .. y mae cynhaliaeth y Gymraeg yn ymddibynnu i raddau mawr ar y bobl a symudant iddynt o'r wlad . . .' meddid yn 1847.[56] A chredai rhai y byddai'r broses o atgyfnerthiad yn parhau, gan sicrhau dyfodol y Gymraeg. Wrth gyfeirio at y Gymraeg ym mhlwyf Trefethin (ardal Pont-y-pŵl) yn 1863, meddai un sylwebydd:

> *The fluctuating character of employment . . . occasions, in seasons of depression, a large efflux of operatives to other works, whose places have to be filled on return to prosperity by an influx of the surplus population of Cardiganshire and other Welsh counties . . . so that the practical, everyday use of the Welsh language is never likely to become entirely extinct.*[57]

Proffwydoliaeth or-optimistaidd oedd hon fodd bynnag. Eisoes yn 1863 yr oedd newidiadau diwydiannol ac economaidd yn peri mai Seisnigeiddio fyddai prif effaith y mewnlifiad i Sir Fynwy yn ystod ail hanner y ganrif.

II

Yr Iaith yn y Gweithie

Un o'r cyfansoddiadau mwyaf diddorol ymhlith traethodau Eiddil Ifor yw 'Hanes Gweithiau Haiarn De Cymru' (1837?).[1] I rywun nad yw'n gyfarwydd â hanes ieithyddol y gymdeithas ddiwydiannol a sefydlwyd yng ngorllewin Sir Fynwy yn y cyfnod, fe ymddengys fod Eiddil Ifor yn ei wrth-ddweud ei hun yn y traethawd hwnnw. Ar y naill law, dywed fod dyfodiad y gweithfeydd yn fendithiol i'r Gymraeg. Sonia am 'yr iaith Gymraeg mewn mwy o ymarferiad yn bresenol nag yn un amser ers sylfaeniad y gweithiau Haiarn yma', ac am yr ieuenctid yn 'egniawl i gynnal cenedlgarwch a pharch at eu hen a chysefin arferion'. Ond ar yr un gwynt, pwysleisia 'effaith ddrwg' y gweithfeydd, a barodd fod llawer o'r trigolion yn troi eu cefnau ar 'arferion yr hen deidiau ac anghofio cynnal cenedlgarwch':

> Cafodd effaith ddrwg ar feddyliau llawer oblegid byddai amrywiol o deuluoedd yn ei ystyried yn beth o bwys mawr eu bod yn dyall Saesonaeg, ac . . . y byddai teuluoedd yn cael eu codi . . . wedi colli yr hen Gymraeg loywgain.

Darlunir yr un ddeuoliaeth gan draethodwyr cystadleuaeth Cymreigyddion y Fenni yn 1838.[2] Maent, bron yn ddieithriad, yn dweud bod y Gymraeg ar ei hennill oherwydd mewnfudo o gefn gwlad Cymru, ond bod y Saesneg hithau ar gynnydd, a'r Gymraeg yn dioddef o'r herwydd. O wybod am y sefyllfa gymhleth a fodolai yn y gweithfeydd yn y cyfnod, daw'n amlwg fod y ddeubeth yn wir, a'r traethodwyr ond yn adlewyrchu'r cymhlethdod hwnnw.

Cadarnheir sylwadau'r traethodwyr gan ystadegau perthnasol. Yn ôl amcangyfrif a wnaed gan J. E. Southall yr oedd tua 80 y cant o boblogaeth Sir Fynwy'n medru'r Gymraeg yn 1801 (tua 36,000 o bobl).[3] Amcangyfrifodd y byddai'r canran wedi disgyn i ryw 40 y cant o'r boblogaeth erbyn 1861, ond ar yr un pryd byddai'r nifer wedi cynyddu i tua 70,000. Felly, tra oedd nifer y siaradwyr ar gynnydd, yr oedd eu canran yn y gymdeithas yn gostwng.

Un o bryderon mwyaf y traethodwyr oedd parodrwydd y Cymry i fabwysiadu'r Saesneg fel iaith y teulu. Ac yn wir, dengys tystiolaeth y cyfnod bod y Cymry yn prysur ddysgu'r iaith honno. Yn ôl ffigurau G. S. Kenrick y cyfeiriwyd atynt eisoes, cyfran isel iawn o boblogaeth Trefethin a Blaenafon oedd yn uniaith Gymraeg yn 1840; 106, sef 1.2 y cant o'r Cymry Cymraeg yn Nhrefethin, ac 21, sef 0.06 y cant o'r Cymry Cymraeg ym Mlaenafon.[4] Nid yw'n glir a ydyw'r ffigurau'n cynnwys plant o dan dair oed ai peidio, ac nid yw'r diffiniad o unieithrwydd yn hollol glir chwaith, felly mae'n amheus a ydynt yn gwbl ddibynadwy. Gellid disgwyl y byddai cyfran llawer uwch yn uniaith yn 1840, yn arbennig o gofio am y galw am farnwyr a swyddogion tlotai Cymraeg eu hiaith i wasanaethu'r Cymry uniaith yn hanner cyntaf y bedwaredd ganrif ar bymtheg.[5] Yn wir, mae ffynonellau diweddarach yn awgrymu bod unieithrwydd yn gymharol gyffredin, yn arbennig ymhlith hen bobl yr ardal, tan ddiwedd y ganrif.[6] Yn sicr felly yr oedd hi yn Rhymni, oherwydd yr oedd cynifer â 713 o bobl (9.8 y cant o'r boblogaeth) yn uniaith Gymraeg yn 1901. Yn ôl y Cyfrifiad Iaith Swyddogol cyntaf (1891), yr oedd 9,816 o bobl (3.5 y cant o boblogaeth y sir), yn uniaith Gymraeg; 6,805 ohonynt yn Ardal Gofrestru Bedwellte. (Rhaid cofio hefyd bod amheuon ynglŷn â'r modd y cyfrifwyd yr elfen uniaith yng Nghyfrifiad 1891, ond ar ôl ystyried ffigurau Sir Fynwy yn ofalus, credai Southall eu bod yn dderbyniol.)[7]

Ond er bod ffigurau Kenrick yn rhy isel yn ôl pob tebyg, ni ellir amau nad oedd tuedd gynyddol ymhlith Cymry Cymraeg y cyfnod i geisio meistroli'r Saesneg. Ac er ei bod yn iaith ddieithr i fwyafrif y Cymry yn hanner cyntaf y ganrif, ceir sawl awgrym eu bod yn ei deall, ond heb ei defnyddio:

> *The generality of those who speak Welsh among themselves are also well acquainted with English and, although they prefer their own tongue, are quite capable of conversing in the other* . . . [8]

Rhaid cofio, fodd bynnag, mai ceisio cyfiawnhau'r ddarpariaeth Eglwysig (annigonol) ar gyfer y Cymry Cymraeg yr oedd yr Esgob Copleston pan wnaeth y sylw uchod yn 1836. Mae'n amheus a oedd y mwyafrif yn 'gyfarwydd iawn' â'r Saesneg; eto fe ymddengys eu bod yn abl i ddefnyddio'r iaith honno pan fyddai'r angen yn codi:

> *The 'poor' Welsh are much the best judges of their own interests, and the extraordinary facility with which they acquire English . . . when they require it for business proves that they can help themselves in English.*[9]

Gellir casglu'n gyffredinol bod y mwyafrif o'r Cymry Cymraeg yn siarad Cymraeg â'i gilydd, ond bod ganddynt ychydig o Saesneg i'w ddefnyddio pan fyddai hynny'n angenrheidiol neu'n ddisgwyliedig. Mae'n debyg y gallai llawer ddeall rhyw gymaint o Saesneg ond heb fedru ei siarad. Yn ei dystiolaeth i Adroddiad Addysg 1847 dywedodd y Parch Thomas Davies, Trefethin:

The working population . . . do not always understand the precise meaning of English terms, though in common use; still they apprehend distinctly what is intended to be conveyed by the use of such words. The same remark well applies to the children also.[10]

Saesneg amherffaith oedd yr iaith newydd felly. Gwyddys o ddarllen llythyrau bygythiol y Tarw Scotch a chofnodion yr achos yn dilyn ymdaith y Siartwyr i Gasnewydd mai Saesneg bratiog oedd gan lawer o weithwyr yr ardal.[11] Yr oedd hyd yn oed Eiddil Ifor, gŵr cymharol ddysgedig, yn gofidio ei fod ef a'i debyg i'w cael anhawster i'w mynegi eu hunain yn gywir yn Saesneg:

Nid yn fynych ceir dynion a allent ddal cyfeillach mor ddedwydd mewn ieithoedd eraill ag yn eu hiaith eu hunain . . . Boed i'n mwynaidd gymdogion Saesneg gofiaw hyn bob amser y gwelont Gymro yn tolcian neu y clywoch ef yn herciaw mewn cyfeillach Saesneg.[12]

Ond gofid mwy iddo (os mai ef, fel y tybiaf, ydoedd 'Emyr Llydaw', awdur cyfres o lythyrau 'At y Werin Weithyddol' a gyhoeddwyd yn *Seren Gomer* yn y pedwardegau) oedd y ffaith fod y plant, a ddysgai Saesneg bratiog gan eu rhieni Cymraeg yn methu meistroli'r naill iaith na'r llall yn llwyr. (Gweler y bumed bennod.) Fel y dywedwyd eisoes, ceir tystiolaeth bod Cymry uniaith, bron, yn ceisio siarad rhyw lun ar Saesneg bratiog â'u plant mor gynnar â'r dauddegau. Wrth ddisgrifio'i gyfnod fel athro ym Mhont-y-pŵl tua 1826, soniai'r Parch E. Evans, Nant-y-glo, am safon wael y Saesneg a arferid:

Un o'r pethau a dynnodd fy sylw at iaith fratiog y werin oedd clywed gwraig nas medrai nemawr Saesneg yn ceisio siarad Saesneg â'r plant, ac yn dweud wrth ei merch fechan, '*Go to shop* yn glou *to fetch a pound of* fenyn i fi. *Make haste* yn ôl!'[13]

Hyd yn oed yn ystod y dauddegau, felly, ceir arwyddion bod y Cymry, er gwaetha'r ffaith eu bod yn y mwyafrif yn y gymdeithas, ac er gwaetha'u dirmyg tuag at y 'Lloegrwys anwar a digrefydd' a oedd yn tyrru i'w plith, yn mynnu gwneud ymdrech i ddysgu eu hiaith. Pam? Beth oedd i gyfrif am hyn?

Fel y dangoswyd eisoes yr oedd y ffaith fod y Cymry a'r Saeson yn byw ac yn gweithio yn ymyl ei gilydd yn golygu eu bod yn siwr o ddysgu rhyw gymaint o ieithoedd ei gilydd. Ond yn bwysicach na hynny o safbwynt yr hanesydd cymdeithasol yw bod y Cymry o fwriad yn mynd ati i sicrhau fod ganddynt afael ar y Saesneg am fod hynny o bwys yng nghymdeithas y gweithfeydd. Yn ddi-os yr oedd gan yr iaith Saesneg statws uchel yn y gymdeithas newydd. Yn y dyddiau cynnar, Saeson oedd y meistri a'r rheolwyr bron i gyd, a'r Saesneg oedd iaith weinyddol y gweithfeydd, ac iaith y byd masnachol yn gyffredinol. Yn 1840 disgrifiwyd Roger Hopkins, Victoria, fel 'yr unig Gymro ag sydd yn feistr gwaith haearn ar fryniau Morgannwg a Mynwy'.[14] Yn ôl

Adroddiad Addysg 1847, nid oedd y Cymry cyffredin yn cael eu dyrchafu i'r swyddi uchaf, a hynny oherwydd yr iaith:

> ... the Welsh element is never found at the top of the social scale ... In the works, the Welsh workman never finds his way into the office. He never becomes either clerk or agent. He may become overseer or sub-contractor, but this does not take him out of the labouring class ... his language keeps him under the hatches.[15]

Gwyddys, fodd bynnag, nad oedd hyn yn gyfan gwbl wir. Oherwydd y galw mawr am reolwyr a goruchwylwyr, bu'n rhaid i'r meistri ddyrchafu staff addas o blith y gweithlu, a cheir sawl enghraifft o Gymry'n esgyn i swyddi pwysig yn y gweithfeydd. Y mae Myfyr Wyn (William Williams) yn ei 'Atgofion am Sirhywi a'r Cylch' yn sôn am y Cardi, Dafydd Jenkins, a ddyrchafwyd yng ngwaith Sirhywi:

> ... nid yn slwdjo'r nos nac yn y pwysty chwaith yr oedd lle Dafydd Jenkins i fod ... yr oedd ei benderfyniad, ei ymdrech a'i uchelgais yn hawlio iddo gylch uwch, a dringodd ris neu ddwy yn uwch i swyddfa'r gwaith haearn ... Ymhen amser ... gosodwyd ef yn brif oruchwyliwr y gwaith haearn i gyd, swydd a ddaliodd am tua deugain mlynedd.[16]

Enghreifftiau eraill yw John Jenkins, goruchwyliwr gwaith y Farteg, Richard James, goruchwyliwr y Glyn, Nant-y-glo, Richard Lewis, arolygydd y melinau yng ngwaith haearn Nant-y-glo, ac R. Evans a ddaliai'r un swydd ym melinau Abersychan.[17] Yn 1849, medrai Eiddil Ifor enwi amryw Gymry Cymraeg ('meib y werin') mewn swyddi uchel, gan gynnwys y brodyr Aubrey o Dredegar, meibion i gyn-brif arolygydd peiriannau ager y gweithfeydd yno.[18] Bu Eiddil Ifor ei hun yn gweithio am gyfnod yn swyddfa Brown a Levick yn y Blaenau, er na ddyrchafwyd ef i'r swydd ohono o blith y gweithlu, am mai cadw tafarn oedd ei waith cyn ac ar ôl hynny. Gan fod angen llai o gyfalaf i sefydlu gwaith glo na gwaith haearn yr oedd gwŷr llai cyfoethog, ac felly, mwy o Gymry yn berchnogion ar byllau glo yn yr ardal. Nid oedd yn beth anghyffredin iawn i löwr 'esgyn grisiau dyrchafiad' a dod yn oruchwyliwr neu'n rheolwr, a hyd yn oed suddo ei bwll ei hun. Yr oedd Syr Thomas Phillips yn llygad ei le felly pan wadodd osodiad Comisiynwyr Adroddiad Addysg 1847 nad oedd y Cymry'n esgyn i'r swyddfa ac i swyddi uchel eraill yn y gweithfeydd. Fodd bynnag, yr oedd yn cyffwrdd â chnewyllyn y mater wrth ddadansoddi'r sefyllfa yn ei gyfrol am Gymru a'r gymdeithas Gymraeg yn 1849:

> No man, whether Welsh or English, advances far in the social scale without some amount of education, and in a Welshman, this education ordinarily includes a knowledge, more or less complete, of the English language.[19]

Dim ond y Cymro a fedrai'r Saesneg a gâi'r cyfle i ymddyrchafu. Canlyniad hyn oedd creu pwysau cymdeithasol o blaid y Saesneg, a chaed tuedd i ystyried y Gymraeg yn iaith israddol a oedd yn rhwystr i ddatblygiad a chynnydd.

Yn gynnar yn y ganrif sylwyd ar gynnydd 'teulu Dic Shon Dafydd', – y Cymry hynny a oedd yn dibrisio'r Gymraeg ac yn ymwrthod â hi er mwyn ymddangos yn fonheddig:

> . . . mae llawer o ddynion disynwyr yn ymddwyn fel pe tybient nad yw y Gymraeg yn ddim ond yn iaith i ddynion tylodion ac iselradd, ac felly, pan gyfarchent ddyn o ymddangosiad ychydig mwy bonheddig na'r cyffredin, arferent y Saesneg yn wastadol . . . [20]

Bathwyd y term 'cywilydd iaith' i ddisgrifio'r meddylfryd hwn o ymwrthod â'r famiaith am ei bod yn cael ei hystyried yn iaith israddol. Sylwodd cymdeithasegwyr iaith fod agwedd felly yn aml yn nodweddu sefyllfa lle ceir un iaith yn ennill statws gymdeithasol ar draul y llall. Gellir sylwi ar yr agwedd meddwl hwn yn Sir Fynwy mor gynnar â'r tridegau, a hyd yn oed cyn hynny. Ceir tystiolaeth mewn traethodau ac erthyglau, yn arbennig yn sgil yr ymgyrch dros addysg elfennol yn y pedwardegau, fod ymwrthod bwriadol â'r Gymraeg eisoes yn digwydd. Nid oedd yn dderbyniol i fod yn hyddysg yn y Gymraeg yn unig. Un enghraifft o blith llawer yw sylw gan un o gyfranwyr *Y Diwygiwr* ym mis Ebrill 1846:

> Nid y Saeson yn unig sydd yn cyfrif mai dyn annysgedig yw y Cymro uniaith, ond y mae y Cymry eu hunain yn lletya y fath dyb. A thra bydd amgylchiadau yn caniatau i'r Cymro 'ddyrchafu yn y byd' ni bydd iaith ond peth hawdd i'w haberthu. Wrth ystyried hyn, pa ryfedd os bydd . . . yn cofleidio . . . yr iaith sydd yn offerynnol i ddwyn ymlaen pob swydd o elw.

Adleisiwyd y farn hon gan sylwebyddion swyddogol ac answyddogol, yn Gymry ac yn Saeson, lawer gwaith yn ystod y cyfnod dilynol. Daethpwyd i fawrygu'r Saesneg fel yr iaith ag iddi statws ac awdurdod ym myd diwydiant a masnach; byd yr oedd Cymry Gwent yn ymwneud ag ef yn barhaus.

Ond yr oedd rhywrai am geisio trawsnewid agwedd meddwl y Cymry. Yn 1829 (a'r gweithfeydd erbyn hyn mewn bodolaeth ers deng mlynedd ar hugain), fe sefydlwyd cymdeithas fechan yn Nant-y-glo o'r enw Cymdeithas y Dynolwyr. Yn ei gyfrol, *The Merthyr Rising*, mae Gwyn A. Williams yn ei chysylltu â meddylfryd radicalaidd y Rhyddymofynwyr.[21] Ond fe ymddengys fodd bynnag nad hiwmanistiaid na gweriniaethwyr mo'r aelodau. Serch hynny, o safbwynt y Gymraeg, yr oedd goblygiadau chwyldroadol i'w cynlluniau, oherwydd eu bwriad oedd gwneud y Gymraeg yn iaith swyddogol yn y byd masnachol oedd ohoni.

Y gwendid sylfaenol mewn perthynas â'r Gymraeg yn y gweithfeydd, yn ôl pamffled a gyhoeddwyd yn 1829 yn egluro syniadaeth y Dynolwyr, oedd y ffaith fod y Cymry, wrth werthu eu tiroedd a hawliau cloddio mwynau i berchnogion y gweithfeydd, yn dod yn daeogion yn eu gwlad eu hunain. Yr oedd yn rhaid iddynt yn awr:

> . . . ymddibynu am eu cynhaliaeth ar y rhai a'u prynodd ganddynt, tra mae y rhai hynny yn dyfod yn gyfoethog wrth fasnachu yn yr amrywiol ddefnyddiau tanddaearawl tiroedd Cymru; yn nghyda'r Iaith Gymraeg yn colli tir, a hwythau yn cael eu bwbachu a'u galw yn ffyliaid disynwyr a diddyfais.[22]

Dadleuai'r Dynolwyr fod y Cymry, wrth golli eu hannibyniaeth economaidd, yn colli eu hiaith yn ogystal. Er mwyn sicrhau dyfodol y Gymraeg a chadw eu hunan-barch fel cenedl, yr oedd yn rhaid iddynt gadw rheolaeth dros eu hadnoddau naturiol. Bwriad y gymdeithas oedd ysgogi'r Cymry i weld posibiliadau anturiaeth fasnachol, a sicrhau mai hwy fyddai'r meistri yn eu gwlad eu hunain. Dechreuwyd cronfa ganddynt (i gasglu swllt y mis gan fil o bobl dros gyfnod o ddeng mlynedd) er mwyn prynu gweithfeydd, i'w rheoli gan y Cymry ar gyfer y Cymry. Nid oeddynt am wrthod gwaith i estroniaid, ond byddai'n rhaid i Saeson:

> . . . oddef idd eu cyfrifon gael eu dwyn yn mlaen yn yr iaith Gymraeg, megis y mae y Cymry yn cael eu cyfrifon yn yr iaith Saesneg yn bresenol.[23]

Yn ogystal â chodi gweithfeydd, bwriadai'r gymdeithas gyhoeddi llyfrau a thraethodau ar destunau gwyddonol a chelfyddydol, gyda'r nod o wneud y Cymry 'yn ben celfyddydwyr y byd, a'u hiaith mewn bri adnewyddol'.[24]

Yn ôl syniadaeth y Dynolwyr, yr oedd parhad yr iaith Gymraeg ynghlwm wrth yr angen i'r Cymry ddod yn genedl fasnachol. Credent:

> Os na cheir dwyn masnach trwy gyfrwng yr Iaith Gymraeg, . . . llwyr ddarfod a wna i fod yn iaith fyw.[25]

Gellir canfod arwyddion o'r agwedd iwtilitaraidd tuag at yr iaith a ddaeth i nodweddu Cymru Oes Fictoria yn y rhesymeg hon. Eisoes dechreuasid mesur ei gwerth yn ôl ei defnyddioldeb. Un o resymau Eiddil Ifor dros gefnogi'r Dynolwyr oedd y byddai llwyddiant eu hamcanion:

> Yn foddion i lawer orfod distewi, oherwydd fe ofyn llawer o ddynion yr oes bresenol, pa les a wna yr iaith Gymraeg idd ei choleddwyr?[26]

O gofio am ddatblygiadau diwydiannol y cyfnod, nid oes rhyfedd i Gymry Gwent ddechrau ymholi ynglŷn â defnyddioldeb eu hiaith. Yn ystod y blynyddoedd blaenorol buont yn dystion i'r modd y manteisiodd anturwyr estron ar bosibiliadau economaidd eu hardal. 'Gwibiodd eu rhagwelediad heibiaw i lygaid y Cymry' a oedd yn 'cysgu mewn anwybodaeth ac yn dibrisiaw bendithion eu gwlad'.[27] Yr oedd hynny'n llai gwir erbyn datblygu'r diwydiant glo ager, a gwelwyd nifer o Gymry'n mentro i'r byd masnachol. Ond yr oedd profiad y blynyddoedd cynnar yn ddigon i beri bod 'diffyg anturiaeth fasnachol' yn cael ei ystyried yn un o nodweddion cenedlaethol y Cymry.[28]

Ni wyddys i sicrwydd a lwyddodd Dynolwyr Nant-y-glo i adeiladu gweithdy ar gyfer y Cymry. Awgryma E. I. Williams mai'r gymdeithas oedd yn berchen ar ffowndri a roed ar werth drwy gytundeb preifat ym Mrynmawr ym mis Tachwedd 1841.[29] Hyd yn oed os na lwyddodd eu menter, parhaodd eu hegwyddorion yn rhan o syniadaeth mudiad y Cymreigyddion yn yr ardal yn y tridegau. Fodd bynnag, methu a wnaeth ymgais y Dynolwyr i godi statws y Gymraeg ym myd diwydiant a masnach, ac yn ystod y blynyddoedd dilynol daeth y syniad mai'r Saesneg oedd iaith masnach a chynnydd diwydiannol yn gyffredin ac yn dderbyniol gan bawb ond lleiafrif bychan o'r Cymry. Anaml iawn y trafodwyd materion busnes drwy gyfrwng y Gymraeg:

> So entirely has it (the English language) prevailed in all towns and among all people of property of all description, that I do not recollect a single instance . . . of a notice related to business of any kind being expressed in the Welsh language.[30]

Dyna dystiolaeth yr Esgob Copleston yn 1836. Yn wir, yr oedd bron fel pe bai'r Cymry yn trafod materion busnes yn Saesneg yn reddfol. Dengys dyddiaduron Brychan (John Davies), Tredegar, y llyfrwerthwr a threfnydd Urdd yr Odyddion, a dyddiaduron Nefydd (Y Parch William Roberts), yr addysgwr a'r argraffydd o'r Blaenau, mai yn Saesneg yr arferent gadw cyfrifon a thrafod materion busnes.[31] Yn yr un modd, dengys cofnodion rhai capeli Cymraeg ei bod yn arferol i'r swyddogion nodi gwybodaeth am faterion ariannol yn Saesneg.[32] Golygai goruchafiaeth y Saesneg ym myd busnes na wireddwyd dymuniadau'r Dynolwyr a'u tebyg. Er bod mwy o Gymry'n cyrraedd swyddi o bwys yn y gweithfeydd yn ystod ail hanner y ganrif, ystyrid hyn yn gamp arbennig i Gymro. Croesawai'r Cymry ddyrchafiad cyd-Gymro oherwydd teimlent fod hyn yn fodd i wrthbrofi'n gyhoeddus y cyhuddiad o israddoldeb a ddygwyd yn eu herbyn. Mae'r pennill canlynol a gyfansoddwyd ar achlysur dyrchafu J. Prosser Jones, arolygydd pyllau Tyleri, Dyffryn Llwyd, yn brif arolygwr pyllau de Cymru yn 1885 yn adlewyrchu'r agwedd hon:

> Hen Gymru anwylaf, dy blant fu yn hir
> Fel caethion dinodded yn tramwy dy dir,
> Estroniad Seisnigol gâi'r brasder i gyd,
> Ond diolch i Dduw, daeth tro ar fyd.
> Pa un a fu'r Cymro'n ddidalent a gwan
> Neu ynteu'n ddifantais, cawn weld yn y man.

> Fe dorrodd gwawr addysg, a chododd haul bri
> I wenu ar feibion ein cenedl ni.
> A llu o'r meib ddringant i gopa'r ban fryn
> Mae J. Prosser Jones yn un o'r rhai hyn.
> Dring, dring, gyfaill annwyl, nes ennill mawrhad
> A chlod ac anrhydedd i'th hunan a'th wlad.[33]

Mae'n bosib, fodd bynnag, nad clod ac anrhydedd y genedl a oedd ym meddwl yr awdurdodau a ddyrchafai Gymry uchelgeisiol fel John Prosser Jones. Nid oes amheuaeth bod penodi Cymry i swyddi uchel yn ddefnyddiol i'r meistri o dan yr amgylchiadau oedd ohoni. Wedi'r cyfan, nodwedd amlycaf adeiladwaith gymdeithasol yr ardal yn y bedwaredd ganrif ar bymtheg oedd y bwlch a fodolai rhwng perchnogion, rheolwyr a gweinyddwyr y gweithfeydd a'r gweithlu. Bychan iawn oedd y dosbarth canol rhwng y ddau eithaf. Dwysawyd y rhaniadau gan wahaniaeth iaith. Ar y cyfan, fel y dangoswyd, y Gymraeg oedd iaith trwch y boblogaeth weithfaol, tra mai'r Saesneg oedd iaith y perchnogion a iaith rheoli a gweinyddu'r gweithfeydd. Nid oes rhyfedd felly y daethpwyd i ystyried y Gymraeg fel iaith un dosbarth yn unig:

> It is a fearful evil to think that rich and poor should each have a distinct language. My earnest desire is to see the Welsh speaking classes . . . raised above their present level.[34]

meddai'r Parch John Griffith, Aberdâr yn 1849.

Tybiai'r dosbarthiadau uchaf fod ganddynt le i ofni'r Gymraeg oherwydd ei photensial i hyrwyddo anhrefn cymdeithasol. A hwyrach bod rhywfaint o sail i'w hofnau, yn arbennig yn ystod blynyddoedd cynhyrfus y tridegau, fel y dangosir yn y drydedd bennod. Yn hyn o beth, fe allai Cymry Cymraeg (yn arbennig rhywun a goleddai syniadau gwladgarol), fod yn ddefnyddiol i'r meistri. Ac fe ymddengys i rai gweithfeydd ddilyn polisi bwriadol o benodi Cymry Cymraeg i swyddi cyfrifol er mwyn ceisio pontio'r bwlch cymdeithasol ac ieithyddol rhwng meistr a gweithiwr. Yn ôl tystiolaeth un rheolwr gwaith glo, nid oedd gweithfeydd a benodai Sacson yn rheolwyr, megis Cwm-carn a Rhymni, yn weithfeydd ffyniannus am y rheswm hwnnw.[35] Dyna'r honiad yn 1842. Erbyn yr wythdegau, gwyrdrowyd y polisi o benodi Saeson yn Rhymni. Yn y cyfnod hwnnw yr oedd penaethiaid holl adrannau'r gwaith yn Gymry Cymraeg neu'n ddysgwyr, ac yn 1882, honnwyd bod hyn yn fodd i sicrhau heddwch rhwng y gweithwyr a'r cwmni.[36] Nid oes amheuaeth y sylweddolai'r cyflogwyr werth y Gymraeg fel offeryn i reoli'r gweithlu. Adlewyrchwyd hynny yn eu parodrwydd cynyddol i gefnogi eisteddfodau lleol a gweithgareddau diwylliannol y capeli Cymraeg erbyn ail hanner y ganrif. Ystyrid y fath achlysuron yn gyfle defnyddiol er mwyn hyrwyddo'r ymdeimlad bod tir cyffredin rhwng meistri a gweithwyr. (Gweler y drydedd bennod.)

Ond os medrai'r Gymraeg fod o werth i'r meistri, gwyddai cefnogwyr yr iaith fod y meistri a'u gweithfeydd hefyd yn ddefnyddiol iawn i'r Gymraeg. Sylweddolent fod y cynnydd yn y boblogaeth Gymraeg ac adfywiad y gweithgarwch diwylliannol a ddigwyddasai yn sgil hynny i'w briodoli, i raddau helaeth iawn, i ffyniant a llewyrch diwydiannol. Yn un o'i draethodau, sonia Eiddil Ifor am y gweithfeydd haearn, 'yn anadlu bywiogrwydd yn y cylchrediad ariannol'. Yn sicr, ni fuasai'r datblygiadau yn y wasg Gymraeg yn y Blaeneudir er enghraifft, wedi medru digwydd heb y cyfoeth a grewyd gan y gweithfeydd. Yn anuniongyrchol, dibynnai llawer o'r gweithgarwch Cymraeg hefyd ar lewyrch y fasnach haearn a glo. Cyflogau'r gweithwyr a gynhaliai'r capeli a'u gweinidogion, ynghyd â'r cymdeithasau lles Cymraeg. Mewn cyfnod o lewyrch economaidd, ffynnai'r bywyd Cymraeg, ond yn yr un modd, medrai dirwasgiad diwydiannol gael effaith andwyol arno.

Fel y dangoswyd eisoes, cafwyd sawl cyfnod o ddirwasgiad yn yr ardal, hyd yn oed yn ystod twf mawr hanner cynta'r ganrif. Gallai dirwasgiad sydyn a difrifol wasgaru'r boblogaeth dros nos bron, yn arbennig felly yn ardal y glo môr lle yr oedd y fasnach yn ddigon ansicr. Hyd yn oed yn y trefi haearn gallai amgylchiadau newid yn gyflym iawn, gan effeithio ar bob agwedd o fywyd y cymunedau hynny:

> ... Y cyhuddiad trymaf a ellir ddwyn ymlaen yn erbyn y gweithiau ... sef eu bod yn di-sefydlu serchiadau, egwyddorion a syniadau dynion trwy yr anesmwythder parhaus a berir gan y cyfnewidiadau fyrdd a deimlir yn ein plith. Pe elai dyn i sir Fynwy i barthau y Gweithiau Glo Môr ... cei yno weled ... y gweithwyr heddyw yn talu eu pynoedd yn ewyllysgar, yfori yn madael a'r gymdogaeth mewn dyled ...

meddai Ieuan Ddu (John Thomas, Merthyr) mewn traethawd yn 1838.[37] Ac erbyn hynny profasai'r ardal sawl cyfnod anodd pan ddioddefodd y gymdeithas golledion a effeithiodd ar gryfder y sefydliadau Cymraeg. Cyfnod felly oedd dechrau'r tridegau pan sylwyd ar 'dwf ysbryd ymfudiaeth'. Eisoes yn 1830 cyhoeddodd Brychan gasgliad o lythyrau gan ymfudwyr, *Newyddion Da o Wlad Bell*, a bu yntau, fel Isaac Ddu Glan Ebwy, yn gweithio er hyrwyddo trosglwyddiad gweithwyr o Went i fannau eraill.[38] Profodd sawl ardal ddirwasgiad yn ystod y pedwardegau. Fel y dangoswyd eisoes, lleihaodd y mewnlifiad a chafwyd colled ym mhoblogaeth Islaw'r- coed oherwydd mudo allan. Erbyn diwedd y degawd yr oedd gan Sir Fynwy gynrychiolwyr mewn llawer man. Aeth llawer i Swydd Stafford, Caerlŷr, Swydd Efrog a rhannau eraill o ogledd Lloegr a'r Alban. Chwaraeai gwŷr Gwent ran amlwg ym mywyd diwylliannol y cymunedau Cymraeg yn Stockton-upon-Tees, Newcastle-upon-Tyne, Bedlington a Calder Bank. Aeth eraill ymhellach. Bu Cymry Gwent yn flaenllaw yng ngwaith y cymdeithasau Cymraeg ym Mhensylfania ac

Ohio. Trigai llawer o gyn-drigolion Tredegar yn Minersville (Tre'r mwynwyr), a dosbarthai Brychan gopïau o'r *Minersville Bulletin* yn Nhredegar yn rheolaidd. Pan sefydlwyd cymdeithas Gymraeg yno yn 1853, gallai ymhyfrydu yn y ffaith fod nifer o'i gyn-ddisgyblion barddol yn weithgar ynddi. Ymhlith ei gyfeillion eraill a ymfudodd i'r Amerig yr oedd y beirdd Ap Gwilym, Cuhelyn (Thomas Price, golygydd *Y Gwron Americanaidd*) a Dafydd Cadwgan o Sirhywi, awdur traethawd, 'Meithriniad y Gymraeg'. Yn sicr, bu eu hymadawiad yn golled i'r cylch.[39]

Effeithiodd dirwasgiad y pedwardegau ar fywyd Cymraeg sawl man arall hefyd. Enghraifft nodedig yw pentref y Coed-duon. Yn 1849, gosodwyd cystadleuaeth traethawd yn yr eisteddfod leol ar y testun, 'Cynnydd a Thwf y Coed-duon'. Ystyriai Aneurin Fardd (Aneurin Jones, un o athrawon barddol Islwyn a gŵr amlwg ym mywyd diwylliannol Gwent yn y cyfnod) fod y testun yn gwbl amhriodol am fod y lle, 'wedi gwaethygu er ys naw mlynedd yn ei sefyllfa fasnachol fel y tystia yr amrywiol weithfeydd a'r aneddau gweigion'. Nid oedd un gweinidog ar ôl yn y pentref, a hynny o ganlyniad i'r 'cyfnewidiadau mawr oherwydd gwrthgiliadau a mudiad i'r Amerig'. Adlewyrchwyd y golled yng nghapel Libanus lle yr oedd 'aelodaeth ac ysbryd yn isel'.[40] Bu'r effaith ar gapeli Cymraeg yn drawiadol mewn mannau eraill hefyd, er enghraifft, capel Sardis, y Farteg.[41]

Ond effaith gyfyngedig a gafodd y colledion hyn, oherwydd, fel y dangoswyd eisoes, yn y cyfnod hwn parhai'r mewnlifiad o gefn gwlad Cymru i atgyfnerthu'r Gymraeg. Yn fuan iawn, fodd bynnag, fe fyddai newidiadau yn economi'r ardal, wrth i haearn gael ei ddisodli gan lo, yn effeithio ar gyfansoddiad y boblogaeth, gan gryfhau dylanwad y Saesneg a dechrau disodli'r Gymraeg o'i safle fel prif iaith yr ardal.

Ni ddylid dyddio'r newid yn rhy gynnar. Y diwydiant haearn oedd sector unigol fwyaf economi Prydain o hyd yn y pumdegau, a chyrhaeddwyd yr uchafbwynt o ran cynnyrch yn 1857. Daliodd y diwydiant ei dir yn Sir Fynwy yn y blynyddoedd hyn er bod rhai arwyddion o grebachu. Eto, daethpwyd i ddibynnu llai arno. Tua chanol y ganrif tyfai canolfannau megis Rhisga a Chwmbrân lle'r agorwyd gweithfeydd gwneud bolltiau, weirennau copr, a chemegau, a daeth y datblygiadau hyn, ynghyd â'r arbrofion i gloddio glo dwfn yn Rhisga, Abertyleri a Chwm Rhymni, ag amrywiaeth i economi'r ardal. Ond glo oedd diwydiant y dyfodol, ac ar y cyfan, gwelwyd gwawr oes y diwydiant glo ager yn yr ardal yn cyd-ddigwydd â dechrau anawsterau'r diwydiant haearn. Er na ddaeth hi'n argyfwng ar y diwydiant haearn hyd ganol y chwedegau, yr oedd arwyddion dirywiad i'w canfod ddegawd ynghynt. Yn rhannol, methiant i addasu i ddatblygiadau technegol newydd oedd yn bennaf gyfrifol am ddirywiad y diwydiant haearn, er bod rhesymau mwy lleol hefyd.[42]

Digwyddasai twf hanner cyntaf y ganrif ar waethaf technoleg gymharol annatblygiedig a gwastraffus a ddibynnai'n ormodol ar ddefnyddiau crai lleol. Ar ôl 1856, datblygwyd y broses Bessemer, sef dull o gynhyrchu dur o haearn yn rhad ac yn gyflym. Ond yr oedd mwyn haearn lleol a gynhwysai ffosfforws, yn anaddas ar gyfer y trosyddion newydd. Bu'n rhaid mewnforio mwyn haearn o ogledd Sbaen, ac fe ychwanegai hyn at gostau cynhyrchu. Gan fod diwydiant haearn y sir yn seiliedig ar y fasnach bariau a rheiliau haearn ar gyfer rheilffyrdd, bu'n rhaid ceisio addasu wrth i'r galw am reiliau dur (a oedd yn gryfach), gynyddu. Ymdrechwyd i foderneiddio nifer o'r gweithfeydd. Er enghraifft, troswyd gweithfeydd Glynebwy, Blaenafon a Rhymni i'r dull Bessemer. Erbyn 1870 yr oedd gan Lynebwy felin rholio dur flaengar iawn, ac ym Mlaenafon bu Sidney Gilchrist Thomas yn arloesi wrth ymchwilio i'r posibilrwydd o waredu'r ffosfforws o'r mwyn haearn lleol. Ffynnodd gweithfeydd Blaenafon, ac mae'n arwyddocaol mai'r ardal honno oedd yr unig ran ddiwydiannol o Ardal Gofrestru'r Fenni lle cafwyd twf poblogaeth oherwydd mewnfudo yn ystod y degawd 1861–71. (Gweler Atodiad 7.)

Ond ar y cyfan methiant fu'r ymdrech i addasu dulliau cynhyrchu. Eisoes yn 1868 darganfu William Siemens ragoriaethau'r broses 'Aelwyd Agored' a'i alluogai i gynhyrchu dur o well ansawdd, a hefyd tunplat. Arloeswyd y dull newydd yn ardal Abertawe a Llanelli, ac erbyn 1890, de-orllewin Morgannwg a'r arfordir, ac nid Sir Fynwy, oedd canolbwynt y diwydiant dur yn ne Cymru.

Caewyd nifer o weithfeydd o ganlyniad i'r crebachu; llawer dros dro, a rhai yn derfynol. Yn 1852 fe fethodd gwaith Abersychan. Prynwyd ef gan Gwmni Glynebwy yn 1859 a chafwyd peth adferiad, ond dirywio fu ei hanes o 1869 ymlaen, a bu'n segur am ddeunaw mis cyn ei gau yn 1876. Caewyd gwaith Golynos yn 1860 a Chlydach flwyddyn yn ddiweddarach, ac ataliwyd y gweithfeydd am gyfnodau hir yn y Farteg a Phontnewydd yn ystod y blynyddoedd dilynol. Yn dilyn degawd aflwyddiannus caewyd gwaith Cendl yn 1871, ac er trosi gwaith Pont-y-moel i gynhyrchu dur, dioddefodd gyfnodau hir o segurdod rhwng 1860 a 1873. Bu gwaith Pant-teg ynghau rhwng 1872 a 1882 cyn dechrau defnyddio'r broses galfaneiddio yno, ac yn 1890, caewyd gweithfeydd Rhymni. Cafwyd adferiad yng ngweithfeydd ardal Pont-y-pŵl ar ôl dechrau cynhyrchu tunplat a dur galfanedig, ond ac eithrio Glynebwy ac Aber-carn, cau fu hanes holl weithfeydd haearn a dur y sir erbyn troad y ganrif, a chanolbwyntiai'r holl gwmnïau ar y fasnach lo.

`Y mae'r cefndir diwydiannol yn berthnasol i hanes y Gymraeg, oherwydd achoswyd adleoliad poblogaeth sylweddol gan y newidiadau hyn. Symudodd llawer oddi mewn i'r sir i'r mannau hynny lle roedd y diwydiant glo ager ar gynnydd. Aeth eraill i Gwm Cynon a Chwm

Rhondda, gogledd Lloegr a mannau mwy pellennig, yn arbennig yr Unol Daleithiau, Awstralia a Seland Newydd. Yn ystod y degawd 1851–61 yr oedd Sir Fynwy'n colli poblogaeth oherwydd mudo, a'r ffigurau'n dangos colled am y tro cyntaf, ond ni ddechreuwyd sylwi ar yr effaith andwyol a gafodd hyn ar y gymdeithas Gymraeg tan y degawd nesaf; cyfnod o argyfwng i'r iaith.[43]

Yr oedd y blynyddoedd rhwng 1860 a 1864 yn gyfnod o ymfudo trwm. Yng ngwanwyn a haf 1863 yr oedd yn ei anterth, a disgrifiwyd y 'twymyn ymfudo' yn nhermau, *'raging fever'*, *'emigration mania'* a *'mass exodus'*. Peidiodd y llif i raddau rhwng 1864 a 1866, er bod teuluoedd unigol yn dal i fynd. Ond cynyddodd eto yn 1866.[44] '*Never were more people from the hills drawn to America*' ebychai gohebydd *The Star of Gwent* ym mis Mawrth.[45] 'Ymfudo a sôn am ymfudo sydd ym Mynwy o hyd', meddai gohebydd i'r *Tyst Cymreig* yn 1869, a sylwodd fod yr eglwysi Cymraeg 'yn cael eu clwyfo'n enbyd mewn llawer ardal'.[46] Er bod ymfudo trwm ysbeidiol o ardaloedd megis Cwmbrân, Machen, Trelyn a Maesycwmer, ardaloedd y gweithfeydd haearn ym mhen ucha'r cymoedd a ddioddefodd waethaf. Yr enghraifft fwyaf trawiadol yw'r Blaenau lle y digwyddodd chwalfa lwyr ar ôl cau'r gwaith yn 1867.[47] Daeth bywyd cymdeithasol y lle i ben i bob pwrpas, a dioddefodd y capeli golledion mawr.[48] Bu cau gwaith Cendl yn 1873 yn ergyd drom i'r capeli Cymraeg, a dioddefodd capeli Glynebwy golledion yn yr un cyfnod. Bu'r blynyddoedd 1879–82 yn gyfnod arall o ymfudo trwm, ac yn ystod yr wythdegau ymadawodd llawer â Rhymni, Sirhywi a Nant-y-glo wrth i'r gweithfeydd yn y mannau hynny edwino.[49] (Gweler Atodiadau 8 a 9.)

Yr oedd llawer o'r ymfudwyr yn flaenllaw yn y gymdeithas Gymraeg. Gan fod cysylltiad clòs rhwng y capeli a'r bywyd diwylliannol Cymraeg erbyn y cyfnod hwn; (gweler y bedwaredd bennod), yr oedd colli arweinwyr y capeli – diaconiaid fel Thomas Richards, Berea, Blaenau, neu John Rees, Libanus, Pont-y-gof, yn golled i'r Gymraeg yn gyffredinol.[50] Ychydig iawn o weithgarwch Cymraeg a gafwyd yn y Farteg ar ôl y chwedegau, er enghraifft. Gellir tybio bod hynny'n gysylltiedig â'r ffaith i un o'r capeli blaenllaw, capel Sardis, golli holl aelodau gwreiddiol yr achos yn y chwalfa.[51] Un o'r rhesymau a gynigiwyd wrth egluro Seisnigrwydd Ysgol Sul Ebenezer, Pont-y-gof ac ysgolion Sul eraill yn yr ardal yn y chwedegau oedd 'fod cynifer o'r athrawon a addysgwyd i fyny ar eu bronnau, ac yr oedd yn debyg o fod yn ddefnyddiol iawn, wedi ymfudo i'r America'.[52] Drwy gydol y blynyddoedd hyn, collwyd pobl ifanc, addawol a fuasai wedi cyfrannu at y bywyd diwylliannol lleol pe baent wedi aros. Rhai enghreifftiau yn unig yw Thomas Phillips, diacon ym Mhenuel, Glynebwy, ac awdur cyfrol o'r enw, *Nicotania: y Llysieyn Tobacco*; Charles Hughes, mab yr hen Nathan Hughes, Man-moel, a ddaeth yn Ysgrifennydd Gwladol yn llywodraeth yr Unol Daleithiau; Rhys Phillip, ŵyr i Sion Ffylip, un o sefydlwyr capel Carmel, Cendl; y Parch Irlwyn Hughes a'i frawd o Rymni, ac Ebenezer Howell, awdur teithlyfr ar Beriw.

Ymhlith yr ymfudwyr yr oedd beirdd a llenorion di-ri: Y Myfyr (Watkin Hughes) o Frynmawr, enillydd yn yr Eisteddfod Genedlaethol yn yr wythdegau, Casnodyn, Dewi Idloes (David Davies), Y Bardd Coch (T. C. Benjamin), Dewi Glan Elyrch (David Williams), Crispinfrawd (Timothy Griffiths), a T. G. Powell, Sirhywi, heb sôn am yr enwog Aneurin Fardd (Aneurin Jones, y Gelli-groes, 1822–1904). Collwyd cerddorion blaenllaw drwy ymfudo hefyd: Asaph Gwent (W. J. Jones), mab John Jones, Capel y Rock ger y Coed-duon, Asaph Glyn Ebwy (Thomas Williams) a'r enwog Gwilym Gwent (William Aubrey Williams). Pan ddaeth Twynog Jeffreys i Rymni yn 1875 darganfu fod Cymdeithas y Beirdd wedi darfod ychydig cyn hynny:

> Yr oeddynt wedi gwasgaru ar hyd y wlad, ac ar hyd y gwledydd o ran hynny. Yr oedd Gwilym Ddu o Went, Irlwyn Hughes a Dafydd o Went wedi myned i'r America.[53]

Mawr oedd y golled hefyd ar ôl y rheini a symudodd i faes glo Morgannwg: Gwilym Ddu o Went (W. G. Jones), Gwenffrwd Gwent (Thomas Jones), Dafydd o Went (David Jones), a aeth o Rymni i'r Gilfach Goch cyn ymfudo i'r Amerig, a Myfyr Wyn, sydd erbyn hyn yn adnabyddus am ei atgofion am Sirhywi a'r cylch. Yn wir, y mae Sirhywi yn enghraifft drawiadol o bentref a ddioddefodd chwalfa'r gymdeithas Gymraeg. Yn 1878 collodd Ysgol Lenyddol Carmel nifer fawr o'i haelodau mewn amser byr, a thrwy gydol y blynyddoedd dilynol cafodd ymfudo effaith ddinistriol.[54] Fel hyn y disgrifiodd Myfyr Wyn ddylanwad yr Amerig wrth ffarwelio â Thomas Griffiths, blaenor y canu yng Ngharmel yn 1880:

> Amerig Fawr ei bri, rhyw fynwent eang yw
> Lle mae rhyw lu o'n ceraint cu fel wedi eu claddu'n fyw.
> Fy ngwlad, rhen Walia Wen, mae'n rhaid dy fod yn dlawd
> Dy feibion sydd yn ffoi o un i un o hyd . . . [55]

Nid Cymry Cymraeg a ddaeth i lenwi lle'r rhai a ymadawodd â Sirhywi. Fel alltud hiraethus yr ysgrifennai Myfyr Wyn ei atgofion yn 1897. Yn ei lith olaf meddai:

> O'r fath gyfnewidiadau sydd wedi cymeryd lle yn yr hen gylch er fy nghof i . . . Hen breswylyddion sydd erbyn heddiw yn wasgaredig ar hyd a lled y wlad ac mae y llanw Seisnig yn pybyr ddileu hen drefniadau ac arferion Cymreig.[56]

Yr hyn sy'n arwyddocaol ynglŷn â'r adleoliad poblogaeth a ddigwyddodd yn sgil newidiadau diwydiannol ail hanner y ganrif, yw i hyn gyfrannu'n sylweddol at ddirywiad y Gymraeg, nid yn unig am fod Cymry Cymraeg yn ymadael, ond hefyd am mai Saeson, ar y cyfan, ac nid Cymry, oedd mwyafrif y mewnfudwyr a ail-boblogodd y mannau hynny a adfywiodd yn economaidd gyda thwf y diwydiant glo. Yn amlwg, mae angen gwaith ystadegol manwl cyn medru dadansoddi effaith y newidiadau ar yr iaith Gymraeg ond, yn sicr, priodolai sylwebyddion y cyfnod ddirywiad yr iaith yn ardal y gweithfeydd i'r ffaith fod Cymry'n ymadael, a Saeson yn dod yn eu lle. Yn 1865 meddid:

> Ein hardaloedd gweithfaol yn awr a lenwir ag Ysgotiaid, Gwyddelod a Saeson, y rhai a atgludir i'r wlad yn lle y miloedd o Gymry a ymfudent bob blwyddyn i wahanol rannau y byd . . . Y mae tuedd yn hyn oll i godi y Saesneg a lladd y Gymraeg.[57]

Barn un o ohebwyr *Y Tyst Cymreig* yn 1869 oedd:

> Y mae'r cyfnewidiad yn ddifrifol i'r eithaf. Y Cymry yn ymadael wrth yr ugeiniau, a'r Scotch, Irish, Cornish a phob trash yn dyfod yn eu lle.[58]

Wrth asesu sefyllfa'r Gymraeg yn Sir Fynwy yn 1885, ysgrifennodd Dan Isaac Davies:

> Arhosodd y gweithfeydd pwysig yn y sir yma megis Nant-y-glo a'r Blaenau. Gwasgarwyd y Cymry a llanwyd eu lle gan Saeson, o Wlad yr Haf yn fwyaf neilltuol . . . [59]

Yn sicr, gellir cadarnhau sylwadau cyfoeswyr o edrych yn fanylach ar hanes y Blaenau rhwng 1867, pan gaewyd y gwaith, a 1873 pan adferwyd sefyllfa economaidd yr ardal. Dyma gyfnod sefydlu capel Saesneg Bethel yn y dref a chyfnod dechrau trawsnewid iaith Salem, capel y Parch William Roberts (Nefydd). Er bod hanes capel Gobaith (MC), er enghraifft, yn dangos i lawer o'r hen frodorion, yn Gymry ac yn Saeson ddychwelyd i'r Blaenau pan ail-agorwyd y gwaith, fe ymddengys mai poblogaeth ddi-Gymraeg a ail-boblogodd y lle yn y saithdegau. Dechreuodd y capeli Saesneg gryfhau tua 1873, ac erbyn y 1880au yr ocdd y rhain yn llewyrchus tra bod y capeli Cymraeg eraill, Gobaith a Berea, hefyd yn dechrau troi iaith eu gwasanaethau i'r Saesneg.[60] Dengys hanes Undebaeth Lafur yn y cylch bod llawer o wŷr ardal y Forest of Dean ymhlith y gweithwyr a gyflogid yn y pyllau newydd a ddatblygwyd yn y saithdegau.[61] Ac er mai tref ddwyieithog oedd y Blaenau o hyd, yr oedd y Cymry Cymraeg yn lleiafrif erbyn yr wythdegau.[62]

Dadansoddiad gorsyml fyddai un a dderbyniai'r darlun hwn fel un cyflawn. Yn sicr, byddai astudiaeth ystadegol fanwl yn dadlennu patrwm gwahanol mewn rhai ardaloedd, tra'n cadarnhau'r patrwm uchod mewn ardaloedd eraill. Ni ddylid ychwaith ysgaru'r hanes demograffig oddi wrth newidiadau cymdeithasol a oedd yn dylanwadu ar sefyllfa'r Gymraeg. Eto, rhaid cydnabod bod elfen sylweddol o wirionedd yn yr argraff a geir drwy ddarllen ffynonellau llenyddol y cyfnod. Yr oedd llawer o gymunedau Cymraeg yn nychu o ganlyniad i allfudo ac, yn gyffredinol, nid oedd cyfran ddigonol o Gymry Cymraeg ymhlith y mewnfudwyr i wneud iawn am y golled. Mae Atodiad 10 yn ymdrech i amcangyfrif nifer y mewnfudwyr a symudodd i'r sir ymhob degawd rhwng 1861 a 1911. Brasamcan yn unig yw'r ffigurau hyn, ac ni ddylid gosod gormod o bwyslais arnynt fel y cyfryw.[63] Yr hyn sy'n arwyddocaol yw'r duedd gyffredinol, sef bod mewnfudwyr o'r tu allan i Gymru yn y mwyafrif drwy gydol y cyfnod, ac mai ond yn ystod y degawdau hynny pan oedd y mewnfudo'n llai beth bynnag y mae nifer y mewnfudwyr o Gymru'n cymharu'n ffafriol. Yn Atodiad 11, defnyddir y dull syml arferol, sef cymharu mannau geni'r boblogaeth adeg pob cyfrifiad i ddarlunio'r un duedd, sef bod y boblogaeth ddwad o Loegr ar gynnydd ar draul mewnfudwyr o rannau eraill o Gymru. Yn ystod y cyfnod tyngedfennol rhwng 1861 a 1881 saif canrannau mannau geni poblogaeth Sir Fynwy fel a ganlyn:[64]

Ganed yn	1861	1871	1881
Cymru ag eithrio			
Sir Fynwy	38.0%	35.3%	35.4%
Lloegr	49.6%	52.8%	54.3%
Iwerddon	10.6%	9.4%	7.2%
Mannau eraill	1.8%	2.3%	3.1%

Yn anffodus, ni cheir ffigurau ar gyfer yr Ardaloedd Cofrestru yn unigol yn 1871 a 1881, ond gellir tybio bod ffigurau'r sir gyfan yn adlewyrchu'r duedd yn yr ardal ddiwydiannol, oherwydd dyma'r ardal lle y digwyddodd y symudiadau poblogaeth mwyaf arwyddocaol.

Gwyddys, fodd bynnag, bod cryn amrywiaeth rhwng un Ardal Gofrestru a'r llall. Fel y dangoswyd eisoes, cafwyd gwahaniaethau sylweddol yn 1851 a 1861 rhwng Bedwellte yn y gorllewin, a Phont-y-pŵl a Chasnewydd yn nes i'r dwyrain. Mae'n debyg i'r patrwm cyffredinol hwn barhau yn y cyfnod diweddarach. Caed gwahaniaethau oddi mewn i'r Ardaloedd Cofrestru hefyd. Dewiswyd dwy ardal fechan ym Medwellte i'w cymharu. Defnyddiwyd Rhestrau Gwreiddiol Cyfrifiad 1871, gan nodi mannau geni 731 o bobl Briery Hill, rhan o dref Glynebwy ym mlaen Cwm Ebwy, a 686 o bobl rhan o Is-ardal Rock Bedwellte yng nghanol Cwm Sirhywi a gynhwysai rhan o bentre'r Coed-duon.[65] Mae'r gwahaniaethau yn drawiadol:

Ganed yn	Rhan o ardal Briery Hill Glynebwy (731 o bobl)	Rhan o Is-ardal Rock Bedwellte (686 o bobl)
Sir Forgannwg	14.6%	12.0%
Rhannau eraill		
o Gymru	48.2%	12.0%
Lloegr	34.0%	57.0%
Iwerddon	3.2%	16.5%

Yn ogystal â'r gwahaniaethau daearyddol, dylid cofio hefyd bod y cyfnod o ddeng mlynedd rhwng pob cyfrifiad yn gyfnod hir iawn. Gallai newidiadau mawr ddigwydd yng nghyfansoddiad y boblogaeth yn ystod yr amser hwn, ac felly yn y sefyllfa ieithyddol. Fel y gwelsom, amrywiai amodau economaidd o un gymdogaeth i'r llall yn ôl cyflwr y diwydiannau lleol. Medrai dirwasgiad sydyn beri i bobl symud i chwilio am waith arall yn ddiymdroi, tra y byddai agor gwaith newydd yn denu poblogaeth newydd yn syth. Gan fod cydbwysedd y Gymraeg a'r Saesneg yn y gymdeithas mor sensitif i newidiadau lleol, gallai'r sefyllfa ieithyddol newid dros nos bron. Dangoswyd eisoes yr effaith a gafodd dirwasgiad y chwedegau a'r saithdegau cynnar ar Gymreictod amryw ardaloedd. Byddai canlyniad mewnfudo a ddilynodd adferiad economaidd yr ardaloedd hyn yr un mor ddramatig. Yn ogystal, datblygwyd rhannau eraill o'r maes glo am y tro cyntaf gan greu cymunedau newydd a oedd bron yn gwbl Saesneg.

Sylweddolai cyfoeswyr arwyddocâd y mewnlifiad. Soniwyd am 'ugeiniau o filoedd' o fewnfudwyr yn dod â'r iaith Saesneg i'r sir fel 'tren rhuthrol tanllyd yn prysuro ymlaen'.[66] Ym merw'r 'argyfwng trawsnewidiol' teimlent fod ton ar ôl ton o Seisnigrwydd yn curo'n ddidostur ar Gymreictod yr ardal.[67]

Gwyddoch fod Mynwy yn agos cael ei lanw a Saesneg ac a Saeson (1863).

Mae y boblogaeth Saesneg bob wythnos yn mynd yn amlach, amlach yn ein plith . . . (1864).

Gwiw i ni geisio gelu'r ffaith fod yr iaith Saesneg yn dyfod yn genllif arnom . . . (1867).

Englishmen, English capital and enterprise, English customs . . . are rushing in upon us like mighty, irresistible torrents . . . (1864).

Ymddangosai fel pe bai'r Gymraeg yn ddiymadferth yn wyneb y fath ryferthwy.

Dengys hanes y capeli Anghydffurfiol bod y cyfnod rhwng 1860 a 1880 yn adeg argyfyngus i'r Gymraeg. Dyma'r cyfnod pan newidiwyd iaith gwasanaethau o'r Gymraeg i'r Saesneg – yn arbennig yn ne a dwyrain y maes glo – a phan sefydlwyd degau o gapeli Saesneg. (Gweler y bedwaredd bennod.) Dro ar ôl tro yn hanes y capeli dywedir mai'r mewnlifiad oedd prif achos y newid, newid a ddigwyddai yn aml yn ddisymwth iawn. Yn 1864, er enghraifft, cyflwynwyd y Saesneg yng nghapel y Bedyddwyr, Bethesda, Tŷ-du oherwydd mewnfudiad nifer mawr o weithwyr o Loegr i'r gwaith tun lleol, ac i weithio ar y rheilffyrdd yn y cyffiniau.[68] Trowyd capel uniaith Gymraeg Nazareth, Aber-carn, i'r Saesneg yn llwyr yn 1875 yn dilyn dyfodiad tyrfa fawr o weithwyr o Kingswood yn Swydd Gaerloyw i'r ardal.[69] Yn yr un cyfnod crewyd cymunedau newydd hollol Seisnig; er enghraifft, Griffithstown, a ddatblygodd yn sgil datblygu'r gyfundrefn reilffyrdd tua 1865–6.[70] Mannau eraill a foddwyd bron yn llwyr gan y mewnlifiad Saesneg yn y blynyddoedd hyn oedd Crosskeys, Crymlyn, Aber-big, Llanhiledd, Abertyleri, Six Bells, Two Locks, Cwmbrân, ac yn ddiweddarach, Pant-teg a Phontnewynydd. Erbyn 1879 yr oedd sefyllfa'r Gymraeg yn wan iawn yng Nghwm Llwyd ac ardal Pont-y-pŵl. Adlewyrchwyd hyn yn yr amcangyfrif a wnaeth yr ystadegydd, E. G. Ravenstein, yn y flwyddyn honno.[71] Yn sicr, yr oedd 'cyfnewidiad' y chwedegau a'r saithdegau wedi gadael ei ôl.

Erbyn yr wythdegau, denai Sir Forgannwg boblogaeth ar raddfa fwy na Sir Fynwy. Serch hynny, cafwyd rhai datblygiadau diwydiannol mawr yng Ngwent a effeithiodd eto ar Gymreictod ambell ardal. Trawsnewidiwyd canol Cwm Rhymni, er enghraifft, yn sgil suddo pyllau Coed y Moeth, pwll y Dwyrain, y George a phyllau Elliot yn ardal Tredegar Newydd. Cynyddai poblogaeth ardaloedd Aber-carn, y Gelli-groes, Bedwas a Machen yn y blynyddoedd hyn hefyd. Er i'r diwydiant glo barhau i ddatblygu yng nghymoedd Sirhywi ac Ebwy, ni chafwyd yr un patrwm anheddu ag yng Nghwm Rhymni. Tueddai'r gweithwyr i deithio o drefi'r gogledd i weithio mewn pyllau megis Pochin, Whitworth ac Aber-nant yng Nghwm Sirhywi, Waun-lwyd yng Nghwm Ebwy, neu'r Griffin yng Nghwm Llwyd. Datblygwyd y cymoedd hyn yn ddiweddarach.

O ganol yr wythdegau parodd dirwasgiad amaethyddol yng nghefn gwlad bod mwy o Gymry Cymraeg yn symud i faes glo'r de i chwilio am waith. Aeth y mwyafrif ohonynt i Sir Forgannwg, ond bu'r Gymraeg ar ei hennill o'u herwydd mewn ambell ardal yn Sir Fynwy hefyd. Yn y Gelli-groes, er enghraifft, adfywiodd capel Siloh yn rhyfeddol ar ôl i lawer o bobl o ardal Llanidloes a gogledd Cymru symud i'r cylch yn sgil suddo pyllau newydd.[72]

Ar ôl 1890 y cafwyd y datblygiadau mwyaf fodd bynnag. Yn y blynyddoedd hyn datblygwyd haenau dyfnaf maes glo'r sir. Oherwydd ei ansawdd arbennig yr oedd galw mawr amdano. Dyma gyfnod poblogi canol cymoedd Sirhywi, Llwyd ac Ebwy yn dilyn suddo nifer o byllau dwfn, er enghraifft, y Graig Fawr ger Aber-big (1892) a phwll y Marine (1896). Parhaodd y datblygu am ugain mlynedd eto. Ar ôl 1900 datblygwyd haenau dyfnaf Basn y Coed-duon, a chafwyd twf aruthrol yn ardal Ynys-ddu, Wattsville a Chwmfelin-fach ar ôl agor pyllau Nine Mile Point (1904) a Wyllie (1908). Ymddangosodd pentrefi cwbl newydd yng Nghwm Sirhywi – pentrefi cwbl Seisnig megis Hollybush, ac yn diweddarach, Markham ac Oakdale. Yng Nghwm Rhymni hefyd parhaodd y cynnydd. Tyfodd Bargod (Sir Forgannwg) yn brif dref i ganol y cwm a chafwyd cynnydd cyfochrog, ar raddfa lai, yn Aberbargod ar lan ddwyreiniol yr afon. I'r gogledd, tyfodd pentref Abertyswg o gylch pyllau Maclaren (1899), ac i'r de, gerllaw Caerffili, daeth Bedwas yn bentref poblog, yn arbennig ar ôl suddo'r pwll yno rhwng 1909 a 1912.

Ail-Gymreigiwyd rhai mannau yn sgil y cynnydd hwn. Enghraifft drawiadol yw Cwmfelin-fach ger Ynys-ddu lle mae hanes capeli'r pentref unwaith eto'n adlewyrchu'r newid. Ardal wledig oedd hon cyn 1904, a'r Gymraeg yn parhau'n weddol gryf, ond yn colli tir yn raddol. Dirywiodd aelodaeth capel y Babell yn gyson o ganol y 1870au gan gyrraedd dau ar bymtheg aelod yn unig yn 1902. Erbyn 1915, fodd bynnag, yr oedd gan y capel dros bedwar ugain o aelodau, a hynny am fod Cymry Cymraeg – llawer yn gyn-chwarelwyr o Sir Gaernarfon – wedi symud i'r lle i weithio yn Nine Mile Point. Yn ogystal, sefydlwyd capel Cymraeg newydd gan y Bedyddwyr yn 1911, sef Noddfa.[73] Sefydlwyd achosion Cymraeg newydd mewn mannau eraill hefyd, er enghraifft, Tredegar Newydd ac ardal Bedwas.[74]

Fel y gwelir yn nes ymlaen, ni ddylid dyddio dirywiad y Gymraeg yn ardal ddiwydiannol Sir Fynwy yn rhy gynnar. Hyd yn oed yn ystod chwarter olaf y ganrif, y Gymraeg oedd mamiaith cyfran helaeth o'r boblogaeth, a'r iaith a arferid yn gyffredin ym mlaenau'r cymoedd ac yn y parthau mwyaf gorllewinol. Ond wrth nesu at ddiwedd y ganrif fe ddaeth fwyfwy yn iaith a berthynai i leiafrif, a'r lleiafrif hwnnw bron yn ddieithriad yn gysylltiedig â'r capeli hynny a gadwodd y Gymraeg. Yn wir, ni ellir osgoi'r ffaith fod ei thranc wedi ei selio, i raddau helaeth, flynyddoedd cyn i fewnlifiad mawr degawd cynta'r ugeinfed ganrif ei boddi bron yn llwyr ymhobman ac eithrio ym mhen uchaf Cwm Rhymni.

Cadarnhaodd mewnlifiad 1901–11 na fyddai'r Gymraeg yn goroesi yng ngorllewin Sir Fynwy. Yn ystod y cyfnod hwnnw denai'r sir boblogaeth ar raddfa fwy nag unrhyw sir arall yng Nghymru a Lloegr ac eithrio Middlesex. Saeson oedd cynifer â 70 y cant ohonynt, a llawer yn wŷr ifanc sengl a fyddai'n debygol o chwyddo'r boblogaeth Saesneg ymhellach. (Gweler Atodiadau 10 ac 12.) Nid effaith uniongyrchol, unwaith ac am byth a geir gan fewnfudo wrth gwrs. Natur y mewnlifiad gwreiddiol a benderfyna gyfansoddiad ieithyddol y genhedlaeth nesaf i raddau helaeth. Sylweddolai Southall ran allweddol mewnfudo yn y broses o Seisnigeiddio. Wrth drafod ystadegau Cyfrifiad Iaith 1901 meddai:

> Monmouthshire has acted the part of buffer state and has received the main stock of foreign immigration. . .A continuous stream of immigration into any county which keeps a foreign born population up to the rate of 15–25 per cent, must, in a long series of years materially alter the racial and social characteristics of the inhabitants . . . Reckoning children and grandchildren of immigrants of the last sixty years at another 40 per cent of the present population, we get an Anglicizing element of 60–70 per cent strong, which is an almost irresistible force . . . [75]

Ni fu'n bosib gwrthsefyll effaith mewnlifiad Saesneg mor fawr ag a gafwyd yn Sir Fynwy: mewnlifiad a ddwysaodd effaith y grymoedd cymdeithasol eraill a gyfrannai at Seisnigeiddio'r gymdeithas.

Nid dyna'r dyfodol a ragwelai garedigion y Gymraeg i'w hiaith yn hanner cyntaf y ganrif, fodd bynnag. Er gwaethaf y mewnlifiad o Saeson a Gwyddelod, a dylanwad cynyddol yr iaith Saesneg ar bob agwedd ar fywyd yr ardal, clywyd yn aml y byrdwn a'r bonllef, 'Oes y Byd i'r Iaith Gymraeg'!

III

'Oes y Byd i'r Iaith Gymraeg'

A fydd marw yr hen Omeraeg? Cymreigyddion y Fenni a attebant, Na fydd!
. . . Mynydd a drosglwydda yr atebiad i fynydd, Bryn i fryn, Dyffryn i
ddyffryn . . . Na fydd!!! 'Eu Hiaith a gadwant'.[1]

Yn 1838, pan fynegwyd y fath optimistiaeth gan ysgrifennydd
Cymreigyddion y Fenni, yr oedd y don gyntaf o frwdfrydedd mawr
ynglŷn â sefydlu cymdeithasau diwylliannol Cymraeg yn cyrraedd ei
benllanw yng ngorllewin Sir Fynwy. Tra oedd y boblogaeth Gymraeg
ar gynnydd, a chymdeithas newydd yn cael ei chreu, yr oedd effeithiau'r
adfywiad diddordeb a fu yn yr iaith Gymraeg a'i llenyddiaeth ers
degawdau olaf y ddeunawfed ganrif hefyd yn cyrraedd yr ardal. Ar ôl
1818, ac yn arbennig yn ystod y tridegau, sefydlwyd cymdeithasau bach
a mawr ar hyd a lled yr ardal; a'u prif fwriad oedd diogelu dyfodol y
Gymraeg.

Daeth yr ysgogiad gwreiddiol o'r tu allan i Gymru wrth i rai o Gymry
alltud Llundain ddod o dan ddylanwad rhamantiaeth radicalaidd y
cyfnod, a sefydlu cymdeithasau'r Gwyneddigion a'r Cymreigyddion.
Eu nod oedd ail-ddarganfod y genedl Gymreig, ac yn sgil hyn,
adfywiwyd yr Eisteddfod a sefydlwyd Gorsedd y Beirdd. Yn ystod
degawdau cyntaf y bedwaredd ganrif ar bymtheg daeth yr Eisteddfod
yn sefydliad cydnabyddedig, ac yn fynegiant o draddodiad diwylliannol
y Cymry. Yn fuan, sefydlwyd cymdeithasau Cymreigyddol yng
Nghymru, a chynhaliwyd Eisteddfodau Taleithiol yn y gwahanol
ardaloedd. Rhwng 1819 a 1822 cynhaliwyd pedair eisteddfod fawr:
Caerfyrddin 1818, Wrecsam 1820, Caernarfon 1821 ac Aberhonddu
1822.[2] Bu'r rhain yn sbardun i hyrwyddo gweithgarwch lleol, yn
arbennig am iddynt gael sylw yng nghylchgrawn y Bedyddwyr, *Seren
Gomer* (y papur newydd Cymraeg cyntaf), a ymddangosodd yn
rheolaidd ar ôl 1818.[3]

Nid cyd-ddigwyddiad oedd hi felly mai 1818–19 oedd tymor cyntaf
cymdeithas Gymreigyddol gyntaf Sir Fynwy, Cymreigyddion
Tredegar. 'Meibion Gomer' oedd y Cymreigyddion, y gwir Gymry,

coleddwyr yr iaith Gymraeg. Yr oedd nifer o aelodau blaenllaw Cymreigyddion Tredegar ymhlith cyfranwyr cyson *Seren Gomer* yn y dyddiau cynnar; Brychan, Gwentydd, a 'phrif weithredwr' y gymdeithas, Mab Dewi Ddu, sef y Parch J. P. Davies, gweinidog y Bedyddwyr yn Nhredegar, ac un o ddilynwyr y diwinydd radicalaidd, Andrew Fuller. Ni wyddys fawr ddim am weithgarwch y gymdeithas gyntaf hon, gan mai 'llesgau, nychu a threngi' fu ei hanes.[4] Yn dilyn Eisteddfod Aberhonddu a drefnwyd gan Gymdeithas Daleithiol Gwent, ail-sefydlwyd hi, gan yr un gwŷr fe ymddengys, ynghyd ag Eiddil Gwent (David Morris, glöwr, bardd gwlad a thraethodydd a urddwyd i'r Orsedd yn yr eisteddfod honno gan Iolo Morganwg).[5] Dewiswyd yr offeiriad o Gwm-du, y Parch Thomas Price (Carnhuanawc), yn llywydd, a bu Eiddil Ifor yn annerch y cwmni. Er nad oes cofnod o weithgarwch y gymdeithas ar ôl 1825, mae'n debyg iddi barhau am rai blynyddoedd, oherwydd bu'r Parch J. P. Davies yn cynnal dosbarthiadau ar iaith a llenyddiaeth Gymraeg hyd at ddiwedd y dauddegau. Ymhlith y gwŷr ifanc a ymelwodd o'r herwydd yr oedd y llenor, D. Rhys Stephen (Gwyddonwyson). Yn 1826 cynhaliwyd ail Eisteddfod Daleithiol Gwent. Yno, meddir, yr ysbrydolwyd Augusta Hall, Arglwyddes Llanofer, gan areithiau Carnhuanawc i weithredu dros y Gymraeg.[6] Er nad oes cofnod o gymdeithasau Cymreigyddol ffurfiol eraill yn ystod y dauddegau gwyddys bod amryw wŷr ifanc llengar yn dod at ei gilydd i drafod llenyddiaeth a hanes Cymru mewn sawl canolfan yng ngogledd-ddwyrain Sir Fynwy a chyrion Sir Frycheiniog. Ardal brysur oedd hon; crynhowyd y boblogaeth o gwmpas gweithfeydd Blaenafon, Garnddyrys, Clydach a Llanelli. Bryd hynny yr oedd Llan-ffwyst ger Llanofer yn bentref o bwys oherwydd cludid yr haearn o'r gweithfeydd dros fynydd y Blorenge i'r gamlas. Nid nepell oddi yno safai pentref Llanwenarth, un o ganolfannau cynharaf Bedyddwyr y sir. Ceir tystiolaeth fod cylch o 'garedigion yr iaith' yn cyfarfod yn yr ardal, gan gynnwys Caradawc (Thomas Bevan o Lanwenarth, ysgrifennydd cyntaf Cymreigyddion y Fenni yn ddiweddarach), Ehedydd Gwent (David Lewis, un o draethodwyr Eisteddfodau'r Fenni wedyn), Josua Morgan (Rhifyddwr Egwan *Seren Gomer*) ac, o bosib, Eiddil Ifor. (Cofier ei fod yn byw yng Ngarnddyrys ar y pryd, a'i fod yn gyfaill i Caradawc.)

Man arall lle y byddai cylch o wŷr ifanc yn cyfarfod i farddoni a thrafod iaith a llenyddiaeth Cymru yn y cyfnod oedd Glyncorwg ger Argoed yng Nghwm Sirhywi. Mae'n debyg mai yn nhafarn Dewi ab Iago (The Ancient Druid Inn), y cynhaliwyd y cylch, oherwydd mewn cyfarfod yno ym mis Mawrth 1831 o dan gadeiryddiaeth Brychan, penderfynwyd ymgorffori'n gymdeithas Gymraeg ffurfiol o'r enw Awenyddion Glyncorwg.[7] Parhaodd gweithgarwch y gymdeithas hyd at y pedwardegau ac ymhlith y rhai a fu'n gysylltiedig â hi yr oedd Ieuan Brydydd Gwent neu Sion Fardd (John Jones, tad Aneurin Fardd), yr emynydd, y Parch Thomas Davies, Argoed, a'i fab Joseph Davies a benodwyd yn fardd Cymreigyddion y Fenni yn 1835, Dewi ab Iago'r tafarnwr, 'gwr teilwng o'r enw Cymro', a'i frawd y melinydd Ieuan ab Iago (Evan James) a symudodd wedyn i Bontypridd lle y daeth ef a'i fab, Iago ab Ieuan (James James) yn adnabyddus fel cyfansoddwyr 'Hen Wlad fy Nhadau'. Ymhlith yr ymwelwyr â'r gymdeithas yr oedd Eiddil Ifor, Ieuan Ddu (John Thomas, Merthyr) ynghyd â Gomer ei hun, Joseph Harris, golygydd *Seren Gomer*.[8]

Felly, yr oedd gwreiddiau mudiad y Cymreigyddion eisoes wedi eu gosod yn yr ardal cyn 1833 pan sefydlwyd cymdeithas Gymreigyddol enwocaf Sir Fynwy, 'cymdeithas nas gwelwyd ei thebyg nas cynt na chwedyn yn hanes Cymru', Cymreigyddion y Fenni.[9] Caradawc, Eiddil Ifor a Charnhuanawc a oedd yn bennaf gyfrifol am ei sefydlu ar 22 Tachwedd pan ddaeth 'rhai o bleidwyr yr hen iaith Gymraeg', gwŷr proffesiynol y Fenni a'r gymdogaeth, at ei gilydd i Ostl yr Haul yn y dref.[10]

Yn y cyfarfod cyntaf, pwysleisiwyd mai bwriad y gymdeithas oedd ymdrechu'n ymarferol er mwyn sicrhau parhad y Gymraeg i genedlaethau'r dyfodol. Er i'r argyhoeddiad simsanu'n ddiweddarach, yn 1833 yr oedd delfrydau'r gymdeithas yn ddigon cadarn. Wrth gyhoeddi'r newyddion am ei sefydlu yn *Seren Gomer* meddai Carnhuanawc:

> Y mae . . . y llygriad wedi cerdded ymhell eisoes, eithr byddwn wych, ac ymdrechwn yn ei erbyn, . . . trwy ymegnio hyd eithaf ein gallu, dwyn i fynu blant y genhedlaeth bresennol mewn adnabyddiaeth o'r iaith Gymraeg.[11]

Yr oedd Joseph Davies (Argoed) yn un o'r nifer a fynegodd eu brwdfrydedd ar ffurf penillion:

> Mae Boneddigion Gwent o'r bron
> Yn awr a'u llais o blaid
> Y dda Gymdeithas ddisglaer hon,
> Ein iaith ddaw fyny o'r llaid.
>
> Ie, d'wedaf, llwydd, mewn llon ber aeg
> Idd ein Cymdeithas wiw,
> Ag 'Oes y Byd' i'r Iaith Gymraeg'
> Ber floeddiaf tra fwy' byw.[12]

O'r cychwyn, taniodd y gymdeithas ddychymyg y genedl. Geill mai'r rheswm am hynny oedd y cyhoeddusrwydd da a gafodd yn *Seren Gomer* a chyhoeddiadau eraill, ynghyd â'r ffaith fod teulu Llanofer a boneddigion eraill yn gysylltiedig â hi ac yn barod i'w noddi. Ond hwyrach hefyd bod elfen newydd, anturus yn perthyn iddi, sef ei bod, nid yn unig am godi safon barddoniaeth a rhyddiaith Gymraeg a hyrwyddo diddordeb yng nghyfoeth a hynafiaeth ei llenyddiaeth, ond hefyd am adfer yr iaith i ardal a oedd ar fin ei cholli, gan beri iddi ddod yn iaith berthnasol i'r byd modern. Fel Dynolwyr Nant-y-glo, yr oedd hi am i'r Gymraeg fod yn gyfrwng i drafod y pynciau gwyddonol a chelfyddydol diweddaraf. Dadleuai o blaid addysg Gymraeg i blant di-Gymraeg, a chredai fod gwybodaeth o'r iaith yn anghenraid i bawb a ddymunai ddal swydd gyhoeddus mewn gwlad ac eglwys.

Nid cymdeithas dlawd mohoni, a bu hynny o gymorth i gynyddu ei dylanwad. Er bod amryw o'i noddwyr cefnog yn ddi-Gymraeg nid effeithiodd hynny arni tan tua 1837. Am y pedair blynedd cyntaf yr oedd hi'n gymdeithas fechan, gartrefol, gwbl Gymraeg. Ar ôl ymweld ag Eisteddfod Gŵyl Ddewi'r gymdeithas yn 1834 ysgrifennodd Brychan, 'Cefais lawer o hyfrydwch wrth ganfod cyfeillion mor aiddgar a brwdfrydig dros yr Iaith Gymraeg'.[13] Ymhen rhai blynyddoedd fe fyddai ganddo farn dra gwahanol am gyfarfodydd y gymdeithas, ond am y tro yr oedd wrth ei fodd. Rhoddwyd hwb i'r mudiad Cymreigyddol yn yr ardal ar ôl Eisteddfod Gwent a Morgannwg a gynhaliwyd yng Nghaerdydd yr un flwyddyn. Dyma'r eisteddfod lle yr enillodd Arglwyddes Llanofer y brif wobr am draethawd ar gadwraeth y Gymraeg a gwisgoedd traddodiadol y Cymry, gan ddefnyddio'r ffugenw, Gwenynen Gwent.[14] Yn ystod y blynyddoedd dilynol, lledaenodd y diddordeb a gychwynnwyd yn y Fenni, a sefydlwyd nifer o gymdeithasau Cymreigyddol ar hyd a lled yr ardal ddiwydiannol; y Blaenau a Phen-maen yn 1834, Rhisga, Casnewydd a'r Cas-bach yn 1835, Glynebwy a Sirhywi yn 1836, Rhymni, Tredegar (ail-sefydlu), y Bontnewydd, Brynmawr a Nant-y-glo erbyn 1839, a chymdeithas y Coed-duon yn fuan wedyn. Yn ogystal, bu llawer o wŷr Gwent yn gysylltiedig â chymdeithasau yn y siroedd cyfagos, yn arbennig Llangynidr (Brycheiniog), a'r Gelli-gaer, Caerffili ac Ystrad Mynach (Morgannwg).[15]

Teimlai sefydlwyr y cymdeithasau hyn eu bod yn rhan o ddeffroad cenedlaethol:

> Yr ydym ni tua Mynwy wedi bod yn hir gysgu mewn . . . difaterwch am ein Hiaith a'n cenedl . . . Deffrowyd rhai ohonom er ys tymor hir ynghylch codi Cymdeithas Cymroaidd, ond oherwydd digalondid, yr oeddym yn oedi, ond o'r diwedd, gwelwyd ychydig rhagor yn deffro . . .[16]

Amcanion ymarferol oedd ganddynt, ac yn hynny o beth yr oeddynt yn ymateb i'r hyn a oedd yn digwydd i'r Gymraeg yn sgil datblygiadau diwydiannol a chymdeithasol y cyfnod. 'Dau brif ddiben' Cymreigyddion Pen-maen yn 1835 oedd, 'puro ein Hiaith oddi wrth y gymysgedd estronol, a'i hymarferyd megys y cyfrwng . . . goreu er cyrhaedd gwybodaeth fuddiol.'[17] Yr oedd y nod o addysgu'r Cymry drwy gyfrwng y Gymraeg yn rhan o syniadaeth Cymreigyddion Rhisga hefyd.[18] Gwelai'r gwladgarwyr hyn y Gymraeg yn cael ei difrïo. Yr hyn a ysgogodd sefydlu Cymreigyddion Llangynidr yn 1836 oedd:

> . . . sylwi ar ardderchogrwydd ein Hiaith . . . ac yn wyneb hyny, ar yr anfri . . . ydoedd hi yn ei gael gan y rhai a ddylasent ei pharchu . . .

Bwriad yr aelodau felly fyddai:

> . . . Ymegniaw hyd eithaf eu galluoedd i buraw a choledd eu hiaith . . . oherwydd gwelent yr anfanteision yr oeddynt hwy oddi tanynt yn fwy na chenhedloedd eraill, a hyny yn unig o ddiffyg unweddiad gwladgarol . . . [19]

Yn yr un modd, byddai sefydlu Cymreigyddion Casnewydd, (yn ôl bardd y gymdeithas), yn fodd i ddyrchafu'r Gymraeg er gwaethaf 'malais y Sais a'i sen', ac felly'n rhoi 'clais i'r Sais a'i oer swydd'.[20] Cyffrowyd y Cymreigyddion felly o weld safle isel y Cymry a'r Gymraeg yn y gymdeithas o'u hamgylch.

I raddau helaeth, yr oedd yr un peth yn wir am y cymdeithasau lles Cymraeg. Er mai darparu cymorth ariannol i weithwyr a'u teuluoedd mewn cyfnodau o adfyd oedd eu hamcan pennaf, yn ystod y tridegau a'r pedwardegau daethant yn gymdeithasau gwladgarol â'r nod o ddiogelu'r Gymraeg yn rhan o'u syniadaeth. Yr oedd hynny'n wir am ddwy urdd yn arbennig, yr Odyddion a'r Iforiaid.

Brychan a fu'n bennaf gyfrifol am gyflwyno Odyddiaeth i orllewin Sir Fynwy. Agorwyd y gyfrinfa gyntaf yn yr ardal ganddo yn Nhredegar yn haf 1829, sef 'Y Brython Cymdeithasgar'.[21] Fe ymddengys mai cyfrinfa ddwyieithog oedd hon, oherwydd y gwanwyn canlynol sefydlwyd cyfrinfa arall i'r Cymry yn unig, a'r enw a roddwyd arni oedd 'yr Iforiaid Caredig', a hynny er mwyn cofio am Ifor ap Cadifor y dywedwyd iddo amddiffyn Castell Morlais (Merthyr Tudful) yn erbyn y goresgynwyr Normanaidd.[22] Llcdodd y mudiad yn gyflym, ac ymhen deng mlynedd, yr oedd dwy gyfrinfa ar hugain yn Nosbarth Tredegar yn unig. Y mae eu henwau, 'Tywysog Llywelyn', 'Cenynen Cymru', 'Gwenynen Gwent' a'r lleill, yn adlewyrchu eu syniadaeth wladgarol. 'Y Cymreigyddion' oedd enw'r gyfrinfa Odyddol a sefydlwyd ger Llanelli (Brycheiniog) yn 1840, ac i raddau, yr oedd rhai o amcanion y ddau fudiad yn gorgyffwrdd.[23]

Yr oedd hynny hyd yn oed yn fwy gwir am yr Iforiaid, cymdeithas gyfeillgar gwbl Gymraeg a sefydlwyd yn Wrecsam yn 1836. Oherwydd anghytundeb dros reolaeth, yr oedd dau Undeb Iforaidd yn bodoli rhwng 1838 a 1843; Undeb Gwerfyl (a'i ganolfan yn Wrecsam) ac Undeb Dewi Sant (Caerfyrddin).[24] Mae cynnydd cyfrinfeydd y ddau undeb yn Sir Fynwy ar ôl 1838 yn brawf o'r brwdfrydedd dros y Gymraeg yn yr ardal. (Yn 1842, er enghraifft, yr oedd deunaw cyfrinfa Iforaidd yn Nosbarth Glynebwy, a dwy ar bymtheg yn Nosbarth Pont-y-pŵl yn cynnwys 901 o aelodau.)[25] Crewyd peth diflastod gan yr anghytundeb a fu rhwng aelodau'r ddau undeb am rai blynyddoedd, ond tua 1843 dechreuwyd ceisio cymod, ac erbyn 1846 perthynai holl Iforiaid Sir Fynwy i Undeb Dewi Sant.[26] Rhoddwyd enwau gwladgarol ar y cyfrinfeydd: 'Hywel Dda', 'Ynyr Gwent', 'Ifor Hael' ac ati. Ac er gwaethaf yr anghytuno ynglŷn â threfnyddiaeth, nid oedd amheuaeth mai'r un oedd amcan y ddwy garfan, sef 'dysgu a meithrin yr Iaith Gymraeg'.[27] Yn ôl llywydd Cyfrinfa Alwysen, Pontnewynydd, diben cyntaf yr Iforiaid oedd 'coledd iaith eu gwlad'.[28] Ffurfiwyd Cyfrinfa'r Fotas, Cwmrhydderch, Glynebwy gan 'Gymry aiddgar' a oedd 'o blaid lledaenu terfynau yr Omeraeg, a lles cyffredinol cenedl y Cymry'.[29] Ac wrth sefydlu cyfrinfa Iforaidd gyntaf Tredegar ym mis Mawrth 1840 galwai Eiddil Ifor am gefnogaeth pawb a oedd 'yn caru ei iaith a'i wlad'.[30] Anogwyd yr Iforiaid i fasnachu drwy gyfrwng y Gymraeg, ac i amddiffyn yr iaith mewn llysoedd barn. Y Gymraeg oedd unig iaith y cyfrinfeydd Iforaidd yn Sir Fynwy tan 1855 pan agorwyd cyfrinfa Saesneg yng Nghasnewydd.[31]

Fel y dangoswyd, yr oedd peth gorgyffwrdd rhwng amcanion y Cymreigyddion a'r cymdeithasau lles Cymraeg yn ystod y tridegau a'r pedwardegau. Perthynai llawer o'r arweinwyr a'r aelodau blaenllaw i'r ddau fudiad. Gellir enwi, er enghraifft, Brychan, Eiddil Ifor, Eiddil Gwent ac Aneurin Fardd. O ran natur eu gweithgarwch lleol, a thestunau a chystadlaethau eu cylchwyliau a'u heisteddfodau, yr oeddynt yn debyg iawn. 'Oes y Byd i'r Iaith Gymraeg' oedd byrdwn eu hanerchiadau ac arwyddair eu baner, a chyflwr yr iaith a gâi'r prif sylw gan eu beirdd a'u llenorion. Gellid rhestru dwsinau o enghreifftiau o destunau eisteddfodol yn trafod statws gyhoeddus y Gymraeg, addysgu plant drwy gyfrwng eu mamiaith, dyletswydd y Cymry i'w hiaith, a'r modd i ddiogelu dyfodol y Gymraeg.[32] Yn ystod y blynyddoedd hyn yr oedd yr adfywiad mewn diddordeb yn yr iaith Gymraeg yn rhywbeth amgen na dadeni academaidd. Ceisiwyd meithrin ymdeimlad o falchder yn yr iaith a hybu'r awydd ymhlith y Cymry i weithredu'n gadarnhaol o'i phlaid. Yn wir, o ddarllen cynnyrch cylchwyliau ac eisteddfodau'r Cymreigyddion a'r cymdeithasau lles Cymraeg cynnar, gellir canfod ymdrech ddilys i sicrhau i'r Gymraeg le cyfartal â'r Saesneg ymhob agwedd ar fywyd.

O ganol y pedwardegau, ac yn arbennig ar ôl 1847, daeth y Gymraeg yn gysylltiedig fwyfwy ag un cylch o weithgarwch – diwylliant y capel, ac un meddylfryd arbennig – Anghydffurfiaeth Ryddfrydol. Yn ystod y tridegau a'r pedwardegau cynnar, fodd bynnag, yr oedd i'r iaith a'r diwylliant Cymraeg gyd-destun ehangach. Am y cyfnod byr hwn fe ymddangosai fel pe bai'r galw mawr am 'Oes y Byd i'r Iaith Gymraeg' yn herio'r drefn a oedd ohoni. Ac onid her ydoedd galw am farnwyr, ynadon heddwch, penaethiaid tlotai a swyddogion carchar Cymraeg eu hiaith a chyfundrefn fasnachol a ddefnyddiai'r Gymraeg, pan oedd mwyafrif Cymry'r dosbarth gweithiol o dan anfantais mewn byd nad oedd yn cydnabod y Gymraeg yn iaith swyddogol? Ar un ystyr felly, gellir tybied bod i'r Gymraeg yn ystod y blynyddoedd hyn botensial i hyrwyddo newid chwyldroadol.

Ond yr oedd llawer o wladgarwyr y Cymreigyddion ymhell o fod yn chwyldroadwyr. Gellir enwi, er enghraifft, offeiriaid megis Carnhuanawc, Cwm-du, Ieuan ab Gruffudd, Llanofer, a Lodwick Edwards, Rhymni, neu barchusion dosbarth canol y byd masnachol megis Caradawc, perchennog busnes cludo nwyddau yng nghylch Llanwenarth, a meistr Tloty'r Fenni, ac Ifor Gwent (D. Seys Lewis) rheolwr siop Cwmni Thomas Brewer, Coalbrookdale ger Nant-y-glo. Rhyddfrydwyr oedd cefnogwyr Benjamin Hall yng nghylch Llanofer, wrth gwrs. Serch hynny, ni chaniateid i aelodau Cymreigyddion y Fenni drafod pynciau gwleidyddol. Rheol XI eu cyfansoddiad oedd:

> Bod y Gymdeithas hon yn ymwrthawd a phob Testunau a fyddaw yn anfoesgar, yn anffyddlon i'r wladwriaeth, neu a fyddaw yn tueddu at ddadl grefyddawl, wladawl neu ymrysongar.[33]

— rheol a ddengys nad oedd Cymdeithas y Fenni'n synied am bwnc yr iaith fel un a oedd yn herio'r drefn. Yn wir, daw'n amlwg bod rhai aelodau'n ofni radicaliaeth, ac o bryd i'w gilydd ceir arwydd nad oedd tensiynau gwleidyddol ymhell o dan yr wyneb. Er enghraifft, ymhlith gohebiaeth y gymdeithas ceir llythyr gan Garnhuanawc at yr ysgrifennydd yn gorchymyn iddo ddileu enw (Jacobinaidd) Horne Tooke (D. J. Griffiths), aelod o Ryddymofynwyr Merthyr Tudful oddi ar restr y beirdd:

> Nis gallaf fodd yn y byd ymfodloni i adael i'r fath enw Anghymreig a diystyr ymddangos ymhlith y Beirdd . . . Heblaw am ei Seisnigrwydd y mae yn sawrio gormod o ymbleidiad gwleidyddol . . .[34]

Os nad oedd y radicaliaid wrth fodd Carnhuanawc a'i debyg, nid oedd y Cymreigyddion 'crachaidd' wrth fodd y radicaliaid chwaith. Ym mis Ebrill 1841 condemniwyd y Cymreigyddion gan bapur y Siartwyr, *Udgorn Cymru*, mewn ateb i erthygl gan un o aelodau Cymreigyddion Caerludd (Llundain) a ymddangosodd yn *Seren Gomer*, sef 'Effeithiau Niweidiol Siartiaeth yn y Dywysogaeth'. Beirniadwyd y gwobrwyon a roddwyd i'r 'crach-feirdd' am foli 'rhyw bendefig neu oludwr', a dywedwyd bod dau fath o berson yn cefnogi'r Cymreigyddion: 'y ffyliaid' a gâi 'eu gorlenwi â'r gynddaredd am Hynafiaeth yr Iaith ac Ardderchawgrwydd y Genedl', a'r 'cnafiaid' a ddefnyddiai'r cymdeithasau:

> ... er mwyn cadw meddwl y werinos oddiwrth y twyll, y rhagrith, y gormes a'r traws-lywodraeth sydd i'w canfod mewn offeiriaid, pregethwyr, pendefigion a llywodraethwyr.

Gwadai'r *Udgorn* honiad awdur yr erthygl nad Cymry Cymraeg oedd Siartwyr 1839.[35] Yn hyn o beth, rhaid nodi nad oedd unffurfiaeth barn ymhlith aelodau'r Cymreigyddion ar faterion gwleidyddol, ac nad oedd y gwahanol gymdeithasau yn uniongred chwaith. Yn sicr, caed gwahaniaethau mawr rhwng cymdeithas drefol, ddosbarth canol megis Cymreigyddion y Fenni, a oedd, erbyn diwedd y tridegau yn Seisnigeiddio o dan ddylanwad ei noddwyr bonheddig, a chymdeithasau'r maes glo.

Mor gynnar â 1837 beirniadwyd Cymreigyddion y Fenni am gynnal gŵyl Seisnigaidd. Ceryddwyd hwy yn *Seren Gomer*, ac awgrymwyd mai gwell fyddai iddynt brynu mwy o lyfrau Cymraeg, a gwastraffu llai o arian ar 'rwysg balchaidd'. Dadl ysgrifennydd y gymdeithas oedd eu bod wrth gynnwys areithiau Saesneg yn yr Eisteddfod yn denu'r di-Gymraeg i ymddiddori yn yr iaith.[36] Am yr un rheswm penderfynwyd ym mis Rhagfyr 1837 ddechrau cadw'r cofnodion yn ddwyieithog, a chyfieithwyd hyd yn oed yr arwyddair, '*The Duration of the World to the Welsh Language*'.[37] Er i'r ysgrifennydd ddychwelyd at y drefn o gadw'r cofnodion yn uniaith Gymraeg yn 1839, aeth llawer o'r delfrydau gwreiddiol yn angof yn ystod y pedwardegau. Pan ymadawodd Ieuan ab Gruffudd â'r ardal ym mis Ionawr 1844 cafwyd anhawster dod o hyd i olynydd iddo. Fe ymddengys mai Brychan a ymgymerodd â'r ysgrifenyddiaeth am y misoedd nesaf.[38] Yn Saesneg y cadwyd y cofnodion erbyn hynny, ac er na nodir hynny, teg fyddai bwrw fod Brychan o dan bwysau i ddefnyddio'r Saesneg yn erbyn ei ewyllys, oherwydd ar 11 Medi cofnododd yn ei ddyddiadur:

> Ysgrifenais at Gysbwyllawd y Cymreigyddion i ddeisyf cael rhoddi i fynu y swydd o fod yn Gofiadur herwydd ei bod mor anghydweddol a fy anian.

A mynegodd farn go gref am griw y Fenni:

> Gwehilion Saeson sosi
> A haeddant gael eu crogi
> Mwyaf drelad sydd dan sêr
> Yw hanner côr y Fenni.
>
> 'Does yno Awenyddion
> Na gweddus Gymreigyddion
> A fedrai wneuthur unrhyw waith
> Heb sisial iaith y Seison.

> Rhyw giwdod gas, anesmwyth
> Hunanol, ffrom, ffôl, diffrwyth,
> Gwell gennyf fyw ar uwd a lla'th
> Na dilyn y fath dylwyth.[39]

Torrodd bob cysylltiad â hwy, a gwrthododd wahoddiad i ymuno â nhw i giniawa ar 21 Tachwedd:

> Cefais fy mlino heddyw oherwydd argymhellion yr Arglwyddes i fyned i swper y peth a elwir Cymreigyddion, ond methais . . . wneuthur hynny heb weithredu yn groes i'r egwyddorion sydd yn gorliwiach fy holl ysgogiadau, sef didwylledd a phwyll.[40]

Tua'r un adeg gresynai Brychan hefyd at agwedd Cyfrinfa Odyddol Rhyd-y-meirch (Llanofer) at y Gymraeg. 'Amser annifyr' a dreuliodd yn eu plith, 'wrth wrando arnynt yn gweiddi "*Hip, Hip Hwra!*", ac yn baldorddach eu bastard Seisnig . . .'.[41]

Gellir tybio y byddai Brychan yn llawer mwy cartrefol ymhlith Cymreigyddion Sirhywi a oedd yn fwy nodweddiadol o gymdeithasau'r maes glo. Dyma gymdeithas a gollfarnwyd gan y gweinidog a'r llenor parchus, D. Rhys Stephen (un o feibion Tredegar), mewn araith a draddododd o flaen Cymreigyddion Llundain yn 1836. Teimlai eu bod yn annheilwng o'r mudiad am iddynt drafod bodolaeth y diafol yn un o'u cyfarfodydd.[42] Daw natur radicalaidd Cymreigyddion Sirhywi yn amlwg wrth ddarllen hanes gweithgareddau'r cyfarfod hwnnw (26 Mai 1836). Yr areithwyr ar yr achlysur oedd Ieuan Ddu, Carw Coch (William Williams) Aberdâr, a Horne Tooke. Yn ogystal â thrafod bodolaeth y diafol, trafodwyd hefyd sefyllfa'r Pwyliaid, a mynegwyd cydymdeimlad mawr â hwy yn eu hymdrech yn erbyn Rwsia. Dywedwyd bod y wlad honno wedi gyrru gwerin Gwlad Pŵyl i dlodi, gan ddileu eu diwylliant cynhenid wrth oresgyn gwrthryfel cenedlaethol. Yr oedd nifer o aelodau Cymdeithas Ryddymofynwyr Merthyr Tudful yn bresennol yn y cyfarfod, ynghyd â'r telynor (a'r Siartydd), Llewellyn Williams a ddisgrifiwyd fel 'mab y Cymro serchog a haelionus, Zephaniah Williams'. Yn ôl y cofiannydd, ymadawodd pawb â'r cyfarfod 'yn llawn o deimladau gwladwraidd dros ryddid a gwlad eu genedigaeth'.[43] Fe ymddengys fod cydweddiad rhwng radicaliaeth wleidyddol ac ymwybyddiaeth o Gymreictod ymhlith Cymreigyddion Sirhywi, ac o adnabod cymeriadau blaenllaw cymdeithasau Cymreigyddol eraill yr ardal ddiwydiannol yn y blynyddoedd hyn, daw'n amlwg fod y cysylltiad yn un arwyddocaol.

Wedi'r cyfan, perthynai gwreiddiau'r mudiad i draddodiad radicalaidd cyfnod y Chwyldro Ffrengig.[44] Yn ystod y 1790au, ail-greu cenedl ddemocrataidd Gymraeg newydd oedd bwriad Iolo Morganwg a'i ddilynwyr. Yr oedd nifer o Gymreigyddion ardal ddiwydiannol Sir

Fynwy yn y tridegau yn ddilynwyr i Iolo ac yn aelodau o'i orsedd; yr oeddynt, yn ogystal, yn ddisgynyddion i draddodiad gwleidyddol ei gyfnod. Wrth ddod i adnabod byd y Cymreigyddion a'r cymdeithasau lles Cymraeg yn y blynyddoedd hyn, daw gwead o gysylltiadau ffurfiol ac anffurfiol i'r amlwg rhwng gwŷr o'r un anian gwleidyddol. Gellir enwi rhai fel Eiddil Ifor, a oedd yn un o feirdd yr Orsedd, yn aelod o Ddynolwyr Nant-y-glo ac yn Iforydd. Bu'n annerch yr Odyddion a'r Clybiau Undebol yn ardal Tredegar ar bwnc diwygiad Seneddol yn 1831 gan rannu llwyfan â Zephaniah Williams wrth i'r galw am bleidlais i bawb gynyddu ar ôl siom Bil Diwygiad 1832. Rhaid enwi hefyd Eiddil Gwent, Odydd ac aelod o orsedd Iolo a ganodd glod undebau'r gweithwyr yng Nghwm Sirhywi yn ystod y tridegau; Ieuan Ddu, sefydlydd Rhyddymofynwyr Merthyr Tudful, golygydd *Y Gweithiwr*, a chlerc i Zephaniah Williams; John Morgan, Odydd amlwg a thafarnwr radicalaidd Tafarn y Star yn Nhwyn y Dug, man cyfarfod y Siartwyr yn yr ardal; Brychan, aelod arall o orsedd Iolo a ddaeth o dan ei ddylanwad rhwng 1814 a 1818, sefydlydd yr Odyddion a'r Cymreigyddion yn Nhredegar a fu hefyd yn aelod o Urdd yr Iforiaid. Y mae'r 'gadwyn' o gysylltiadau'n ymestyn i Ferthyr at Horne Tooke, i Aberdâr at y Carw Coch hyd at Bontypridd, canolfan gweithgarwch y gwladgarwr a'r Siartydd amlwg, Dr William Price (a fagwyd ym Machen, Sir Fynwy).

Ffynhonnell hynod ddifyr sy'n cadarnhau'r cysylltiadau hyn yw dyddiaduron Brychan, un o'r cymeriadau mwyaf lliwgar ymhlith torf o adar brith. Yn feddwyn ac yn ddirwestwr bob yn ail, yr oedd yn wrandawr cyson yng nghapeli pob enwad. Y mae'n debyg iddo fod yn aelod ar un adeg, ond erbyn 1834 yr oedd wedi'i esgymuno, oherwydd ym mis Ionawr y flwyddyn honno mynegodd dristwch na fedrai bellach gyfranogi o'r cymun:

> . . . teimlwn hiraeth yn fy enaid am y dyddiau gynt pan oeddwn innau yn gallu cyd-gymuno gyda phobl yr Arglwydd.[45]

(Gellir ond dyfalu mai ei gysylltiad â'r Odyddion neu â chlybiau Undeb y Gweithwyr yn y tridegau cynnar oedd achos yr esgymuno.)[46] Bu Brychan ar y môr am gyfnod cyn gweithio o dan ddaear a chael ei ddyrchafu'n 'giaffar'. Rywdro yn ystod y dauddegau, agorodd siop lyfrau yn Nhredegar, a dosbarthai gylchgronau a phapurau newydd yn y cylch. Yr oedd yn Rhyddfrydwr ac yn radical. Yn 1832, ymhyfrydai yn y ffaith fod ei gyfaill, William Powell, tafarnwr y 'Punch Bowl', yn ddiwygiwr cadarn. Ysgrifennodd at John Frost i gefnogi ymgyrch Seneddol Benjamin Hall yn 1835. Yn 1838 derbyniai *The Northern Star* o Leeds, 'am ei fod yn bleidiol i freiniau dyn', a hyd yn oed yn ystod y pumdegau, ac yntau'n hen ŵr, gwnaeth safiad wrth wrthod talu'r degwm i offeiriad Bedwellte.[47] Ni wyddys i sicrwydd a gefnogai undebau a streiciau, ond fe ymddengys ei fod, yn arbennig o ystyried y cysylltiad agos rhwng y cymdeithasau lles a'r clybiau yn ardal Tredegar rhwng 1830 a 1835. Yno bu cyfrinfeydd yr Odyddion yn cysgodi'r clybiau Undeb pan waharddwyd hwy gan y meistri yn 1831 a 1834.[48] Oherwydd i Odyddion Tredegar gondemnio gweithgarwch treisiol y Tarw Scotch yn 1834, mae'n amheus a oedd Brychan yn un a gefnogai'r defnydd o rym arfau yn y frwydr dros hawliau'r dosbarth gweithiol. Gellir bod yn weddol sicr, fodd bynnag, ei fod yn cefnogi amcanion y frwydr honno. Ymhlith ei gyfeillion cyfrifai Brychan Eiddil Ifor, Eiddil Gwent, Dewi ab Iago, John Morgan y Star, Ieuan Brydydd Gwent, Aneurin Fardd, Ieuan Ddu, Horne Tooke, John Reynolds y bardd o Ferthyr, Carw Coch, Aberdâr a Gwilym Ilid o Fachen.[49] Yr oedd yn gyfarwydd â Jac y Ffeiffar,[50] cyn-filwr a fu'n ymladd yn yr Amerig cyn dychwelyd i Dredegar i ganol cynnwrf diwydiannol a gwleidyddol y tridegau ac ymdaith y Siartwyr i Gasnewydd yn 1839. Ac ymhlith ei gydnabod mwy parchus yr oedd yr ysgolfeistr o Ferthyr, Taliesyn ab Iolo, mab Iolo Morganwg.[51] Yr oedd y rhain i gyd, i raddau mwy (yn achos Ieuan Ddu) neu lai (yn achos Taliesyn ab Iolo) yn cefnogwyr i egwyddorion democrataidd a brwydrau'r dosbarth gweithiol yn y cyfnod.

Eto i gyd, i'r dosbarth canol isaf, neu haenau uchaf y dosbarth gweithiol y perthynai'r gwŷr hyn. Tafarnwyr oedd Dewi ab Iago, Aneurin Fardd ac Eiddil Ifor. Yr oedd Ieuan Brydydd Gwent, Ieuan ab Iago a Gwilym Ilid yn berchnogion melinau. Gof oedd Gwentydd a dyrchafwyd ef yn feistr y gofaint yng ngwaith Sirhywi, tra mai crydd oedd Eiddil Gwent, a mab i bwdlwr. Gweithwyr crefftus fyddai arweinwyr y cymdeithasau lles hefyd; pobl â chanddynt barch at awdurdod, awydd i wella'u byd, a pharodrwydd i gymryd cyfrifoldeb cymdeithasol. Er hynny, yr oedd trwch yr aelodaeth yn fwy amrywiol, ac yn cynnwys glowyr a mwynwyr llai breintiedig. Yn wir, yr oedd gan y ddau fudiad gysylltiadau clòs â'r dosbarth gweithiol a chefnogaeth ehangach ymhlith telynorion, baledwyr a beirdd gwlad.

Elfen arall ymhlith y Cymreigyddion oedd gweinidogion Ymneilltuol, rhai fel y Parch Evan Jones (Gwrwst) y Cas-bach, y Parch Thomas Davies, Argoed, a'r Parch J. P. Davies (Mab Dewi Ddu), Tredegar. Er bod eu presenoldeb yn cynyddu'r elfen barchus, nid oedd o angenrheidrwydd yn ddylanwad adweithiol. Y Bedyddwyr oedd yr enwad cryfaf yn Sir Fynwy, a Bedyddwyr a fu'n bennaf gysylltiedig â'r cymdeithasau Cymraeg. Yn ogystal â'r gweinidogion, yr oedd nifer o'r Cymreigyddion blaenllaw yn aelodau gyda'r Bedyddwyr: Gwentydd, Aneurin Fardd ac Eiddil Ifor i enwi ond tri. Ond traddodiad radicaliadd oedd gan y Bedyddwyr yn y sir; traddodiad a hanai yn ôl i gyfnod yr erlid yn yr ail ganrif ar bymtheg, a byd newydd Morgan John Rhys, a anwyd yn ffermdy'r Graddfa yng Nghwm Rhymni ac a fu'n weinidog ym Mhont-y-pŵl ar ddiwedd y ddeunawfed ganrif. Yn ystod degawdau cyntaf y bedwaredd ganrif ar bymtheg daliwyd Bedyddwyr yr ardal ym merw'r dadleuon diwinyddol ynghylch dysgeidiaeth yr Arminydd, Andrew Fuller. Mae'n arwyddocaol mai'r Parch J. P. Davies, prif ladmerydd syniadau diwinyddol rhyddfrydol Fuller oedd un o sefydlwyr cymdeithas Gymreigyddol gyntaf Sir Fynwy yn 1818. Yn ystod y tridgeau nid oedd y capeli eto wedi datblygu'n sefydliadau dylanwadol a gor-barchus. Cynulleidfaoedd bychain o weithwyr oedd gan y mwyafrif ohonynt, a digon tlodaidd oedd sefyllfa'r gweinidogion bryd hynny hefyd. Yn 1842, er enghraifft, yr oedd gan y Parch E. C. Jenkins, Trelyn a Rhymni, ddau fab ifanc yn gweithio o dan ddaear; y naill yn saith a'r llall yn bedair ar ddeg oed, a hynny er mwyn ei alluogi i gadw deupen y llinyn ynghyd.[52] Yn y blynyddoedd hyn hefyd, nid oedd ffin bendant rhwng y capel a'r dafarn. Y dafarn oedd man cyfarfod y Cymreigyddion, y cymdeithasau lles, a llawer o gynulleidfaoedd Anghydffurfiol yn ogystal. Er i'r capeli wrthwynebu sefydlu'r Odyddion yn y tridegau cynnar (ar sail eu gwrthwynebiad i'r ffaith fod yn rhaid i'r aelodau dyngu llw), buan y daeth y cymdeithasau lles yn dderbyniol ganddynt. Ar adeg cylchwyl, byddai aelodau'r cyfrinfeydd yn gwrando pregeth mewn capel cyn dychwelyd i'w hystafell yn y dafarn i wledda, a byddai gweinidogion llengar, megis Gwrwst a Lleurwg (J. Rhys Morgan, Llaneirwg), yn chwarae rhan amlwg yn y cyfarfodydd cystadleuol a'r eisteddfodau a ddilynai achlysuron felly.

Sefydliadau democrataidd oedd y capeli ac, ar y cyfan, hyrwyddent egwyddorion democrataidd. Er eu bod yn condemnio trais, cefnogent egwyddorion rhyddid a chydraddoldeb i'r dosbarth gweithiol. Y Methodistiaid Calfinaidd (yr enwad mwyaf adweithiol) oedd yr unig enwad i gefnogi'r meistri a gwahardd i'w haelodau ymaelodi ag Undeb y Gweithwyr yn ardal Tredegar rhwng 1830 a 1834.[53] Fe gafodd egwyddorion Siartiaeth dderbyniad eithaf cyffredinol ymhlith cynulleidfaoedd capeli'r maes glo yn y tridegau (ymhlith y Bedyddwyr a'r Annibynwyr beth bynnag), ac yr oedd dau o'r Bedyddwyr mwyaf blaenllaw, Micah Thomas a Thomas Thomas o Goleg Pont-y-pŵl, yn ymwneud â'r mudiad yn anuniongyrchol.[54] Mae'n bosib, hyd yn oed, fod capelwyr ymhlith minteioedd y Tarw Scotch. Dywed E. I. Williams fod Edward Morgan, y glöwr o Argoed a ddedfrydwyd i farwolaeth am ei ran mewn ymosodiad gan y Tarw Scotch yn 1835, yn bregethwr cynorthwyol. Ni wyddys ai gwir hynny, ond yn sicr roedd ganddo gysylltiad â chapel y Bedyddwyr yn Argoed, ac yr oedd ei fab yn Fedyddiwr selog. Yn ôl *Seren Gomer*, ymadawodd â'r capel er mwyn ymuno â'r Tarw Scotch. Cyn hynny meddid, 'yr oedd bob amser yn ei le yn yr addoldy, ac yr oedd yn hynod am bereidd-der ei lais'.[55] Er i'r enwadau gondemnio trais, ac er i'r gweinidogion yn gyffredinol bregethu yn erbyn Siartiaeth yn 1839, nid yw'r darlun yn ddu a gwyn.

Yn hinsawdd gymdeithasol a gwleidyddol y tridegau felly, nid oedd y Cymreigyddion a'u cefnogwyr yn yr ardal ddiwydiannol wedi'u hynysu'n llwyr oddi wrth drwch y dosbarth gweithiol. Ac er bod mudiad y Cymreigyddion yn gyffredinol yn hyrwyddo gwerthoedd dosbarth canol, yr oedd hyd yn oed Carnhuanawc a pharchusion eraill cylch Llanofer (yn ddiarwybod iddynt eu hunain), wrth ymdrechu dros statws gyhoeddus i'r Gymraeg, yn gwneud pwnc yr iaith yn berthnasol i dwf yr ymwybyddiaeth a oedd yn datblygu ymhlith y gweithwyr yn y blynyddoedd hyn. Yn wir, gellir dadlau bod nifer o syniadau'r Cymreigyddion a'r cymdeithasau lles Cymraeg yn cyffwrdd â gwraidd yr ymdeimlad o anghyfiawnder yn y meysydd hynny lle yr oedd y bwlch rhwng trwch y boblogaeth (Gymraeg ei hiaith) a'r awdurdodau Saesneg yn fwyaf amlwg. Nid oes amheuaeth, er enghraifft, nad oedd y Cymro neu'r Gymraes ddosbarth gweithiol o dan anfantais wrth wynebu achos llys. Er bod cofnodion achosion llys ar y naill law yn dystiolaeth bod cyfran helaeth o'r dosbarth gweithiol yn medru rhyw gymaint o Saesneg yn y bedwaredd ganrif ar bymtheg, y mae adroddiadau sy'n cyfeirio at Saesneg amherffaith y diffinyddion yn arwydd o anhawster.[56] (Yr oedd angen cyfieithydd ym Mrawdlys Mynwy yn y cyfnod, a Charadawc a gyflawnodd y swydd hon am flynyddoedd.) Yn sicr, yr oedd rhai Cymreigyddion yn ymwybodol o arwyddocâd gwleidyddol defnyddio'r Saesneg yn y llysoedd. Yn 1835 cyhoeddwyd traethawd yn *Seren Gomer* yn dadlau dros weinyddu'r gyfraith yn iaith gyffredin y bobl. Yn ôl yr awdur, gwyddai 'gormeswyr creulon y byd' mai'r ffordd orau i goncro cenedl oedd difodi ei hiaith.[57] Yn 1837, galwai Eiddil Ifor am farnwyr a chyfreithwyr Cymraeg eu hiaith mewn traethawd i gystadleuaeth y Fenni.[58] Flwyddyn yn ddiweddarach cynhyrfwyd Brychan i ysgrifennu llythyr 'hirfaith' at Thomas Phillips, Casnewydd, ar ôl iddo'i glywed 'yn gweinyddu rhith gyfiawnder' yn Llys Ynadon Tredegar, gan ddweud wrth ddiffynyddion a thystion uniaith, '*Speak English or else you cannot be heard here*'. Bwriodd Brychan ei lid i dudalennau ei ddyddiadur:

> Ymadrodd yw hwn na ad o'm cof tra caffwyf y fraint o anadlu ymhlith daearolion. A raid i'r Cymry y rhai a hanasant oddi wrth yr hen Brydeiniaid dewrion ymwadu a'u hiaith . . . er boddiaw essill estronlwyth ysbeilgar nad yw meddu hawl gyfreithlawn i gymaint a chwys o'r wlad yr honnant arglwyddiaeth arni?[59]

Yr un oedd y sefyllfa ddeng mlynedd yn ddiweddarach pan ysgrifennai Emyr Llydaw (Eiddil Ifor?) 'At y Werin Weithyddol':

Yr ydych wedi, ac yn cael eich bwbachu . . . yn y llysoedd. Fel hyn yr ydych yn cael eich sathru a darostyngedig i gael y camweddau mwyaf yn eich prawfiadau llysawl, . . . a dylai barnwyr a dadleuwyr a iawn ddeallant y Gymraeg fod yn Nhrefnwyr . . . er llesiant y Cymry uniaith ar wysir yno yn y brawdlysoedd.[60]

Gwelir felly fod yna ymwybyddiaeth o ormes ieithyddol y gyfundrefn gyfreithiol Saesneg. 'Does rhyfedd mai 'Hywel Dda' a ddewiswyd fel enw i'r Gyfrinfa Odyddol a sefydlwyd gan Eiddil Ifor ym Mlaenafon (gyda chymorth Brychan) yn 1831. Ac yn ystod y tridegau cythryblus cafodd yr ymwybyddiaeth fynegiant ym mhrotest y dosbarth gweithiol yn erbyn yr awdurdodau, a defnyddiwyd y Gymraeg fel arf i finiogi'r gwrthdaro. Yn achos Edward Morgan, Argoed, gwrthododd William Lewis, cydweithiwr i'r diffynnydd, siarad Saesneg yn y llys er ei fod yn rhugl yn yr iaith honno.[61] Cododd sefyllfa debyg yn ystod yr achos a ddilynodd ymdaith y Siartwyr i Gasnewydd. Mynnodd John Rees roddi tystiolaeth yn Gymraeg er ei fod yn medru'r Saesneg yn iawn.[62] Yn erbyn y cefndir hwn, nid yw'n gymaint o ryfeddod fod Dr William Price, y Siartydd a fu mor llafar dros hawliau'r gweithwyr a'r genedl Gymraeg, yn dewis dod i wrthdrawiad â'r gyfraith bob cyfle a gâi, gan fynnu siarad Cymraeg yn y llys. Megis yr ymgyrch i Gymreigio'r llysoedd, yr oedd y ffaith fod y Cymreigyddion yn galw am gael swyddogion a meistri Cymraeg eu hiaith i ofalu am y tlotai hefyd yn berthnasol i'r dosbarth gweithiol, yn arbennig felly yn wyneb y gwrthwynebiad poblogaidd i Ddeddf Cyfraith y Tlawd (1834). Er na wrthwynebai'r Cymreigyddion y ddeddf fel y cyfryw, y mae'n arwyddocaol iddynt herio'r drefn ar sail iaith. Yn yr un modd, galwent am swyddogion carchar a fedrai'r Gymraeg.

Yn ddi-os, dwysawyd tensiynau cymdeithas yr ardal ddiwydiannol yn ystod blynyddoedd cythryblus hanner cynta'r bedwaredd ganrif ar bymtheg gan fodolaeth yr iaith Gymraeg. Er bod gwrthdaro rhwng Cymry a Saeson gan amlaf yn gysylltiedig â materion diwydiannol, ni ellir anwybyddu'r elfennau cenedlaethol a finiogai'r elyniaeth. Dieithriaid, yn aml iawn, oedd gwrthrych ymosodiadau'r Tarw Scotch, ac yn wahanol i honiadau parchusion y cyfnod, Cymry Cymraeg oedd mwyafrif yr ymosodwyr.[63] Yn yr un flwyddyn ag y ffurfiwyd Cymdeithas y Dynolwyr yn Nant-y-glo gyda'r bwriad o sefydlu gweithfeydd Cymraeg eu cyfrwng ar gyfer y Cymry, ysgrifennai'r Ynad Heddwch, J. H. Moggeridge, fel hyn at Peel yn y Swyddfa Gartref ynglŷn ag anghydfod yng ngwaith y Bute yn Rhymni:

> The object, from what I can learn, is to exclude the Englishmen from the works, as they unfortunately succeeded in excluding the Englishmen about two years ago.[64]

Yn yr un modd, gwelir bod dimensiwn ychwanegol i hanes Siartiaeth pan ystyrir mai mudiad torfol *Cymraeg* ydoedd yn y Blaeneudir a maes glo Sir Fynwy. Fel y dywedodd un o ohebwyr *Y Gwladgarwr* yn 1839:

> Ac o Ferthyr i Abergafenni . . . ac i waered i borthladdoedd Newport a Chaerdydd, ystyrir y boblogaeth uwchlaw 100,000 a rhan fawr o'r rhai hynny heb fedru siarad na deall ond ychydig heblaw y Gymraeg. Taenwyd egwyddorion Chartistaidd yn helaeth ymhlith y rhai hyn . . . [65]

Dadleua'r haneswyr Gwyn A. Williams ac Ivor Wilks fod yr ymdeimlad cenedlaethol yn elfen hanfodol yn y mudiad Siartaidd yng nghymoedd Gwent a Morgannwg, ac mai sefydlu gweriniaeth Gymraeg oedd amcan ymgyrchwyr 1839.[66] Boed hynny fel y bo, yn sicr, y mae'r ffaith fod trwch y boblogaeth yn Gymry Cymraeg, ac ymhellach, fod ymwybyddiaeth o anghyfiawnder ynghlwm wrth ymwybyddiaeth o Gymreictod yn y blynyddoedd hyn, yn awgrymu bod mwy i'r dymuniad am 'Oes y Byd i'r Iaith Gymraeg' na rhamant neu barch at ddraddodiad llenyddol yn unig.

Yn sicr, credai gelynion y Siartwyr fod y Gymraeg yn offeryn cynllwyn. Pwysleisiwyd mai yn Gymraeg y cynhelid y mwyafrif o'r cyfarfodydd. Un enghraifft yn unig yw adroddiad gan un o ohebwyr *The Monmouthshire Merlin* ym mis Mai 1839. Gan na ddeallai Gymraeg, ni fedrai ddeall popeth a benderfynwyd yn y cyfarfod. Y mae ei sylw, '*The meeting was addressed by . . . several Welsh speakers in subdued tones*' yn awgrymu ei fod yn amau cynllwyn.[67] Un o'r rhesymau a roddwyd gan y Parch Augustus Morgan (offeiriad Machen a Deon y cylch), yn ei dystiolaeth i Gomisiwn Addysg 1847 dros geisio dileu'r iaith Gymraeg oedd y defnydd a wnaed ohoni gan y Siartwyr er mwyn cadw'r cynlluniau ar gyfer 'cyfodiad' Tachwedd 1839 rhag yr awdurdodau.[68] Ofnai'r awdurdodau ddylanwad cyhoeddiadau Cymraeg hefyd. Cyfieithwyd 'darnau gwaethaf' *Y Gweithiwr* (1834) gan J. B. Bruce, Aberdâr, er mwyn i'r Arglwydd Melbourne fedru deall yr hyn a oedd yn cynhyrfu'r boblogaeth yn ardal Merthyr.[69] Pan sefydlwyd *Udgorn Cymru*, papur y Siartwyr, yn 1840, disgrifiai'r Ardalydd Bute ef fel, '*the venemous Udgorn*', ac ystyriai fod gan yr awdurdodau fwy i'w ofni ganddo na chan y papur Saesneg cyfatebol.[70] O dan yr amgylchiadau a fodolai ar y pryd, ac o ystyried Cymreictod tanbaid rhai elfennau yn y gymdeithas, gellir credu fod sail i'w ofnau, nid yn unig am mai'r Gymraeg oedd y cyfrwng, ond am fod cysylltiad hanfodol rhwng y cyfrwng a'r neges.

Ymateb uniongyrchol i ddigwyddiadau 1839 ac ofn yr awdurdodau o ddylanwad y Gymraeg oedd y tu ôl i'r ymdrech fawr i sefydlu ysgolion elfennol yn yr ardal ar ôl 1839. Ysgogodd gwrthryfel 1839 Adroddiad Addysg Tremenheere a ddewisodd ganolbwyntio ar blwyfi gorllewin Mynwy, '. . . *the parishes which were the focus of this insurrectionary movement*'. Yn ei ragarweiniad cyfeiriai Tremenheere at ddiffyg rheolaeth yr awdurdodau dros boblogaeth yr ardal; ardal lle y medrwyd cynllwynio'r ymosodiad yn hollol gyfrinachol:

> ... *the unusual phenomenon ... of large masses of the working population capable of contriving and keeping secret from the magistrates and everyone in authority* ... [71]

Yr ateb, yn nhŷb Tremenheere a'r llywodraeth, i sicrhau na ddigwyddai'r fath beth eto, oedd hyrwyddo addysg Saesneg, oherwydd credid y byddai lledaeniad yr iaith Saesneg yn fodd i ddofi a gwareiddio'r boblogaeth. (Gweler y bumed bennod.)

Yn yr ymateb i ddigwyddiadau 1839 amlygir newidiadau mewn perthynas â'r iaith a barodd fod iddi gyd-destun cymdeithasol gwahanol erbyn canol y pedwardegau. Mae gwreiddiau'r newid i'w canfod cyn 1839, oherwydd yr oedd nifer o ddatblygiadau eisoes yn dylanwadu ar y gymdeithas ddiwydiannol Gymraeg, ond effaith y gwrthryfel oedd polareiddio barn, creu adwaith a diffinio'n fwy pendant yr hyn a olygid wrth Gymreictod a rhan yr iaith Gymraeg ym mywyd y genedl.

Er bod rhai Cymreigyddion, megis Dr Price, Pontypridd, a Llewellyn Williams, mab Zephaniah, wedi chwarae rhan amlwg yn y cynlluniau ar gyfer yr ymosodiad ar Gasnewydd, ymateb cyffredinol y Cymreigyddion, fel gweinidogion a pharchusion eraill y byd diwylliannol Cymraeg, oedd gwadu mai gwaith y dosbarth gweithiol Cymraeg oedd y gwrthryfel. Gosodwyd y bai ar y Sais, Henry Vincent, am arwain y Cymry ar gyfeiliorn, pwysleisiwyd Seisnigrwydd Siartiaid tref Casnewydd, a dywedwyd mai presenoldeb mewnfudwyr Saesneg oedd i gyfrif am gefnogaeth ardaloedd gweithfaol Sir Fynwy. Daeth y dehongliad hwn yn dderbyniol fel rhan o hanesyddiaeth yr oes. Yn ei *Hanes Cymru* (1842) canmolai Carnhuanawc 'wrolder a medrusrwydd' Thomas Phillips, maer Casnewydd, am y modd y concrodd y gwrthryfelwyr, a daeth i'r casgliad:

> Y cyffroadau hyn o eiddo y Siartiaid ni pherthynant i'r Cymry megis cenedl, eithr cludwyd y surdoes i Gymru gan y Saeson ... llwyddasant i gyffroi y Cymry i weithrediad o'r hyn ni feiddiant hwy eu hunain ei brofi ... [72]

Fe ymddengys fod Eiddil Ifor yn rhannu'r un farn ar ôl 1839. Er nad oes tystiolaeth bendant o hynny, fel y dywedwyd eisoes, ef fwy na thebyg oedd awdur cyfres o lythyrau a gyhoeddwyd yn *Seren Gomer* rhwng 1845 a 1848. Yn un ohonynt dadleuwyd bod 'gwerin weithyddol' Cymru'n llai parod i wrthryfela yn erbyn awdurdod na'r un dosbarth yn Lloegr, a beiwyd y Saeson am helynt 1839:

> Nid Cymro oedd Lovett a'r lleill, drwy ba rai y twyllwyd John Frost, Zephaniah Williams, a'r ynfytyn Jones i fyned ag anwybodusion gweithiau haearn Mynwy i ryfel yng Nghasnewydd.

Gweithwyr gogledd Lloegr oedd yn gyfrifol am 'godi muriau rhwng trigolion Cymru a'u meistri', meddid, gan 'feddwi'r Cymry ar freinlen Rhyddid'. Gan fod meddyliau'r Cymru'n 'rhy gaeth i feirniadu rhwng yr hyn oedd yn dda a'r hyn oedd yn ddrwg, lle da oedd Mynwy i werthu'r *Northern Star* a'r traethodau cynhyrfgar'.[73] Gwyddys bod Eiddil Ifor yn Rhyddfrydwr a oedd o blaid diwygiad Seneddol, ond yn amlwg, ni fynnai gefnogi trais ar unrhyw gyfrif. Yn ystod ail hanner y ganrif daeth yn rhan o draddodiad Rhyddfrydiaeth yng Nghymru i ddatgysylltu'r Cymry a'r iaith Gymraeg oddi wrth ddulliau uniongyrchol o weithredu. Mynnai'r Aelod Seneddol, Henry Richard, er enghraifft, mai 'poblogaeth hanner Seisnig' Sir Fynwy oedd yn gyfrifol am Siartiaeth.[74]

Yn ogystal â gwadu cysylltiad y Cymry â'r gwrthryfel, daeth yn angenrheidiol i'r rheini a oedd am sicrhau na fyddai'r Gymraeg yn cael ei dilorni fel iaith farbaraidd i bwysleisio cymeriad moesol a chrefyddol y dosbarth gweithiol Cymraeg. Gwnaed eu gwaith yn haws gan y ffaith fod Ymneilltuaeth Gymraeg ar gynnydd yn y cymoedd, a'r mudiad dirwest hefyd yn raddol ennill tir. Er nad oedd bob amser gydweddiad rhwng dirwest ac Ymneilltuaeth yn hanner cynta'r bedwaredd ganrif ar bymtheg, (yn wir agwedd anghyson a fu gan y dosbarth gweithiol Cymraeg tuag at y ddiod feddwol drwy gydol y ganrif) eto, ar ôl ymddangosiad y mudiad dirwest yn 1837 dechreuwyd creu ffin fwy pendant rhwng gweithgareddau'r dafarn a gweithgareddau'r capel.[75] Ni olygai hynny nad oedd dirwestwyr yn mynychu tafarndai. Byddai Brychan, er enghraifft, yn ystod ei gyfnodau di-alcohol pan ymdrechai ei orau glas i gadw at ei lw dirwestol, yn para i dreulio drwy'r dydd yn y Miner's Arms gan yfed naill ai gwin (a ystyriai'n llai niweidiol na'i 'gin' arferol), neu lemwnêd (a oedd yn gas ganddo).[76] Ond er na chafodd y mudiad dirwestol yr effaith a ddymunai ar y dosbarth gweithiol na'u beirdd, yr oedd pwysau yn awr ar y rheini a oedd am gael eu cyfrif yn bobl gyfrifol o gymeriad da i fod yn ddirwestwyr, yn arbennig felly aelodau a gwrandawyr y capeli. Yr oedd llawer mwy o dafarndai a siopau cwrw nag o gapeli yn ardal y gweithfeydd, ond serch hynny, ar ddechrau'r pedwardegau yr oedd Ymneilltuaeth yn dechrau dod yn rym yn y gymdeithas. Gwŷr dylanwadol a ymdeimlai â chyfrifoldeb cymdeithasol oedd gweinidogion yr achosion newydd a ymddangosai ymhob tref a phentref. Hwy yn anad neb oedd yn gyfrifol am boblogeiddio'r ymgyrch i sefydlu ysgolion elfennol yn yr ardal yn ystod y pedwardegau, ac am ddod ag addysg i sylw'r cyhoedd. Hwy hefyd a fu'n gyfrifol am amddiffyn cymeriad y Cymry yn sgil ymosodiadau Comisiynwyr y Llywodraeth yn Adroddiad 1847, adroddiad a gynyddodd y galw am addysg ac a ddwysaodd yr ymdeimlad bod angen i'r Cymry gydymffurfio â delwedd foesol, sobr a chrefyddol.

(Gweler y bedwaredd a'r bumed bennod.)

Cafodd y datblygiadau hyn ddylanwad ar natur gweithgareddau'r cymdeithasau Cymraeg rhwng y tridegau a'r pumdegau, ond yn sicr, ni ellir sôn am ddirywiad. Er bod dechrau'r pedwardegau yn gyfnod tawel o ran cymdeithasau Cymreigyddol (yr oedd Cymdeithas Cymreigyddion y Fenni wedi gweld ei dyddiau gorau erbyn 1839, ac fe ymddengys i nifer o gymdeithasau'r cymoedd nychu tua'r un adeg hefyd) fe ymddangosodd nifer o gymdeithasau newydd o ganol y pedwardegau ymlaen. Ar yr adeg hon, sylwyd ar adfywiad yn y diddordeb yn y Gymraeg. Dywedwyd bod 'deffroad' ymhlith Cymreigyddion Glynebwy yn 1843. Ailsefydlodd Brychan Gymreigyddion Tredegar (am yr ail waith) yn 1845, ac yn yr un flwyddyn cynhaliwyd y gyntaf o eisteddfodau Cymreigyddion y Gelli-groes, a ddaeth yn achlysuron o bwys yn y blynyddoedd dilynol. Sylwyd ar 'adfywiad mawr o barthed Cymreigyddiaeth' yn y Coed-duon tua 1845, a thua'r un adeg sefydlwyd Cymreigyddion Pen-y-waun, Rhymni, cymdeithas a brofodd 'adfywiad o'r newydd' yn 1849. Yn 1850 ailsefydlwyd Cymreigyddion Sirhywi 'er mwyn meithrin a choleddu yr iaith Gymraeg yn ein cymdogaeth'. Yr un amcan, ynghyd ag 'amddiffyn hawliau yr iaith Gymraeg', oedd gan y Gymdeithas Gymroaidd a sefydlwyd gan 'ddeugain o Gymry brwdfrydig' yn Rhisga yn 1852.[77]

Yn yr un cyfnod yr oedd Iforiaeth ar gynnydd. Yng nghyfarfod chwarter Dosbarth Pont-y-pŵl yn 1842 dywedwyd:

> Y mae yr Undeb ar gynnydd gyda llwyddiant neilltuol . . . Er bod holl fasnach eu gwlad megys yn safn marwolaeth, y mae y radd weithgar o bobl . . . ar ddarfod amdanynt ym mhob peth ond Iforiaeth.[78]

Parhawyd i sefydlu cyfrinfeydd newydd drwy gydol y degawd ac wedi hynny. Er enghraifft, cyfrinfeydd Cendl (1850), Trelyn (1853) a Maesycwmer (1855).[79]

Er bod cynnydd a pharhad, gellir canfod newid cynnil yn natur y bywyd Cymraeg yn lleol erbyn canol y ganrif, yn arbennig mewn cysylltiad â'r prif sefydliad diwylliannol, sef yr Eisteddfod. Yr oedd sail mwy poblogaidd i'r gweithgarwch, mae'n wir, ond canlyniad y newid yn y pen draw oedd peri bod yr ymwybyddiaeth ynglŷn â'r Gymraeg yn elfen lai canolog ohono. Amlygir y newid gan rai o eisteddfodau'r ardal yng nghanol y ganrif, ac yn hyn o beth y mae'n arwyddocaol mai yn 1850 y cynhaliwyd eisteddfod mewn capel am y tro cyntaf yn Sir Fynwy, sef yn Salem, Blaenau Gwent. Ailffurfiwyd y Cymreigyddion lleol er mwyn trefnu'r eisteddfod, ac un o'u swyddogion, a gweinidog y capel, y Parch William Roberts (Nefydd) oedd yn bennaf gyfrifol amdani. Mae'n bosib hefyd mai ef a benderfynodd ar eiriad y posteri sef, 'Ni chaniateir neb ag arwydd diod arno ddyfod i mewn ar un cyfrif'. Nefydd oedd y traethodwr buddugol, a'i destun oedd, 'Dylanwad yr Ysgol Sul ar Gadwraeth yr Iaith Gymraeg'. Yn ystod yr Eisteddfod bu'n annerch y gynulleidfa ar bwysigrwydd anfon eu plant i ysgolion dyddiol. Thema'r ddau siaradwr arall, y Parch D. Rhys Stephen (Gwyddonwyson) a'r Parch Owen Michael oedd dylanwad llesol yr Eisteddfod fel sefydliad addysgiadol i foesoli'r dosbarth gweithiol. Croesawai Gwyddonwyson y ffaith fod yr Eisteddfod hefyd wedi symud ei chanolfan o'r dafarn i'r capel.[80] Eisteddfod bwysig arall a gynhaliwyd yn yr ardal yn yr un flwyddyn oedd Eisteddfod Iforaidd Tredegar o dan nawdd Arglwyddes Llanofer (Gwenynen Gwent). Cafwyd yr un pwyslais ar addysgu a moesoli'r boblogaeth, ac yn nodweddiadol o'r duedd hon efallai, enillodd gweithiwr o'r enw John Rees wobr am draethawd ar y testun, 'Drygau'r Dosbarth Gweithiol'.[81] Crisialai'r ddwy eisteddfod dueddiadau a fyddai'n nodweddu'r sefydliad yng nghyd-destun hinsawdd gymdeithasol wahanol ail hanner y ganrif.Yn 1850 yr oedd yr holl gyhoeddusrwydd a gafodd Adroddiad Addysg 1847 yn fyw iawn yn y cof, a'r gweinidogion, yn arbennig, yn sylweddoli pwysigrwydd yr Eisteddfod a'r gweithgareddau diwylliannol Cymraeg fel cyfryngau i hyrwyddo addysg. Wrth gwrs, nid oedd hyn yn amcan newydd i arweinwyr y mudiad eisteddfodol, ond tra oedd y pwyslais o'r blaen ar addysgu'r genedl drwy gyfrwng y Gymraeg, yn awr, profi gallu'r Cymro i gystadlu â'r Sais oedd y nod. Parhawyd i ddefnyddio'r un derminoleg; 'dyrchafu'r genedl' oedd y bwriad o hyd, ond yr oedd digwyddiadau 1839, a'r pwyslais newydd ar addysg elfennol yn ystod y pedwardegau, wedi newid yr amgylchiadau.

Yn wahanol i'r pedwardegau, yr oedd y pumdegau yn gyfnod o lewyrch cymharol. Yn y cyd-destun Prydeinig, yr oedd yn ddegawd a welodd gynyddu a chryfhau dylanwad yr Ymerodraeth. Yn nhrefi'r maes glo dyma gyfnod o dwf pellach, o drefoli mwy trefnus nag o'r blaen. Codwyd ysgoldai a neuaddau, helaethwyd y capeli a'r eglwysi, a chadarnhawyd arweinyddiaeth gymdeithasol a gwleidyddol swyddogion y gweithfeydd, clerigwyr a gweinidogion Ymneilltuol. Yn erbyn y cefndir hwn y dylid dehongli'r newid a ddaeth i ran yr Eisteddfod a'r bywyd diwylliannol Cymraeg yn yr ardal yn ystod y cyfnod dilynol.

Sefydlwyd nifer o eisteddfodau blynyddol swyddogol lleol yn ystod y pumdegau. Cynhelid hwy mewn capeli, ysgoldai neu neuaddau o dan lywyddiaeth swyddogion y gweithfeydd neu weinidogion. Trefnid hwy gan bwyllgorau annibynnol yn cynnwys cynrychiolwyr y capel a gwŷr amlwg y dref. Yn aml, byddai'r Cymreigyddion lleol yn cydweithio â'r trefnwyr, neu efallai y deuai pwyllgor yn defnyddio'r enw 'Cymreigyddion' at ei gilydd yn unswydd er mwyn cynnal eisteddfod gyhoeddus. Felly hyrwyddwyd y syniad bod yr eisteddfod yn ŵyl i'r dref i gyd. Amlygir hyn gan rai o brif eisteddfodau'r degawd. Cynhaliwyd Eisteddfod flynyddol Bedwas am y tro cyntaf yn 1855. Trefnwyd hi gan 'bwyllgor o unigolion parchus'. Codwyd pabell fawr at yr achlysur, a gwerthwyd 270 o docynnau ymlaen llaw. Cafwyd eisteddfodau mawr yn y Corporation Hall ym Mrynmawr yn 1856 a 1859. Sefydlwyd dwy o eisteddfodau mwyaf llwyddiannus y cyfnod gan Ifor Gwent (D. Seys Lewis), a oedd erbyn hyn yn oruchwyliwr gyda Chwmni Glynebwy, sef Eisteddfod Victoria a gynhelid bob haf o 1853 ymlaen, ac Eisteddfod Brynhyfryd, Glynebwy, bob Nadolig.[82]

Er mai Cymro Cymraeg oedd Ifor Gwent, bu'r arfer o ddewis swyddogion y gweithfeydd fel llywyddion ac o wneud yr Eisteddfod yn ŵyl i'r dref i gyd yn achos Seisnigeiddio nifer o eisteddfodau. Yn 1857, dywedwyd bod Eisteddfod Cymreigyddion Aber-carn (un o eisteddfodau mwyaf llewyrchus yr ardal), yn eisteddfod wir Gymreig a gynhelid ar gyfer y Cymry a than lywyddiaeth Cymro. Yr awgrym oedd nad felly yr oedd hi bob tro.[83] Yn sicr, yr oedd nifer o eisteddfodau wedi dechrau cynnal cystadlaethau Saesneg erbyn diwedd y pumdegau. Disgrifiad Brychan o Eisteddfod Iforaidd Tredegar lle bu'n beirniadu yn 1859 oedd, 'ffug eisteddfod hanner Seisnigaidd a bongleraidd'.[84]

Newid arall a welwyd yn ystod y degawd hwn oedd cyflwyno cerddoriaeth gorawl i'r Eisteddfod. Dechreuwyd rhoddi lle amlwg i gystadlaethau lleisiol, a chynnal cyngherddau cerddorol mewn cysylltiad â'r eisteddfodau. Erbyn 1859 yr oedd gan lawer o gapeli a chymdeithasau Iforaidd eu corau eu hunain. Yn y pen draw, arweiniodd hyn at duedd i osod llai o bwyslais ar yr elfen lenyddol yn y bywyd diwylliannol, a daeth yr iaith yn llai pwysig o'r herwydd.

Y prif newid a ddigwyddodd yn ystod y pumdegau, fodd bynnag, oedd symud yr eisteddfodau o'r tafarndai i'r capeli. Cafwyd peth gwrthwynebiad i hyn ar sail grefyddol, ond buan y croesawyd y symudiad. Fel y dangoswyd, rhoddodd y capeli gartref i eisteddfodau'r Cymreigyddion ac eisteddfodau cyhoeddus y trefi. Buan hefyd y dechreuasant gynnal eu heisteddfodau eu hunain er mwyn codi arian. Daeth yn arfer hefyd i gapeli'r dref neu'r cylch ymuno i gynnal eisteddfod. Gydag ymgyrch ddirwestol 1859, fe gwblhawyd y symudiad o'r dafarn i'r capel, a phrin iawn yw'r enghreifftiau o eisteddfodau tafarn wedyn. Yn yr un cyfnod dechreuwyd gosod pwysau ar y cymdeithasau lles Cymraeg i symud eu cyfarfodydd a'u cylchwyliau o'r tafarndai i festrïoedd y capeli. Cafwyd dadlau ffyrnig ar y pwnc ar ôl ei drafod mewn 'cyfarfod diwygiadol' yn Sirhywi ym mis Mawrth 1858. Erbyn mis Tachwedd 1859, fodd bynnag, yr oedd ymron holl gymdeith-asau lles ardal Tredegar yn cyfarfod mewn festrïoedd, a dilynwyd eu hesiampl gan gymdeithasau'r ardaloedd eraill yn fuan wedyn.[85]

Un canlyniad i'r symud oedd newid cyfatebol yn nhestunau'r cystadlaethau llenyddol i'w gwneud yn fwy addas ar gyfer lle o addoliad. Dyma rai enghreifftiau o'r cyfnod: 'Dyletswydd Cristion', 'Y Datguddiad Dwyfol', 'Y Lle Cymhwysaf i gynnal Clybiau', 'Cysgu yn y Cwrdd', 'Y Fasnach Feddwol ar y Saboth', 'Yr Arferiad Niweidiol o Rodiana ar y Saboth', 'Buddioldeb Dirwest', a 'Poeri Tybaco yn Nhŷ Duw'. Parhawyd i osod testunau gwladgarol hefyd, ond gan amlaf byddent yn dwyn cysylltiad â chrefydd.[86] Er bod digon o enghreifftiau o destunau crefyddol cyn 1850, câi'r Gymraeg lawer mwy o sylw bryd hynny. Adlewyrcha'r newid hwn y pegynu a fu a'r modd y cysylltwyd yr iaith a'r diwylliant Cymraeg â'r capeli.

Yn ystod y chwedegau, dwysawyd y tueddiadau a amlygwyd gyntaf ddegawd ynghynt. Yn gefndir i'r cyfan yr oedd effaith y mewnfudo di-Gymraeg ac ymfudiad llawer o'r Cymry. Ond nid y trawsnewid ieithyddol hwn yn unig oedd yn gyfrifol am Seisnigeiddio eisteddfodau'r sir. Cafwyd newid yn natur a phwrpas yr Eisteddfod fel sefydliad cenedlaethol, a gwelwyd yr agweddau newydd yn ymdreiddio i'r eisteddfodau lleol. Yn 1862 sefydlwyd yr Adran Gymreig o Gymdeithas Hyrwyddo Gwyddor Gymdeithasol, ac o ganlyniad i ymdrechion Syr Hugh Owen a Chymreigyddion Llundain daeth yr Eisteddfod Genedlaethol yn llwyfan i hyrwyddo amcanion y mudiad hwn. Y canlyniad oedd gwneud y Saesneg yn brif iaith yr Eisteddfod Genedlaethol:

> O adran Hugh Owen ymledodd yr awydd i brofi gwerth y genedl yr Eisteddfod Genedlaethol, a'r ymboeni niwrotig am gyflwr moesol y bobl, y crefu am addysg, a'r ffydd yng ngrym dyrchafol yr iaith Saesneg yw'r amlygiadau sicraf o'r ysfa . . . Meddiannodd y 'gwallgofrwydd Saesneg' yr Eisteddfod Genedlaethol.

meddai Hywel Teifi Edwards.[87] Casâi Brychan y Seisnigeiddio a fu. Ei farn am Eisteddfod y Rhyl (1863) oedd, 'rhyw fath o ledrith Welsh – Sacsonaidd'.[88] Yn yr eisteddfod honno yr enillodd y Parch J. R. Jones (Kilsby) am draethawd ar y testun, 'Y Fantais a Ddeilliai i'r Cymro o feddu Gwybodaeth Ymarferol o'r Iaith Saesneg'. Yn y blynyddoedd nesaf daeth Kilsby yn un o'r rhai mwyaf llafar ynglŷn â'r angenrheidrwydd i'r Cymry dderbyn mai'r Saesneg oedd iaith y dyfodol. Croesawai, er enghraifft:

> . . . synnwyr cyffredin a chraffter . . . yr Aelod Anrhydeddus dros Geredigion yn rhoddi y cynghor canlynol mewn Eisteddfod i'r rhai ifanc o'i wrandawyr:- 'Os ydych chwi am barhau i fwyta bara tywyll a gorwedd ar wely gwellt, gwaeddwch eich gorau, 'Oes y Byd i'r Iaith Gymraeg'; ond os ydych chwi yn chwennych bwyta bara gwyn a chig eidion rhost, mae yn rhaid i chwi ddysgu Saesoneg.[89]

Ac yn awyrgylch iwtilitaraidd y chwedegau, go brin fod neb o blith arweinwyr y bywyd diwylliannol Cymraeg yn credu o ddifrif yn yr hen arwyddair.

Daethai nifer o'r arweinwyr lleol yn Sir Fynwy o dan ddylanwad y syniadaeth hon. Mewn cyfnod pan oedd y mewnlifiad ar gynnydd a'r ymgyrch dros sefydlu achosion crefyddol Saesneg yn cyrraedd ei benllanw, yr oedd y ddadl mai'r Saesneg a fyddai'n cario'r dydd yn argyhoeddi. Hwyrach mai'r gŵr a fu fwyaf ei ddylanwad yn hyrwyddo'r meddylfryd hwn yn yr ardal oedd Nefydd, gweinidog Salem, Blaenau Gwent a fu'n drefnydd yr Ysgolion Brutanaidd yn ne Cymru, ac yn aelod o Gyngor yr Eisteddfod Genedlaethol.[90] Er mai ef oedd llywydd Cymreigyddion y Blaenau, yn Saesneg y cadwai ei ddyddiaduron. A diau ei fod yn cytuno â'i gyfaill, Eben Fardd, a ysgrifennodd yn un o'i lythyrau ato:

> Byddaf i braidd yn meddwl fod ein cenedlaetholdeb . . . wedi myned erbyn hyn fel rhyw blisgyn craclyd, a'n bod ar fin torri allan o'r hen ŵy Celtaidd i ehedeg mewn ehangach cylch . . . rhaid i genedl, ac rhaid i iaith . . . farw . . . yn yr amser gosodedig, ac ni ellir lluddias y cyfryw ddiwedd tyngedfennol.[91]

Yn 1862 dechreuodd yr Eisteddfod Genedlaethol gynnal cystadlaethau Saesneg. Yn fuan wedyn galwyd cyfarfod pwyllgor yr eisteddfod a gynhelid yn Neuadd Ddirwestol Tredegar i drafod a ddylid dilyn ei hesiampl. Y garfan o blaid dwyieithrwydd a enillodd y dydd. Dadleuwyd, os oedd eisteddfodau i fod o ddefnydd addysgol gwirioneddol yn yr ardaloedd cymysg eu hiaith, rhaid oedd addasu i anghenion yr oes a cheisio ennyn cefnogaeth y Saeson lleol hefyd.[92] Ond yn aml iawn, cystadleuwyr bron yn uniaith Gymraeg a fyddai'n cystadlu ar y cystadlaethau Saesneg. Yn ôl gohebydd *The Star of Gwent* a fu yn Eisteddfod Rehoboth, Brynmawr yn 1861, buasai'r modd yr ynganai'r cystadleuwyr eiriau Saesneg y darnau gosod yn peri dolur i glustiau unrhyw Sais.[93] Yn amlach na pheidio, Cymry Cymraeg a fyddai'n cystadlu ar y cystadlaethau ysgrifenedig Saesneg hefyd. Yn Eisteddfod Victoria, Casnewydd, er enghraifft, ataliwyd y wobr am y prif draethawd yn 1869 oherwydd gramadeg Saesneg chwerthinllyd o wael yr unig ddau gystadleuydd. Yn yr un eisteddfod galwyd am gyflwyno'r Saesneg i holl eisteddfodau Cymru, a hynny er mwyn disbyddu'r rhagfarn yn eu herbyn a'u gwneud yn sefydliadau mwy defnyddiol.[94] Wrth i ddylanwad addysg Saesneg gynyddu, daeth yn arfer i Gymry Cymraeg ddewis cystadlu yn Saesneg. Un enghraifft o lawer yw traethawd buddugol Evan Powell yn Eisteddfod Cymmrodorion Tredegar 1883 a gyhoeddwyd wedyn yn gyfrol, *A History of Tredegar*.[95]

Un gymdeithas sy'n adlewyrchu'r newid agwedd a fu ers hanner cyntaf y ganrif yw Cymdeithas Cymry Casnewydd neu'r *Newport*

Cambrian Society. Cyfarfod i giniawa bob Gŵyl Ddewi a threfnu '*Grand Eisteddfod*' bob mis Hydref oedd ei phrif, os nad ei hunig weithgarwch. Gwŷr proffesiynol, gwŷr busnes, a gweinidogion oedd yr aelodau blaenllaw: Benjamin Evans, diwydiannwr (a maer y dref yn ddiweddarach), W. Downing Evans (Leon) a J. R. Jones (Athan Fardd) y ffotograffydd. Fe ymddengys fod y gymdeithas yn agored i Gymry di-Gymraeg, ac yn 1868 eu harwyddair oedd, '*Our Queen, Constitution, Industrial Peace and Prosperity*'. Diben y gymdeithas, meddai'r llywydd yn 1876, oedd cefnogi'r nod o sicrhau prifysgol i'r genedl er mwyn cefnogi'r Cymry anffodus hynny na chawsant eto addysg Saesneg dda. Ar yr un achlysur lleisiodd y Parch H. Oliver, gweinidog y Bedyddwyr yn y dref, y farn nad yr iaith oedd yr unig sail i genedlaetholdeb yn yr oes oedd ohoni, ac felly ni ddylai neb synnu bod cynifer o Gymry Cymraeg yn dewis siarad Saesneg â'i gilydd.[96] Er bod Cymdeithas Casnewydd dipyn yn fwy Seisnigaidd na chymdeithasau Cymraeg y cymoedd yn y chwedegau a'r saithdegau, y mae arwyddion o ddylanwad yr un syniadaeth i'w canfod yno hefyd.

Yng Nghasnewydd hefyd y dechreuwyd cynnal cyfarfodydd yr Iforiaid yn Saesneg am y tro cyntaf. Sefydlwyd Cyfrinfa Iforaidd Saesneg yn y dref rywdro cyn 1855, ond yn y flwyddyn honno cynhaliodd y cyfrinfeydd Cymraeg a Saesneg eu dathliadau blynyddol ar y cyd am y tro cyntaf. Croesawyd hyn fel gwelliant rhyddfrydig a fyddai'n dod â'r ysbryd rhagfarnllyd a fodolai gynt i ben.[97] Yng nghylchwyl 1861, penderfynwyd caniatáu i aelodau di-Gymraeg ymuno â'r Gyfrinfa Gymraeg.[98] Dilynodd nifer o gyfrinfeydd eraill esiampl Cyfrinfa Casnewydd yn ystod y blynyddoedd nesaf. Er i lawer iawn o gymdeithasau lles y maes glo (yn arbennig yr Iforiaid), barhau i gynnal eu cylchwyliau yn uniaith Gymraeg am gyfnod hir wedyn, cafwyd arwyddion nad oeddynt yn ystyried y Gymraeg mor ganolog i'w gweithgareddau ag y bu. Mewn llythyr at ei gyd-Iforiaid drwy Gymru yn 1863, mynegodd un o Iforiaid Aberpennar ei siom wrth weld bod 'holl amcanion y sefydliad Iforaidd yn cael eu cyrhaedd yn llawer gwell na'r ... mwyaf angenrheidiol, sef coledd ein *hiaith* ... '[99] Er hynny, proses raddol iawn oedd newid iaith y cymdeithasau lles. Parhawyd i ddefnyddio'r Gymraeg yn ardaloedd mwyaf gorllewinol y sir hyd at ddiwedd y ganrif. Yn 1874 dywedwyd bod llyfrynnau rheolau'r cymdeithasau lles yn gyffredinol yn ddwyieithog:

> It has been a rare exception to get a Rule Book or Balance Sheet in English only ... generally in the southern and eastern district, the rules are in both languages.[100]

Ond hwyrach mai arwydd o'r ffaith fod y Gymraeg yn raddol golli ei statws swyddogol oedd yr anghytundeb a gafwyd ynghylch argraffu rheolau Cymdeithas yr Odyddion yn ardal Rhymni yn Gymraeg yn 1885.[101]

Yn yr un cyfnod daeth atyniadau adloniannol eraill i ddenu'r cynulleidfaoedd. Tua chanol y chwedegau cyflwynwyd y *penny readings* neu'r darlleniadau ceiniog i'r ardal fel dull poblogaidd o godi arian tuag at sefydliadau addysgiadol a chrefyddol. Er i W. H. Davies ddangos y modd y bu i'r sefydliadau Seisnig hyn fabwysiadu nodweddion yr 'Eisteddfod Fach' wrth ddod yn rhan o fywyd diwylliannol Cwm Rhymni,[102] cynhelid mwyafrif *penny readings* gorllewin sir Fynwy yn Saesneg, hyd yn oed yn y capeli Cymraeg. Adroddid darnau o lenyddiaeth Saesneg, gan gynnwys cerddi 'Jingoistaidd' poblogaidd y cyfnod. Yn ôl un sylwebydd o Gasnewydd yn 1867:

> Mae y Darlleniadau Ceiniog yn myned yn lled boblogaidd yma, ond yr oll yn Seisnigaidd iawn. Pa ryfedd, gan fod y dynion a ddylai fod yn bennaf gyda'r hen iaith fendigedig yn ei herbyn?[103]

Yn yr un flwyddyn, cyhoeddodd *Y Glorian* gerdd o'r enw 'Merthyrdod yr Iaith Gymraeg ar Allorau'r Penny Readings'.[104]

Erbyn y saithdegau yr oedd *spelling bees* yn ddull poblogaidd o dreulio noson adloniannol. Yn Saesneg y cynhelid y rhain hefyd, bron yn ddieithriad.[105] Yn ystod yr un degawd dechreuodd sioeau Saesneg amrywiol a chwmnïau drama ymweld â'r ardal, gan ddenu'r to ifanc yn arbennig. '*Rather a novelty, a Welsh play*', oedd sylw gohebydd *The Star of Gwent* wrth adolygu perfformiad llwyddiannus o 'Proffwyd Cerrig y Derwyddon' yn y Blaenau yn 1870.[106] Prin iawn yw'r cyfeiriadau at berfformio dramâu Cymraeg yn y wasg leol, fodd bynnag, hyd at droad y ganrif pan ddaeth dramâu (Cymraeg a Saesneg) yn boblogaidd yn y capeli. Eithriad, fe ymddengys, oedd taith y ddrama *Rhys Lewis* o amgylch prif ganolfannau'r ardal yn 1887.[107]

Os cyfrannodd y cyfryngau adloniant newydd hyn at ddisodli apêl yr eisteddfod lenyddol yn y chwedegau a'r saithdegau, cymaint mwy oedd effaith cerddoriaeth a'r gyngerdd gerddorol arni. Erbyn canol y chwedegau yr oedd Sir Fynwy, fel gweddill Cymru, yn atseinio cân y llu 'Eryrod', 'Eosiaid' a 'Llinosiaid' lleol. Daeth offerynnau cerdd yn dderbyniol mewn capeli, ac yr oedd y 'genedl Anghydffurfiol' hefyd yn 'genedl gerddorol'. Yn ystod y blynyddoedd nesaf noddodd yr Eisteddfod gynnydd 'Gwlad y Gân'. Po fwyaf y corau a gystadlai, mwyaf bri y *Grand Eisteddfod*. Daeth yn ffasiynol i gynnal eisteddfodau cerddorol. Yn 1872 cwynai Oliver Edwards, Glynebwy, nad oedd y fath beth â 'gwir eisteddfod' ers cyflwyno'r 'canu melldith' iddynt.[108] Beth tybed fyddai ei farn am y *Blaina Musical Chair Eisteddfod* a gynhaliwyd yn 1884? Wrth i'r elfen gerddorol gynyddu, sylweddolwyd fod hynny'n digwydd ar draul adrannau llenyddol yr eisteddfodau.

> Eisteddfod Gerddorol! A hynny tra y mae cymaint o feirdd a llenorion yn y dref a'r cylch! – y mae hyn yn rhy ddrwg yn wir!

Dyma oedd sylw colofnydd dychanol *Tarian y Gweithiwr* am y parato-
adau gogyfer ag Eisteddfod Tredegar yn 1883.[109] Er bod y datblygiadau
cerddorol yn werthfawr iawn ar un wedd, yn ddi-os, buont yn fodd i
Seisnigeiddio'r bywyd diwylliannol Cymraeg. Yn Saesneg y cenid
llawer o'r darnau lleisiol, a daeth hynny'n fwy ffasiynol wrth i ragor o
gantorion ifanc o Gymru dderbyn eu hyfforddiant yn Lloegr. Mewn
cyngerdd yn Rhymni yn 1867 amharwyd ar berfformiad John Thomas
(Pencerdd Gwalia), gan 'rai degau' yn y gynulleidfa'n gweiddi,
'Cymraeg! Cymraeg!' Ymddiheurodd y Pencerdd na fedrai ganu yn
Gymraeg, a bu'n rhaid i'r dorf fodloni ar glywed 'Rhyfelgyrch Gwŷr
Harlech' yn Saesneg.[110] Er i nifer o gyfansoddwyr lleol gyfansoddi
darnau Cymraeg, er enghraifft, cantatau yr enwog Gwilym Gwent, yn
Saesneg y byddai mwyafrif y corau lleol yn perfformio oratorios a
darnau corawl adnabyddus.

Fel y dangosir yn y chweched bennod, nid oedd y gweithgarwch
Cymraeg yn farw o bell ffordd yng ngorllewin Sir Fynwy yn ystod
chwarter olaf y ganrif, ond rhwng 1850 a 1880 yr oedd nifer o ffactorau
wedi newid natur y bywyd diwylliannol Cymraeg a barodd ei bod yn
haws i ddylanwad cynyddol y Saesneg gymryd gafael. Erbyn y cyfnod
hwn yr oedd cyd-destun cymdeithasol yr iaith yn wahanol iawn i'r hyn
ydoedd pan sefydlwyd y cymdeithasau Cymraeg cyntaf ymysg
brwdfrydedd mawr y tridegau. Er, ar un wedd, y gellid dadlau bod sail
mwy poblogaidd i'r diwylliant Cymraeg yn y chwedegau nag ydoedd yn
y tridegau, ar y cyfan yr oedd gan yr iaith fywyd llai cynhwysfawr yn ail
hanner y ganrif oherwydd ei bod wedi ei neilltuo i fyd crefydd ac i
feddylfryd Ymneilltuaeth Gymraeg yn arbennig. Os oedd rhai o Gymry
Gwent yn dal i ganu, 'Oes y Byd i'r Iaith Gymraeg' erbyn diwedd y
ganrif yr oedd eu gwelediagaeth yn gyfyngedig i un byd, byd crefydd.

IV

Iaith y Nefoedd

Y mae rhyw ddyben mawr mewn golwg gan Dduw wrth ddyogelu y Cymry a'u hiaith ar eu tir cysefin . . . Yn y dafodiaith hon y maent yn dal gafael ar eu hen dreftadaeth. Pan ymwrthodwn a'n hiaith bydd ini beidio ag addoli Duw . . .[1]

Wrth ddatgan ei gred yn y berthynas anwahanadwy rhwng y Gymraeg a chrefydd, mynegai'r Parch R. W. Morgan, Tregynon, deimladau a fu, ers canrifoedd, yn sylfaenol i ymwybyddiaeth genedlaethol y Cymry. Yr oedd y traddodiad fod y Gymraeg yn iaith sanctaidd a drosglwyddwyd i'r genedl gan Dduw trwy Noa a Gomer yn rhan annatod o syniadaeth crefyddwyr y bedwaredd ganrif ar bymtheg. Gan fod y Gymraeg yn iaith a ordeiniwyd gan Dduw, credid bod y Cymry yn naturiol yn genedl grefyddol, a'u hiaith yn gyfrwng addas iddynt gyflawni ewyllys y Goruchaf. Crewyd delwedd o'r Cymry Cymraeg fel pobl o gymeriad cadarn na fyddai byth yn ymddwyn yn anweddus. Wrth gymharu Cymry a Saeson y gweithfeydd yn 1838, honnai Eiddil Ifor (er ei fod, fel tafarnwr, yn gyfarwydd ag ymddygiad anfoesol Cymry Cymraeg yr ardal):

Nid regwyr yw y Cymry hyd oni ymgymysgent a chenhedloedd ereill . . . Mae y Gymraeg megis ped fyddai yn iaith rhy gysygredig i gyfleu y fath iselwaith.[2]

Aethai'r hynafiaethwyr ati i brofi purdeb ieithyddol y Gymraeg o'i chymharu â'r Saesneg. Tra oedd y Saesneg yn gyfrwng i ledaenu syniadau llygredig, y Gymraeg oedd iaith crefydd a moesoldeb, a gweithredai fel rhagfur yn amddiffyn y Cymry rhag pechodau'r oes. Credai Eglwyswyr ac Ymneilltuwyr fel ei gilydd mai'r Gymraeg oedd y cyfrwng mwyaf addas i'r genedl addoli drwyddi. Yng ngeiriau'r Cyrnol Herbert, Llanarth:

Er gwahaniethu mewn credo, yr ydym oll yn unol yn ein crediniaeth mai yr iaith fwyaf gweddus i annerch yr hollalluog Dduw ydyw honno sydd yn dyfod yn wirfoddol o'r galon . . . sef iaith gwlad ein genedigaeth.[3]

Siaradai'r Cyrnol ar achlysur dadorchuddio cofeb i Arglwydd ac Arglwyddes Llanofer (Benjamin ac Augusta Hall), yn Eglwys Gymraeg

Aber-carn, eglwys a drosglwyddwyd i ofal y Methodistiaid Calfinaidd yn 1862 yn dilyn cweryl rhwng Benjamin Hall a'r offeiriad lleol a oedd am gynnal gwasanaethau Saesneg yn yr eglwys bob Sul. Dyma un o'r nifer mawr o achosion o wrthdaro ynghylch iaith addoliad yn ardal ddiwydiannol Sir Fynwy mewn cyfnod pan oedd y Saesneg yn dechrau ennill tir. Dengys achos Aber-carn y teimladau cryfion a gynhyrfid pan ddeuai'r Gymraeg a chrefydd i wrthdrawiad â'i gilydd, emosiynau a fyddai'n ddigon cryf i sicrhau bod ymlyniad at y Gymraeg yn drech na daliadau diwinyddol. Ond dengys yr argyfwng hefyd y modd yr oedd yr Ymneilltuwyr, erbyn y chwedegau, wedi cysylltu eu hunain â'r iaith Gymraeg, ac wedi hawlio goruchafiaeth dros yr Eglwys Wladol yn y frwydr i ennill eneidiau'r Cymry.

Rhoddai polisi'r Eglwys o benodi esgobion ac offeiriaid Saesneg yng Nghymru reswm i'r Ymneilltuwyr feirniadu Seisnigrwydd y sefydliad Eglwysig. Erbyn 1851, blwyddyn y Cyfrifiad Crefyddol a gadarnhaodd gryfder yr enwadau Anghydffurfiol yn ardal ddiwydiannol Sir Fynwy (ac yng Nghymru'n gyffredinol), teimlai'r Ymneilltuwyr fod ganddynt hawl i'w goruchafiaeth dros yr Eglwys.[4] I raddau helaeth, yr oedd sail i'w beirniadaeth. Esgobaeth fawr, ond esgobaeth dlawd oedd Llandaf, ac ers cenedlaethau defnyddid hi gan esgobion fel man i fwrw prentisiaeth cyn ymddyrchafu i safleoedd uwch mewn ardaloedd mwy llewyrchus. Cynhwysai ardal orllewinol Sir Fynwy blwyfi anferth, mynyddig. Dengys safleoedd hen eglwysi'r plwyfi hyn – Bedwellte, Aberystruth, Mynyddislwyn, Mamheilad, Llanhiddel, Trefethin a'r lleill eu bod wedi eu codi i wasanaethu poblogaeth amaethyddol, wasgaredig. Creodd y Chwyldro Diwydiannol broblemau difrifol i'r Eglwys yn Esgobaeth Llandaf. Nid yn unig bod yr eglwysi'n bell o ganolfannau'r boblogaeth newydd, ond roedd y boblogaeth honno'n tyfu'n rhyfeddol o gyflym, yn gymysg o ran iaith ac yn symudol iawn.

Yr Esgob Copleston (1828–49) oedd yr esgob cyntaf i fyw yn yr esgobaeth.[5] Fel ei ragflaenwyr, yr esgobion Van Mildert a Sumner, yr oedd yn Sais uniaith, ond yn wahanol iddynt hwy, ni allai beidio ag anwybyddu bodolaeth yr iaith Gymraeg a chynnydd cyson Ymneilltuaeth Gymraeg. Er iddo ddatgan awydd i Gymreigio'r ddarpariaeth yn y plwyfi diwydiannol, yr oedd ceisio darparu ar gyfer dwy garfan ieithyddol yn gosod gwasgfa fawr ar adnoddau prin yr esgobaeth, a'r canlyniad fu iddo wynebu beirniadaeth lem, nid yn unig o du'r Ymneilltuwyr, ond hefyd gan garfan o Eglwyswyr a oedd yn benderfynol fod yn rhaid i'r Eglwys gyflawni ei dyletswydd tuag at y dosbarth gweithiol Cymraeg.[6]

Arweiniwyd yr ymgyrch i Gymreigio'r Eglwys yn Sir Fynwy gan Benjamin Hall, a sianelwyd y gefnogaeth drwy fudiad y Cymreigyddion ac Eglwyswyr gwladgar cylch Llanofer a'u cydnabod. Yn 1836 penodwyd Comisiwn Eglwysig, a llwyddodd Hall i ddefnyddio'i safle fel Aelod Seneddol i ddadlau achos Esgobaeth Llandaf, a sicrhau gwelliannau. Gorchfygwyd cynnig i uno'r esgobaeth ag Esgobaeth Bryste ar sail ei harbenigrwydd ieithyddol a chenedlaethol, a sicrhawyd cymal yn y Bil Eglwysig (1837) yn gwahardd penodi clerigwyr di-Gymraeg mewn plwyfi lle yr oedd mwyafrif y trigolion yn Gymry.[7] Er bod hon yn egwyddor bwysig, yn ymarferol yr oedd amwyster ynglŷn â'r union amodau. Fe ymddengys mai'r canllaw a dderbyniwyd wrth weithredu'r rheol oedd penodi clerigwr Cymraeg ei iaith mewn plwyf lle yr oedd o leiaf un rhan o chwech o'r trigolion yn Gymry uniaith. Daliai Copleston ei fod wedi arddel y rheol hon yn ddieithriad, a chefnogai Thomas Phillips ei haeriad.[8] Ond nid oedd diffiniad pendant o'r hyn a ystyrid yn ddigonol fel gallu i wasanaethu drwy gyfrwng y Gymraeg. Ymhellach, ni weithredwyd y polisi. Hyd yn oed os oedd yr offeiriad yn rhugl yn yr iaith, yn aml, fe draddodid y bregeth yn Saesneg am fod ychydig o Saeson yn bresennol.

Ceir tystiolaeth helaeth nad oedd yr offeiriaid lleol yn rhoi blaenoriaeth i'r Gymraeg ar ôl 1837. Mewn traethawd yng nghystadleuaeth Cymreigyddion y Fenni yn 1838, er enghraifft, sonnir am y modd y byddai agwedd yr offeiriaid at y Gymraeg yn gelyniaethu'r Cymry:

> Peth cyffredin oedd eu gweled yn dyfod yn fintau mawrion i fynwentydd y llannau cyn amser y gwasanaeth, ond mor fuan a gwybyddent nad oedd y cyflwyniad efengylaidd yn cael ei weinyddu yn eu hiaith, ymwasgarent yma a thraw . . . Yr arferiad a ddygodd anfri ar yr Eglwys . . . a roddodd ddrws agored, a lle addas i osod cyflawn sylfaen ymneilltuaeth.[9]

Ym mis Ebrill 1844 ymddangosodd llythyr yn *Yr Haul* gan 'Dyfnwal Gwent'. Cafodd gryn sylw yn *Seren Gomer* ac ailargraffwyd ef yn y cyfnodolyn hwnnw. Dyfynnai'r awdur enghraifft o un o blwyfi mynyddig Gwent lle y gosodwyd amod fod y gwasanaeth i fod yn Gymraeg, gan mai honno ydoedd 'iaith gyffredin y lliaws weithyddol':

> Felly y bu y gwasanaeth am dro . . . ond buan y rhoddwyd heibio yr ymarfer . . . a thrwy mai Saeson ydynt y meistri haearn a'u teuluoedd . . . gadawyd iddi y gwasanaeth Cymraeg gael ei esgeulusaw . . . hyd nes y dechreuasant, y gwrandawyr Cymraeg ymadael.[10]

Honnai'r llythyrwr fod hyn yn gyffredin yn Esgobaeth Llandaf er mai Cymry Cymraeg oedd mwyafrif y boblogaeth. I raddau helaeth, yr oedd yr Eglwys yn gwireddu'r ddelwedd boblogaidd a roddwyd iddi gan yr Ymneilltuwyr: delwedd o sefydliad aruchel wedi ei ddieithrio oddi wrth drwch y boblogaeth am iddo roi'r flaenoriaeth i leiafrif Saesneg o ddosbarth cymdeithasol uwch. Fel y dywed 'Dyfnwal Gwent':

Yma . . . yr iaith Gymraeg yw iaith arferedig y werin . . . ond digwydd am fasnachyddiaeth mewn llawer o'r plwyfau fod rhai teuluoedd Saesonig wedi cymryd i fyny eu preswylfeydd ynddynt, ac yn y plwyfau yma y mae y gwasanaeth Cymraeg, i raddau mwy neu lai wedi ei adael heibio . . . a hyny yn unig er mwyn cyfleusterau ychydig o unigolion, tra mae cyff y bobl wedi cael eu difeddiannu o'r fraint o glywed gair Duw yn eu tafodiaith gynhenid.[11]

Ond er gwaetha'r feirniadaeth, ar ôl 1837 gwnaed ymgais gadarnhaol gan yr Eglwys i ymateb i'r her newydd. Yn wir, yr oedd y cyfnod yn dilyn y penderfyniad i gadw Llandaf yn esgobaeth annibynnol yn un o frwdfrydedd ac ysbryd newydd. '*This may be called a period of transition from almost utter inefficiency, to a state of importance and influence . . .* ', meddai Syr Thomas Phillips am gyfnod yr Esgob Copleston.[12] Yn sicr, cafwyd gwelliannau o safbwynt adeiladu eglwysi a darparu clerigwyr i wasanaethu'r canolfannau diwydiannol newydd. Cafwyd cynnydd yn nifer y ficerdai ac, o ganlyniad, lai o absenoldeb.[13] Ond er mai yn rhanbarth gorllewin Mynwy y digwyddodd y mwyafrif o'r gwelliannau, ychydig o ddylanwad a gafodd hyn ar y ddarpariaeth drwy gyfrwng y Gymraeg. Yn 1848, deunaw yn unig o wasanaethau Cymraeg a gynhaliwyd yn Sir Fynwy ar y Sul, o'u cymharu â 189 o wasanaethau Saesneg. Priodola'r hanesydd W. D. Wills hyn i ddiffyg diddordeb y diwydianwyr ym mhroblem yr Eglwys.[14] Ac eithrio cyfraniad cynnar Cwmni Hill a Hopkins ym Mlaenafon yn 1805, a menter Cwmni Rhymni yn 1839, ychydig iawn o gymorth a gafodd yr Eglwys gan brif gyflogwyr y boblogaeth. Yr unig enghreifftiau eraill lle bu cefnogaeth y meistri o gymorth i wella'r ddarpariaeth yw Eglwys Gymraeg Aber-carn (1854) ac Eglwys Glynebwy (1861). Ond nid y diwydianwyr oedd yr unig rai ar fai. Noda Wills hefyd ddiffyg arweiniad canolog.

Nid oes amheuaeth fod methiant yr Eglwys i gyflenwi anghenion yr ardal yn deillio, i raddau helaeth, o'r sefyllfa ieithyddol gymhleth a fodolai yno. Datganodd Copleston a'i olynydd, yr Esgob Ollivant, dro ar ôl tro mai eu prif anhawster oedd y ffaith fod cyfrannedd y ddwy iaith yn gwahaniaethu o le i le ac yn newid yn barhaus:

> *The truth is, we are in a transition state, English and Welsh are mixed up in an almost infinite variety . . . We need to be doubly endowed, . . . but unfortunately, we are in a depressed financial situation.*[15]

Er mwyn ceisio darparu ar gyfer y ddwy garfan ieithyddol, cynhelid gwasanaethau dwyieithog, neu wasanaethau Cymraeg a Saesneg bob yn ail Sul. Nid oedd y naill drefn na'r llall yn ateb y broblem yn effeithiol:

> *. . . these attempts to enable both races to join in public worship satisfies neither portion of the congregation, and one or both neglect the services of the Church and resort to dissenting worship.*[16]

Wynebai'r offeiriad anhawster mawr. '*He cannot please both nations, so he is reduced to a compromise which pleases neither*'.[17] Cyfaddefai Copleston mai'r unig ateb fyddai cael dau glerigwr a dwy eglwys ym mhob ardal, ond gwyddai nad oedd ganddo'r arian na'r clerigwyr a oedd yn angenrheidiol i wneud hynny.[18] Er iddo sylweddoli'r angen, methodd Copleston â datrys y broblem.

Yn 1850, pan benodwyd yr Esgob Ollivant i gymryd lle Copleston yn Llandaf, teimlwyd bod cyfnod newydd ar wawrio.[19] Yn wahanol i'w ragflaenwyr, yr oedd gan Ollivant agwedd ryddfrydig ac efengylaidd tuag at waith yr Eglwys. Yr oedd hefyd yn gyfarwydd â'r iaith Gymraeg, gan iddo dreulio cyfnod fel is-brifathro Coleg Dewi Sant, Llanbedr Pont Steffan, ac fe ymddengys ei fod yn abl i bregethu yn yr iaith honno. Mynegiant ymarferol o'r ysbryd newydd oedd sefydlu'r Gymdeithas er Ehangu Darpariaeth Eglwysig yn Esgobaeth Llandaf. Yn y gynhadledd a gynhaliwyd i drafod sefydlu'r gymdeithas ym mis Hydref 1850, rhoddwyd sylw canolog i bwnc yr iaith, oherwydd sylweddolwyd na fyddai'n bosib ehangu dylanwad yr Eglwys yn yr ardaloedd diwydiannol oni sicrheid gwasanaethau Cymraeg ar gyfer y boblogaeth weithfaol.[20] Ategwyd hyn gan Ollivant ei hun yn ei siars gyntaf i offeiriaid yr esgobaeth:

> *The necessary consequence of ignoring the language through which their warmest feelings are expressed, . . . is to exclude them from our pale, and to consign them to the influence of dissent.*[21]

Yn ystod y blynyddoedd dilynol llwyddwyd i sicrhau cyfraniadau sylweddol gan ddiwydianwyr ac eglwyswyr eraill er mwyn cynyddu adnoddau'r esgobaeth. Cafwyd cynnydd yn nifer yr eglwysi a'r clerigwyr, – adeiladwyd neu ehangwyd dros ugain o eglwysi yn yr ardal rhwng 1851 a 1871 – a chynyddodd y ddarpariaeth Gymraeg mewn sawl man.[22]

Ond er bod cynnydd ar waith, nid oedd y boblogaeth Gymraeg bob amser yn elwa, ac fe ymddengys mai lle eilradd oedd gan y Gymraeg yn rhai o eglwysi newydd Sir Fynwy. Pan gysegrwyd eglwys newydd Rhisga yn 1854, er enghraifft, anfonwyd llythyr at *The Star of Gwent* yn cwyno:

> *The one Welsh service . . . is the only Welsh service performed in that parish church, with one exception, for the last eleven years; and then as well as now, there was a collection which accounted for the privilege being accorded.*[23]

Yr un oedd y drefn pan agorwyd eglwys newydd y Blaenau yn 1856 ac eglwys Pen-maen y flwyddyn ddilynol.[24] Beirniadwyd y Gymdeithas er Ehangu Darpariaeth Eglwysig am wthio'r Cymry i safle eilradd wrth i'r Saeson feddiannu prif eglwysi'r plwyf. Wrth sôn am blwyfi Trefethin, Llanfihangel Pontymoel, Pant-teg a Mamheilad, dywedwyd:

> *. . . the only compensation at all which has been made to the Welsh people . . . has emanated from the Llandaff Church Extension Society . . . by which means sums . . . have been granted towards making provision . . . for the performance of Welsh services in schoolrooms, badly ventilated and ill-adapted for such a purpose.*[25]

Yn ystod y pumdegau a'r chwedegau yr oedd carfan lafar iawn oddi mewn i'r Eglwys yn beirniadu Ollivant a'r Gymdeithas er Ehangu Darpariaeth Eglwysig am fethu â sicrhau darpariaeth Gymraeg gyflawn yn yr esgobaeth. Yn ogystal ag adeiladau anaddas, yr oedd prinder clerigwyr abl yn parhau i fod yn broblem, ac ar ben hyn ymosodwyd ar rai offeiriaid plwyf am iddynt beidio â gwneud defnydd digonol o'r iaith Gymraeg.[26] Ond y brif feirniadaeth yn y blynyddoedd hyn oedd y modd yr oedd Ollivant, er iddo ddatgan bwriad i'r gwrthwyneb, yn tramgwyddo'r rheol ynghylch penodi Cymry Cymraeg i blwyfi lle yr oedd galw am wasanaeth Cymraeg. Cadwyd llygad barcud ar y penodiadau, a daliwyd ar bob cyfle i feirniadu diffygion. Beiwyd Ollivant am iddo adael llonydd i benodiadau Saesneg a wnaed yng nghyfnod Copleston, yng Nghasnewydd, Trefethin a Mamheilad, er enghraifft, a chafwyd dadlau chwerw dros benodi offeiriaid newydd.[27] Yn 1850, blwyddyn gyntaf Ollivant yn Llandaf, cafwyd helynt dros benodi olynydd i'r Parch John Jenkins, rheithor diwylliedig plwyf Llanffwyst. Penodwyd comisiwn i dorri'r ddadl ar ôl i noddwr y plwyf, Iarll y Fenni, ddewis Sais uniaith. Pan gefnogodd y comisiwn ddewis yr Iarll, ni feiddiodd Ollivant ymyrryd. Cafwyd achos tebyg ym mhlwyf Llanfihangel-y-fedw y flwyddyn ddilynol, a beirniadwyd Ollivant yn hallt eto.[28]

Parhaodd y dadlau dros benodiadau yn ystod y chwedegau a'r saithdegau. Yn 1863 cynigiwyd Sais uniaith o'r enw Horwood yn offeiriad ym mhlwyf Trefethin. Dadl yr awdurdodau eglwysig a noddwyr y plwyf oedd bod y Saesneg yn lledaenu, ac felly nad oedd llawer o alw am reithor o Gymro. Addawyd y byddai Horwood yn cadw curad i wasanaethu'r Cymry, ond ni pheidiodd y dadlau chwerw. Penodwyd comisiwn i benderfynu'r mater ond gwrthwynebwyd hyn gan garfan o Saeson a'i galwodd yn '*secret enclave of Welsh speaking and bigoted people*'. Casglwyd llofnodion plwyfolion a gefnogai Horwood ar ddeiseb a ddywedai:

> *It is our will and desire that the Welsh language should be discouraged, and let those parishoners who understand Welsh better than English go to Dissenting chapels to gratify their taste.*[29]

Cafwyd dros ugain o lythyrau ar y pwnc yn *The Star of Gwent* cyn i'r golygydd wrthod cyhoeddi rhagor. Bu'n rhaid penodi comisiwn i benderfynu achos tebyg yn Rhisga ym 1871 ac eto yn y Goetre yn 1883.[30]

Yr enghraifft fwyaf nodedig o wrthdaro ynghylch yr iaith yw achos Aber-carn lle y trosglwyddwyd yr eglwys Gymraeg i ofal y Methodist-iaid Calfinaidd ar ôl i'r offeiriad lleol gymryd safbwynt gwrth-Gymreig.[31] Adeiladwyd a noddwyd eglwys Aber-carn gan Benjamin Hall, a rhwng 1854 a 1862 bu'n eglwys Gymraeg boblogaidd a llwyddiannus a oedd yn cymharu'n ffafriol ag unrhyw gapel Ymneilltuol o ran aelodaeth a gweithgarwch diwylliannol. Ac yn wir, lle yr oedd yr eglwys yn Gymraeg, yr oedd yn llwyddo. Enghraifft arall yw Eglwys Dewi Sant, Rhymni, a adeiladwyd gan y Cwmni Haearn lleol yn 1839. Cafwyd dau offeiriad yno yn ystod y bedwaredd ganrif ar bymtheg, a'r ddau, Lodwick Edwards a'r Canon William Evans yn Gymry diwylliedig ac yn Eglwyswyr o duedd efengylaidd. Yr oedd yma aelodaeth fawr ac ysgol Sul lewyrchus, ac ni chafwyd unrhyw anghytuno dros iaith. Yn hytrach, agorwyd eglwys arall ar gyfer y Saeson yn y dref yn 1875.[32] Ond eithriadau oedd eglwysi Cymraeg megis Aber-carn, Rhymni, ac i raddau llai, Glynebwy. Ar y cyfan, nid oedd yr Eglwys wedi llwyddo i ddenu trwch yr addolwyr Cymraeg, nac ychwaith wedi llwyddo i ddiosg y ddelwedd Seisnigaidd, grachaidd a fu ganddi yn ystod hanner cyntaf y ganrif.

Er gwaethaf ei ddatganiadau o blaid y Gymraeg, ystyriai Ollivant, fel ei ragflaenwyr, mai anghyfleuster dros dro oedd yr iaith. Yn 1850 dywedodd:

> *I think it would be a happy thing for our country were England and Wales altogether one, . . . we have, however to deal with matters as they are.*[33]

Goddef y Gymraeg yr oedd, ac felly croesawai gynnydd yr iaith Saesneg yn yr esgobaeth yn y blynyddoedd ar ôl 1850. Gwelai y byddai hyn yn lleihau'r broblem ddwyieithog:

> *Among the causes that are likely to promote the interests of the Church in this diocese, provided we zealously devote ourselves to our work, may be mentioned the rapid extension of the English language.*[34]

Hwyrach mai tystiolaeth yr offeiriaid lleol i Gomisiwn Addysg 1847 yw'r ffynhonnell fwyaf adnabyddus a ddyfynnir i ddarlunio agwedd Eglwyswyr tuag at yr iaith Gymraeg yn y cyfnod. Yn eu tystiolaeth hwy, croesawodd clerigwyr gorllewin Sir Fynwy ledaeniad yr iaith Saesneg. Yn ogystal â chroesawu'r fantais ymarferol a ddeuai i'r Eglwys pe diflannai'r 'dyletswydd dwbl', mynegodd y mwyafrif ohonynt y gred nad oedd yr iaith Gymraeg yn iaith werth ei chadw:[35]

> *. . . the Welsh language has no valuable writings . . . I consider the language to be a nuisance and an obstacle both to the administration of the law and to the cause of religion.*
> (Y Parch James Hughes, rheithor Llanhiledd.)

The existence of two languages is a serious disadvantage . . . None need only read the Welsh publications to be convinced of the non utility of the language for any practical purpose whatever, religious, political or commercial, and the sooner it becomes dead, the better for the people. (Y Parch Thomas Davies, rheithor Trefethin.)

Dadleuai'r Parch Augustus Morgan, rheithor Machen, mai dymunol fyddai gweld y Saesneg yn disodli'r Gymraeg, a hynny er mwyn hyrwyddo gweinyddiad y gyfraith, ehangu dylanwad Eglwys Loegr ac atal terfysg.[36] Yr oedd Augustus Morgan yn frawd i Syr Charles Morgan, Parc Tredegar (Ifor Hael). Oherwydd y cysylltiad hwn, a'r ffaith ei fod yn ymwneud â mudiad y Cymreigyddion, cafodd ei feirniadu'n llym am fradychu'r Cymry gan arweinwyr yr Ymneilltuwyr. Fel y dangoswyd, chwaraeai nifer o Eglwyswyr ran flaenllaw yng ngweithgareddau'r Cymreigyddion ac ym mywyd diwylliannol Cymraeg yr ardal yn gyffredinol. Yn ogystal â'r Parch Lodwick Edwards a'r Canon William Evans a enwyd eisoes, gellir rhestru: Daniel Rees (Aberystruth), J. James (Aber-carn), John Jones (Blaenafon), Huw Williams (Maesaleg) a David James (Dewi o Ddyfed, Pant-teg). Serch hyn, ar sail eu tystiolaeth wrth-Gymreig i Gomisiwn Addysg 1847 y barnwyd yr offeiriadaeth fel corff. Wrth ddatgan yn gyhoeddus eu dymuniad i weld tranc yr iaith Gymraeg, yr oeddynt wedi rhoi cyfle heb ei ail i weinidogion yr Ymneilltuwyr gysylltu eu hunain ag achos y boblogaeth Gymraeg.

Ymhlyg yn nhystiolaeth rhai o'r clerigwyr (y Parch John Hughes, curad Llanelli, er enghraifft), yr oedd yr honiad mai'r Gymraeg ac Ymneilltuaeth a oedd yn gyfrifol am 'farbareiddiwch' y Cymry. Yn y ddadl chwerw a ddilynodd gyhoeddi adroddiad 'y Llyfrau Gleision', manteisiodd yr Ymneilltuwyr ar hyn er mwyn hawlio'r Gymraeg fel iaith Ymneilltuaeth yn unig. Yn ystod y blynyddoedd ar ôl 1848 daeth Ymneilltuaeth a Chymreictod bron yn gyfystyr â'i gilydd. Yr Ymneilltuwyr oedd y genedl Gymraeg newydd; cenedl a fradychwyd gan ei Mam Eglwys:

> Wrth ymwrthod â'r Eglwys Sefydliedig y mae y Cymry yn genedl newydd Gristnogol, nid oedd eglwys Crist wedi ei sefydlu i fod yn beiriant i ddistrywio ieithoedd . . . a chenhedloedd. Y Gymraeg yw iaith ein rhyddid crefyddol presennol.[37]

Oherwydd i'r Eglwys wadu ei hetifeddiaeth, nid ocdd ganddi bellach hawl dros eneidiau'r Cymry. Er i garfan o Eglwyswyr herio hyn eto yn ystod chwarter olaf y ganrif (ar ôl penodi'r esgob Cymraeg cyntaf yn 1870), yr oeddynt, i raddau helaeth, eisoes wedi colli'r frwydr; yn sicr felly yn Sir Fynwy. Erbyn 1907, pedair eglwys yn unig ym mhlwyfi diwydiannol y sir a gynhaliai wasanaethau Cymraeg. Yn eironig, Cymry Cymraeg oedd mwyafrif y clerigwyr erbyn y cyfnod hwn.[38] Ers hynny, Eglwys Dewi Sant Rhymni yw'r unig eglwys sydd wedi parhau i gynnwys y Gymraeg yn ei gwasanaethau.

Tra wynebai'r Eglwys broblemau enfawr wrth geisio ymdopi â thwf y boblogaeth newydd, llwyddodd yr enwadau Ymneilltuol i elwa ar y sefyllfa. Yn wahanol i'r Eglwys, nid oedd ganddynt drefnyddiaeth gaeth i gyfyngu arnynt, ac yr oedd yr eglwysi lleol felly yn rhydd i ymateb yn syth i ofynion newydd, ac i addasu yn ôl yr angen. Y patrwm arferol fyddai i'r gynulleidfa gyfarfod mewn tŷ annedd, tafarn neu ysgoldy am gyfnod cyn benthyca arian i godi adeilad addas. Cyfeiria'r ffigurau isod at nifer yr adeiladau a godwyd neu a addaswyd ar gyfer addoliad yn y cyfnod dan sylw.[39] Gwelir bod mwyafrif mawr adeiladau'r Eglwys Wladol yn dyddio o'r cyfnod cyn-ddiwydiannol (a lleolid y mwyafrif o'r eglwysi hyn yn nwyrain gwledig y sir), tra bod adeiladau'r Ymneilltuwyr (a gynyddodd yn bennaf yn yr ardal orllewinol) yn cyd-fynd ag amseriad twf poblogaeth yn sgil diwydianeiddio.

	Cyn 1801	1801–31	1831–51	Dim gwybodaeth	Cyfanswm
Yr Eglwys Wladol	106	2	23	28	159
Yr Ymneilltuwyr	23	96	126	17	262
Eraill	–	1	9	3	13

Dengys gwaith C. B. Turner y modd yr oedd patrwm adeiladu capeli yn yr ardal yn gyffredinol yn dilyn patrwm datblygiadau diwydiannol, gyda chynnydd disgwyliedig ar adegau o ddiwygiad ysbrydol.[40] Fel y dangoswyd yn y bennod gyntaf a'r ail, yr oedd cysylltiad clòs rhwng y mewnfudo a sefydlu achosion crefyddol newydd. Nid rhyfedd bod yr enwadau Ymneilltuol yn hawlio goruchafiaeth dros yr Eglwys yr yr ardal ddiwydiannol erbyn canol y ganrif.

Erbyn hyn yr oedd y capeli'n dechrau tyfu'n sefydliadau dylanwadol. Yn wir, yr oeddynt ar drothwy 'Oes Aur', gydag aelodaeth yn aml dros ddau neu dri chant. Yr oedd nifer o'r gweinidogion yn wŷr amlwg, ac yn bersonoliaethau cryf a chwaraeai ran flaenllaw ym mywyd cyhoeddus y cylch: gwŷr fel Nefydd (Salem, Blaenau 1845–72), Ioan Emlyn (John Emlyn Jones, Nebo, Glynebwy 1853–61), Thomas Rees (Carmel, Cendl 1849–61), Cynddelw (Robert Ellis, Carmel, Sirhywi 1847–62), Cromwell o Went (Hugh Jones, Saron, Tredegar 1827–45), Ieuan

Gwynedd (Evan Jones, Saron, Tredegar 1845–7) a Mathetes (John Jones, Penuel, Rhymni 1862–77). Ers dechrau'r pedwardegau gwelwyd gweinidogion y capeli'n ymwneud fwyfwy â materion cymdeithasol a gwleidyddol, addysg yn arbennig, a buont yn flaengar yn yr ymdrechion i sefydlu ysgolion a llyfrgelloedd yn y trefi newydd. Cynyddodd y duedd ar ôl 1847 wrth i'r angen i addysgu'r dosbarth gweithiol gael mwy o sylw. Ar yr un pryd, gwelwyd y gweinidogion fel corff yn dod yn arweinwyr mewn materion gwleidyddol. Un enghraifft sy'n dangos sut yr oedd y gweinidogion yn ceisio rhoi hyfforddiant gwleidyddol i'w cynulleidfaoedd yw'r cyfarfod a gynhaliwyd yng nghapel yr Anni-bynwyr, Ebenezer, Sirhywi yn 1848 er mwyn 'rhoddi gwybodaeth i'r bobl am wirioneddu eu bywyd'. Cafwyd anerchiad gan y gweinidog, y Parch Noah Stephens, ar 'Lywodraeth Sifil ac Economi Wleidyddol' a chan Cynddelw, gweinidog y Bedyddwyr, ar 'Anghenrhaid Diwygiad Seneddol'.[41] Yn oes y Gymdeithas Rhyddfreiniad, a'r ymgyrch i ddatgysylltu'r Eglwys, arweiniai'r gweinidogion y farn gyhoeddus. Daethant i gynrychioli'r safbwynt Rhyddfrydol gwrth-eglwysig a fyddai'n dominyddu gwleidyddiaeth yr ardal am weddill y ganrif.

Un o ganlyniadau'r polareiddio a ddigwyddodd yn ystod y pedwar-degau, ac yn arbennig ar ôl 1847, oedd creu uniad mwy pendant rhwng Rhyddfrydiaeth, Ymneilltuaeth a Chymreictod. Yn 1848 lansiwyd *The Principality* o dan olygyddiaeth Ieuan Gwynedd, a ddadleuai dros Ryddfrydiaeth ac Ymneilltuaeth o safbwynt Cymreig. Yn 1867 arwyddair *Y Glorian*, papur a gyhoeddwyd yng Nghasnewydd o dan olygyddiaeth Islwyn a Llew Llwyfo, oedd 'Fy rhyddid, fy iaith, fy nghenedl a gwlad fy nhadau'. Iddynt hwy, fel i gyfranwyr a darllenwyr *Baner ac Amserau Cymru*, yr oedd y 'genedl' yn genedl Ymneilltuol, Ryddfrydol.

Wrth i'r 'genedl' newydd hawlio'r lle blaenllaw ym mywyd cyhoeddus Cymru, daeth yr Ymneilltuwyr i fonopoleiddio'r bywyd diwylliannol Cymraeg bron yn llwyr. Fel y dangoswyd yn y drydedd bennod, dyma'r cyfnod pan oedd yr Eisteddfod, cyfarfodydd y cymdeithasau lles Cymraeg a gweithgareddau diwylliannol eraill yn cael eu tynnu fwyfwy o dan ddylanwad y capeli. Wrth i Ymneilltuaeth Gymraeg gryfhau, daethpwyd i gredu y byddai dyfodol y Gymraeg yn ddiogel o dan ei nawdd. Erbyn diwedd y ganrif, fodd bynnag, fe daeth yn amlwg i Gymry Gwent nad oedd y Gymraeg yn ddiogel, hyd yn oed yn y capeli. Y mae'r rhesymau am ddirywiad yr iaith i'w priodoli i raddau helaeth i'r modd y boddwyd y Gymraeg yn yr ardal gan fewnlifiad o Saeson, ond maent yn ddyfnach na hynny: y maent yn ymwneud ag agwedd sylfaenol yr Ymneilltuwyr tuag at Gymreictod a thuag at yr iaith.

Gellir olrhain gwreiddiau'r agwedd hon yn ôl i'r ddeunawfed ganrif a chyn hynny. Yn wir, dadleua'r Athro R. Tudur Jones fod cysgod y

Saesneg dros ddiwylliant yr Ymneilltuwyr ers yr ail ganrif ar bymtheg, a hynny am mai crefydd estron a fewnfudwyd o Loegr oedd Piwritaniaeth. 'Yn dawel fach', meddai, 'dyfnhawyd yr amheuaeth mai Saesneg oedd popeth gwych mewn crefydd'.[42] Amlygwyd hyn yn Sir Fynwy yn yr Athrofeydd Ymneilltuol, ac yn y ffaith fod cryn dipyn o bregethu Saesneg yn yr ardal hyd yn oed cyn i fewnfudo o Loegr ddechrau effeithio ar gyfansoddiad ieithyddol y boblogaeth. Dengys Atodiad 13 gymaint o ddefnydd a wnaed o'r Saesneg yn 1820, hyd yn oed yn ardal Gymreiciaf y sir. Gellir priodoli hyn, nid yn gymaint i'r ffaith fod nifer o Ymneilltuwyr di-Gymraeg wedi symud i fyw i'r ardal ag i ddylanwad y Saesneg fel yr iaith ag iddi statws ym myd addysg a chrefydd.

Gwyddys mai'r Saesneg oedd prif iaith academi gyntaf y Bedyddwyr yn y sir sef Pen-y-garn, Pont-y-pŵl, rhwng 1734 a'r 1760au, a hynny er bod nifer o'r myfyrwyr yno heb fod yn hyddysg yn yr iaith.[43] Prif amcan Micah Thomas wrth sefydlu Athrofa'r Fenni yn 1807 oedd hyfforddi bechgyn Cymraeg yn yr iaith Saesneg, a'u gwneud yn gymwys i ddilyn gyrfa yn Lloegr.[44] Er i'r coleg benodi'r Parch James Lewis, Llanwenarth, fel tiwtor Cymraeg yn 1808, gollyngwyd y Gymraeg fel pwnc wedi hynny, a chafwyd sawl achos o wrthdaro dros fater yr iaith. Ar un achlysur, mynegodd y Parch John Jenkins, Hengoed, ei safbwynt yn ddiflewyn ar dafod:

> Yr wyf yn ei ystyried yn warth . . . ein bod yn cynnal Athrofa lle mae cynifer o fyfyrwyr wedi eu dwyn i fyny i'r weinidogaeth ac nad oes gymaint ag un ohonynt ar draul unrhyw gymorth o eiddo yr Athrofa, a fedr ysgrifennu cymaint a llythyr yn iaith ei fam.[45]

Cefnogwyd ef gan y Parch Francis Hiley, Llanwenarth a ddilornai agwedd snobyddlyd yr Athrofa; 'math o wag falchder coegaidd' oedd y pwyslais ar y Saesneg meddai.[46] Ailgododd yr helynt eto yn 1834 a 1835, pan waharddwyd y myfyrwyr rhag mynychu cyfarfodydd Cymreigyddion y Fenni.[47] Parhaodd yr ymryson ar ôl symud y sefydliad i Bont-y-pŵl o dan gyfarwyddyd Thomas Thomas, un a gredai nad oedd dyfodol i'r iaith Gymraeg.[48] Canlyniad y pwyslais ar y Saesneg oedd i lawer o'r gwŷr ifanc a alwyd i'r weinidogaeth yn yr ardal ddewis gwasanaethu yn y weinidogaeth Saesneg. Yr enghraifft amlycaf efallai yw'r Parch D. Rhys Stephen (Gwyddonwyson), a fedyddiwyd gan y Parch J. P. Davies yn Nhredegar yn 1825, ac a dreuliodd gyfnod yn Athrofa'r Fenni cyn gweinidogaethu gyda'r Bedyddwyr Saesneg yn Abertawe (1831), Casnewydd (1840) a Manceinion (1845).[49] Canlyniad arall i bolisïau Seisnigaidd yr athrofeydd oedd cynyddu pregethu Saesneg gan weinidogion Cymraeg y sir, a hynny i gynulleidfaoedd o Gymry Cymraeg yn ogystal ag i Saeson. Daeth yn arferiad i bregethu yn

Saesneg ar achlysuron arbennig yn y capeli Cymraeg yn ardaloedd Cymreiciaf y sir.[50] Y bwriad, mae'n debyg, oedd sicrhau cefnogaeth ariannol swyddogion y gweithfeydd, oherwydd mewn rhai achosion byddai gan noddwyr di-Gymraeg ddylanwad ar iaith y pulpud.

Nid yr Eglwys Wladol yn unig oedd yn euog o droi'r gwasanaeth i'r Saesneg er mwyn ychydig o unigolion cefnog. Ym Mlaenafon, yng nghapel yr Annibynwyr yn ystod gweinidogaeth y Parch Ebenezer Jones (1820–3), yr oedd 'y Cymry uniaith yn cwynfan fod gormod o Saesneg yn cael ei arfer yn y gwasanaeth'. Traddodai Mr Jones 'ran fawr o'i bregeth yn Saesneg, er mwyn rhyw ychydig o Saeson a berthynent i'r gwaith'.[51] Mewn traethawd o'r enw 'Meflau yng nghymeriad y Cymry', honnai traethodwr o Lynebwy yn 1859 mai un o'r arferion mwyaf cyffredin yng nghymoedd Gwent oedd troi gwasanaethau i'r Saesneg ar gyfer ychydig iawn o Saeson. Nodwyd enghraifft o wasanaeth yn Aber-carn lle nad oedd un Sais yn bresennol:

> Oblegid yr arferiad, nid oblegid fod Saeson yn y cwrdd yr oedd yn rhaid i'r holl gynulleidfa oddef pregeth Saesneg . . . Un enghraifft o lawer oedd, . . . yr wyf yn ei chofnodi i ddangos pa mor dueddol yw y Cymry i wneud aberth ac iselhau eu hunain a'u hiaith.[52]

Prawf pellach o'r pwys a roddai'r Ymneilltuwyr ar yr iaith Saesneg yw'r ffaith mai Cymry Cymraeg (uniaith Gymraeg weithiau), a fu'n bennaf gyfrifol am sefydlu capeli Saesneg yn yr ardal. Yn aml, caed Cymry Cymraeg yn ymaelodi â chapel Saesneg er mwyn dysgu'r iaith. Disgrifiwyd aelodau capel y Bedyddwyr Saesneg yng Nghasnewydd yn 1828 fel 'amryw Fedyddwyr Saesneg, ac amryw eraill a ddewisent y Saesneg yn hytrach na'r Gymraeg'.[53] Er bod rhai achosion Saesneg llwyddiannus yn yr ardal ddiwydiannol a sefydlwyd ar gyfer mewnfudwyr di-Gymraeg, er enghraifft, Church Street, Tredegar (B) 1830, Calvary, Brynmawr (B) 1833, Zion, Glynebwy (B) 1838, a Tabernacle, Glynebwy (A) 1843, ar y cyfan yr oedd y capeli Saesneg yn wannaidd iawn o'u cymharu â'r achosion Cymraeg, ac fe fethodd sawl ymgais i sefydlu achosion Saesneg cyn 1850. Ymdrechwyd i sefydlu capel Saesneg i'r Bedyddwyr ym Mhont-y-pŵl yn 1815, ond erbyn 1825 yr oedd wedi cau oherwydd diffyg cefnogaeth. Yn dilyn y methiant, sefydlodd W. W. Phillips, rheolwr banc ym Mhont-y-pŵl, gapel Saesneg yn Abersychan, ond ychydig iawn o aelodau oedd yno. Methodd achos y Bedyddwyr Saesneg yn Rhymni yn ystod y tridegau, ac ni wnaed ymgais arall i agor capel Saesneg yn y dref tan 1862.[54] Sefydlwyd rhai capeli Saesneg cyn bod galw amdanynt. Agorwyd capel Saesneg gan yr Annibynwyr yn Ebenezer, Maesaleg, yn 1832. Ymhen dwy flynedd bu'n rhaid ei drosglwyddo i ofal yr Annibynwyr Cymraeg. Diddorol yw sylwi mai yr un diacon a arwyddodd ar ran yr eglwys

Saesneg yn 1832 a'r eglwys Gymraeg yn 1834.[55] Bwriadwyd i gapel Annibynnol Elim, Cwmbrân, fod yn achos Saesneg pan sefydlwyd ef yn 1844, ond bu'n rhaid cynnal gwasanaethau dwyieithog tan 1867–70 oherwydd sefyllfa ieithyddol gymhleth y gymdogaeth.[56]

Daw agwedd yr Ymneilltuwyr mewn perthynas â chrefydd a Chymreictod i'r amlwg gliriaf wrth astudio'r 'Genhadaeth Gartrefol', mudiad i sefydlu achosion Saesneg yn yr ardal ddiwydiannol. Yn wahanol i'r mewnfudwyr o gefn gwlad Cymru, anaml yr âi Saeson o'r dosbarth gweithiol ati i sefydlu eu hachosion crefyddol eu hunain wedi cyrraedd yr ardal. Yr oedd y Methodistiaid Sylfaenol a'r Wesleaid Saesneg yn eithriadau, ond deuai'r sbardun i sefydlu achosion Saesneg yr Annibynwyr a'r Bedyddwyr o gyfeiriad noddwyr cefnog, fel Charles Conway a W. W. Phillips yn ardal Pont-y-pŵl, neu oddi wrth weinidogion y capeli Cymraeg. Erbyn canol y pumdegau yr oedd nifer y Saeson yn yr ardal wedi cynyddu'n fawr, a theimlai rhai Ymneilltuwyr Cymraeg ei bod hi'n ddyletswydd arnynt ddarparu rhagor o gapeli Saesneg i wasanaethu'r Saeson.

Daeth yr arweiniad o blith yr Annibynwyr, ac yn arbennig gan y Parch Thomas Rees, Carmel, Cendl. Ganwyd ef yn Sir Gaerfyrddin, a daeth i'r cymoedd yn 1836 yn weinidog ar gapel bychan Craig-y-fargod ym mhlwyf Gelli-gaer. Tra'n gwasanaethu yno gwnaeth ymdrech fawr i feistroli'r iaith Saesneg.[57] Derbyniodd alwad i Gendl yn 1849, blwyddyn pan fu dylanwad pla'r colera o gymorth i chwyddo'r aelodaeth i dros bum cant.[58] Eglwys lewyrchus oedd Carmel felly, ac yr oedd ei gweinidog mewn safle dylanwadol yn yr ardal. Yn ôl ei fywgraffydd, ei brif ddiddordeb ar yr adeg hon oedd cenhadu i'r di-Gymraeg. Yn ystod ei gyfnod yng Ngharmel (1849–62), yr oedd wedi ymgolli'n llwyr yn y gwaith:

> Yr oedd sefydlu achosion Saesneg yng Nghymru wedi mynd â'i holl feddwl. Teimlai'n gryf mai hynny oedd angen arbennig ein henwad yr Annibynwyr yn y deheubarth yn enwedig yn y rhannau gweithfaol, a bod y gwaith wedi ei esgeuluso yn llawer rhy hir.[59]

Yn fuan ar ôl cyrraedd Cendl, sicrhaodd ystafell yn y Refiners Arms a dechrau pregethu yn Saesneg. Derbyniodd nawdd gan yr Arglwyddes Barham, a oedd eisoes wedi noddi capeli Saesneg ym Mro Gŵyr, i adeiladu Capel Barham, a chafodd gefnogaeth nifer o'i aelodau Cymraeg i sefydlu'r fenter.[60] Y cam nesaf oedd ehangu'r gwaith i fannau eraill.

Yn ôl ei gofiannydd, ac yn ôl Thomas Rees ei hun, galwyd cynhadledd o weinidogion a lleygwyr i Garmel i drafod y pwnc yn 1853. Y mae'n bosib mai cyfeirio at Gyfarfod Chwarter Annibynwyr Cymraeg Sir Fynwy, 28 Chwefror–1 Mawrth 1854 y maent, gan mai testun y drafodaeth y pryd hwnnw oedd 'Cyflwr Crefyddol y Saeson yn y Gweithfeydd'.[61] Yn ôl y wybodaeth a gyflwynwyd yno, yr oedd traean o'r can mil o'r bobl a drigai rhwng Rhymni a Phont-y-pŵl yn siarad Saesneg yn gyffredin tra mai un gweinidog yn unig (Mr Johns, Brynmawr) a oedd yn gweithio yn eu plith. Yn ystod y cyfarfod, penderfynwyd sefydlu 'Cymdeithas Genhadol Gartrefol' ymhlith yr eglwysi Cymraeg a Saesneg i godi arian. Penodwyd Thomas Rees a Noah Stephens, gweinidog Ebenezer, Sirhywi, yn gyd-ysgrifenyddion, a sicrhawyd nawdd ariannol o gant a hanner o bunnau'r flwyddyn gan ŵr a gwraig a oedd newydd symud i'r sir o Loegr. Cynhaliwyd sawl cynhadledd wedyn ym Morgannwg a Mynwy, ac ym mis Tachwedd 1860 sefydlwyd cymdeithas newydd i gynorthwyo'r Gymdeithas Genhadol Gartrefol a'r Gymdeithas Adeiladu, sef 'Cymdeithas er Lledaenu Sefydliad a Chynhaliad Eglwysi Saesneg yn Ne Cymru a Sir Fynwy'.[62]

Yn ystod y blynyddoedd nesaf daeth sefydlu achosion Saesneg yn grwsâd a aeth â holl fryd y capeli Cymraeg, a'r Annibynwyr a'r Bedyddwyr yn arbennig. Er bod rhai enghreifftiau o fewnfudwyr yn sefydlu eu hachosion eu hunain – gellir enwi, er enghraifft, achosion y Bedyddwyr yn Rhisga (1855), Maesycwmer (1860), Bontnewydd (1861), Tredegar Newydd (1864) ac Aber-carn (1876) – sefydlwyd y mwyafrif mawr o'r capeli Saesneg gan gnewyllyn o Gymry Cymraeg yn ymadael â'u capel eu hunain. Ni ellir gwadu fod elfen o gystadleuaeth yn hyn o beth, a'r enwadau am y cyntaf i sefydlu achos Saesneg ymhob tref a phentref.

Yn ganolog i syniadaeth mudiad yr achosion Saesneg yr oedd cred bod y Cymry, yn wahanol i'r Saeson, yn genedl naturiol grefyddol. Ac er mwyn deall y dilema a wynebai'r Ymneilltuwyr yn sgil mewnlifiad o Saeson 'digrefydd' i'w plith, rhaid deall y syniadaeth a oedd, erbyn canol y bedwaredd ganrif ar bymtheg, wedi neilltuo'r Gymraeg i fyd crefydd. Fel y dangoswyd eisoes, ofnai'r Ymneilltuwyr Cymraeg effaith Seisnigeiddio oherwydd credid bod hynny'n gyfystyr â llithro i anfoesoldeb. Ond oherwydd manteision addysgiadol ac economaidd amlwg y Saesneg yr oeddynt, ar yr un pryd, yn awyddus i'w plant ddysgu'r iaith honno. Er mwyn ceisio cyfiawnhau a chysoni eu hagwedd, dadleuwyd y byddai'n bosib diogelu cymeriad moesol y genedl drwy gadw'r Gymraeg yn iaith crefydd a chapel. Y mae'r sylwadau a ganlyn yn nodweddu syniadaeth yr oes:[63]

> Iaith crefydd yw y Gymraeg yn bennaf, iaith yr Ysgol Sul a iaith y pwlpud. Y mae gwerth i'r Saesneg mewn masnach, ond y Gymraeg yw iaith teimlad a iaith crefydd.

Yr oedd dyfodol y Gymraeg felly ynghlwm wrth ddyfodol crefydd. 'Tra mai'r Gymraeg yw iaith yr efengyl ni fydd i Dduw adael iddi ddiffodd' meddid yn 1864.[64] Proses ddwy ffordd ydoedd, wrth i'r Gymraeg a chrefydd gynnal ei gilydd. Mor ddiweddar â 1905 sylwyd:

> There exists a desire to foster the speaking of Welsh especially among the children likely to be affected by the prevalance of the English language . . . in industrial districts; many Welshmen believing that the preservation of the Welsh language is favourable to religion.[65]

Ond ymhell cyn 1905, yr oedd mwyafrif Ymneilltuwyr Cymraeg Sir Fynwy wedi dewis gweithredu'n wahanol. Pan sefydlwyd y Genhadaeth Gartrefol yn 1854 y bwriad oedd ceisio crefyddoli'r Saeson. Dywedwyd mai'r 'math gwaethaf, a'r mwyaf gwrth-grefyddol o'r Saeson sydd gan amlaf yn dod i'r gweithfeydd'.[66] Gan nad oeddynt yn 'arfer ymwneud â moddion gras yn eu broydd cynhenid, ac yn analluog i ddeall Cymraeg, ymwibiant o dafarn i dwlc ar ddydd Duw er mawr ofid i'r Cymry tawel a chrefyddol'.[67] Credai Myfyr Wyn y buasai'r Saeson 'yn waeth nag ydynt oni bai fod y Cymry yn aberthu eu capeli a'u hiaith i draethu'r efengyl iddynt er mwyn eu gwareiddio a'u crefyddoli'.[68] Mewn gwirionedd, 'aberthodd y Cymry eu capeli a'u hiaith', nid yn unig er mwyn ceisio crefyddoli'r mewnfudwyr o Loegr, ond hefyd am eu bod yn ofni y buasai'r genhedlaeth ifanc yn cefnu ar grefydd wrth golli'r Gymraeg. Eironi'r sefyllfa oedd bod y Cymry, ar y naill law yn ofni dylanwad y Saesneg ar eu plant, ac eto am iddynt ei dysgu er mwyn 'dod ymlaen yn y byd'. Ac er bod llawer yn dadlau y gellid diogelu'r Gymraeg drwy ei chadw yn iaith y capel, sylweddolai eraill fod addysg Saesneg, ynghyd â dylanwad y mewnlifiad, eisoes yn cael effaith, ac mai'r Saesneg fyddai iaith y dyfodol.

Yn yr argyfwng ieithyddol a grewyd gan fewnlifiad y chwedegau, y ddadl olaf a gariai'r dydd. Yn ôl Thomas Rees, nid oedd gan yr eglwysi Cymraeg ddewis. Yr oeddynt yn:

> . . . gorfod darparu ar gyfer y dyfodiad Saesneg, a'r Cymry sydd yn troi'n Saeson, neu ynteu oddef i'w holl lafur crefyddol gael ei wrthweithio gan ddylanwad arferion llygredig a ddygid i'w mysg gan estroniaid o iaith a chenedl.[69]

Iddo ef a'i gyfoedion, nid oedd yn bosib gwrthsefyll y 'llanw Seisnig' a lyncai'r ardaloedd diwydiannol. Nid ymarfogi yn erbyn y trawsnewid a wnaed, ond ymbaratoi ar ei gyfer. 'It is rather curious that no effort is recorded either in letter or by resolution to stem the oncoming English tide . . . ' meddai un o haneswyr Bedyddwyr Mynwy.[70] Codwyd ambell lais mewn gwrthwynebiad mae'n wir. Ar ddechrau'r chwedegau bu'r Methodistiaid Calfinaidd yn amharod i ddilyn y polisi o sefydlu achosion Saesneg, ond erbyn diwedd y degawd yr oeddynt hwythau wedi ildio i'r hyn a gredid oedd yn anochel.

Dengys hanes capeli Saesneg yr ardal barodrwydd llawer o'r Cymry i gefnu ar y Gymraeg er mwyn cynorthwyo'r achosion Saesneg. Yr oedd yn arferol i gapel Cymraeg ollwng rhwng deg ac ugain o aelodau er mwyn ffurfio achos o'r fath. Cymry Cymraeg o hen gapel y Bedyddwyr ym Mlaenau Gwent a ffurfiodd gapel Saesneg Abertyleri yn 1852. Ymadawodd cnewyllyn o aelodau blaenllaw Soar, Cendl (B), i ffurfio capel Saesneg Siloam yn 1860, fel y gwnaeth aelodau Siloam, Machen (B), Bethlehem, Blaenafon (A) (1863), Berea, Blaenau (A) (1865), Penuel, Tredegar (MC) (1865) a Siloh, Abersychan (A) (1868).[71] Enghraifft ddiddorol yn y cyswllt hwn yw hanes sefydlu capel Saesneg cyntaf y Methodistiaid Calfinaidd yn yr ardal sef Bethel, Beaufort Hill. Ynghyd â'r Cymry a sefydlodd yr achos yr oedd dau Sais o Rydychen a'r rheini'n rhugl yn y Gymraeg.[72] Diddorol hefyd yw nodi bod nifer o aelodau amlwg y Cymreigyddion yn weithgar yn hyrwyddo'r achosion Saesneg. Gellir enwi Ifor Gwent (D. Seys Lewis) Victoria, Nefydd, a fu'n gyfrifol am sefydlu capel Saesneg Bethel, Nant-y-glo drwy gydweithrediad rhai o Gymry disgleiriaf Salem, ac Ioan Emlyn a ymdrechodd i sefydlu capel Providence yng Nglynebwy yn 1860. Bu'r geiriadurwr, Mathetes, yn dadlau'n frwd dros sefydlu achosion Saesneg gan gymharu'r Bedyddwyr yn anffafriol â'r Annibynwyr yn hyn o beth.[73]

Yn aml, yr aelodau cyfoethocaf a'r mwyaf egnïol a fyddai'n ymadael â'r capeli Cymraeg er mwyn ffurfio achosion Saesneg. 'Mae gan ein haelodau cyfoethog, llawer o ba rai sydd wedi magu eu plant yn Saeson, ran bwysig i'w wneud', meddai un o weinidogion yr Annibynwyr yn 1864.[74] Flwyddyn yn ddiweddarach cyfaddefai'r Parch Thomas Rees:

It requires not a small amount of the grace of self-denial to persuade a dozen or twenty of the most intelligent, respectable and wealthy members to separate and form the nucleus of an English cause.[75]

Aberthai'r capeli Cymraeg yn ariannol er mwyn cynnal y capeli Saesneg. Cynhalient wasanaethau arbennig, darlithoedd a darlleniadau ceiniog er mwyn codi arian, a hynny er bod cyfraniadau ariannol y pen yn aml yn uwch o lawer yn y capeli Saesneg. Achoswyd ambell anghytundeb yn sgil y gorawydd i sefydlu achosion Saesneg. Yn 1863 yr oedd y Bedyddwyr am uno capel Saesneg Commercial Road, Casnewydd â'r Deml, capel y Bedyddwyr Cymraeg. Gwrthododd aelodau'r Deml newid iaith a bu'n gapel Cymraeg hyd ei gau yn 1956.[76] Yn 1861, yn dilyn anghytundeb diwinyddol yn Tabor, Maesycymer (A), ymadawodd un garfan a sefydlu capel Zoar. Gwrthodwyd eu cais am aelodaeth gan Undeb yr Annibynwyr gan fod yr enwad yn awyddus i'r capel newydd fod yn achos Saesneg. O ganlyniad trosglwyddwyd y capel i ofal y Methodistiaid Calfinaidd.[77] Yr oedd tuedd hefyd i geisio troi capeli Cymraeg gwannaidd yn achosion Saesneg. Yn 1871 dadleuai

Thomas Rees fod sawl cynulleidfa Gymraeg wedi gweld ei dyddiau gorau a'i bod hi'n bryd troi'r capeli'n achosion Saesneg.[78] Ymhlith y capeli o dan fygythiad yr oedd Jerwsalem, y Coed-duon (A), Gosen, Rhymni (A) a'r Babell, Cwmfelin-fach (MC), y tri yn gapeli a wnaeth gyfraniad pwysig i ddiwylliant Cymraeg yr ardal hyd at y ganrif hon.

Yn ystod y pumdegau a'r chwedegau disgwylid i'r achosion Saesneg dyfu'n fawr, ond anaml y gwireddwyd y disgwyliadau. Diolchai aelodau capel Saesneg Siloam, Cendl, fod 'cymaint â deg o aelodau Saesneg' ganddynt yn 1859.[79] Yn 1861 yr oedd aelodaeth y capeli Saesneg yn cymharu'n anffafriol ag aelodaeth y capeli Cymraeg yn y Blaenau a Glynebwy:[80]

		Aelodau	Ysgol Sul
Y Blaenau:	Annibynwyr Saesneg	17	60
	Annibynwyr Cymraeg	280	400
Glynebwy:	Bedyddwyr Saesneg	56	Dim
			gwybodaeth
	Bedyddwyr Cymraeg (Nebo)	210	"
	Bedyddwyr Cymraeg (Brynhyfryd)	140	"

Natur symudol y boblogaeth yn ystod y chwedegau a oedd yn gyfrifol am eu gwendid i raddau helaeth. Eto, rhaid dod i'r casgliad, er llwyddo i sefydlu llawer o gapeli, mai methiant ar y cyfan fu ymdrech yr Ymneilltuwyr Cymraeg i apelio at drwch y boblogaeth weithfaol Saesneg yn y cyfnod. Rhaid nodi hefyd yr effaith andwyol a gafodd yr ymgyrch ar yr achosion Cymraeg.

Erbyn 1867, ar ôl bron i bymtheng mlynedd o weithgarwch ffurfiol dros yr achosion Saesneg, daeth yn amlwg i Annibynwyr Sir Fynwy bod angen trafod y problemau a achoswyd gan yr hyn a ystyrid gan lawer yn duedd annheg ar ran yr enwad i ffafrio capeli Saesneg ar draul y capeli Cymraeg. Ar gais y Cyfarfod Chwarter, paratowyd papur gan y Parch D. Hughes, Tredegar, a gyflwynwyd ganddo yn Sardis, Farteg ym mis Rhagfyr.[81] Er ei fod yn cytuno bod angen sefydlu capeli Saesneg, awgrymai Mr Hughes nad ysbryd efengylaidd a ysgogai sefydlwyr y capeli Saesneg bob amser. Yn aml, meddai, crewyd anniddigrwydd oherwydd iddynt anwybyddu barn y capeli Cymraeg lleol, a thueddwyd i ymdrin â'r achosion Saesneg fel 'moeth eglwysi'. Yr oedd gan bob capel Saesneg organ a festri a châi eu gweinidogion gyflogau uwch nag a gâi gweinidogion y capeli Cymraeg. Teimlai mai effaith y nawdd gormodol oedd gwneud yr eglwysi Saesneg yn orddibynnol, gan ladd unrhyw gymhelliad iddynt ymdrechu drostynt eu hunain, a chredai fod parodrwydd y Cymry Cymraeg i ymadael â'u capeli eu hunain yn niweidio'r achosion Cymraeg:

> Nis gellir gwadu nad oes ymdrech . . . mewn modd dirgelaidd . . . i hudo drosodd y teuluoedd cyfoethocaf . . . a'r ieuenctid mwyaf gobeithiol oddi wrth y Cymry at y Saeson. Ac mewn canlyniad, lleihau nifer, bychanu dylanwad, a thlodi amgylchiadau'r eglwysi Cymraeg. Nid efengyleiddio'r Saeson yw hyn, ond amcan uniongyrchol i Seisnigeiddio'r Cymry . . . Y mae yn alarus i gyfaddef nad yw eu gorchwyl a'u hamcan fawr amgen na chloddio bedd i'r Gymraeg a'r eglwysi Cymraeg yn ein plith, a hynny cyn bod y naill na'r llall yn hollol barod i'w claddu.[82]

Yn y Cyfarfod Chwarter a gynhaliwyd yng nghapel Jerwsalem, y Coed-duon, ym mis Rhagfyr 1868, derbyniwyd cynnig gan Mr Hughes i beidio â gwahaniaethu ar sail iaith yn y dyfodol, ond, yn hytrach, i gynorthwyo pob capel a oedd mewn angen, achosion Cymraeg a Saesneg fel ei gilydd.[83]

Cafwyd yr un gofid bod hen eglwysi Cymraeg yn cael eu hesgeuluso ar draul achosion Saesneg newydd gan y Methodistiaid Calfinaidd yn ystod chwarter olaf y ganrif. Yn 1885 sefydlwyd y *Forward Movement*, a dengys ystadegau'r enwad gynnydd mawr a oedd i'w briodoli bron yn gyfan gwbl i dwf capeli Saesneg newydd.[84] Ar yr un pryd, yr oedd llawer o'r capeli Cymraeg yn nychu. Rhybuddiwyd yr enwad gan y Parch D. Oliver, Rhymni, yn 1895:

> Yn ein hawydd anniwall, ond canmoladwy i sefydlu achosion newyddion, ni ddylid ar un cyfrif adael dros gof yr hen achosion Cymraeg . . .[85]

Eto gwanhau a wnaethant. Yn 1897 ofnai'r Parch Edward Thomas, Bargod, fod yr enwad yn euog o ddiystyru:

> . . . y Cymry sydd yn Fethodistiaid da a 'loyal' o amryw o siroedd o Gymru sydd wedi, ac yn ymfudo yma yn barhaus, ynghyd â'r rhai sydd wedi eu geni a'u magu yn y dyffrynnoedd hyn ac yn caru cael yr Efengyl yn iaith eu tadau.[86]

Ond lleihau yr oedd cyfran y mewnfudwyr o gefn gwlad Cymru o'i chymharu â'r mewnlifiad o Loegr yn y blynyddoedd hyn. Ymhellach, Saesneg a siaradai'r selogion 'da a loyal' â'u plant gan amlaf. Erbyn diwedd y ganrif, felly, wynebai'r eglwysi Cymraeg argyfwng gwirioneddol.

Proses gymhleth oedd trawsnewid iaith y capeli Cymraeg yn ardal ddiwydiannol Sir Fynwy, ac ni ellir gwneud cyfiawnder â'r pwnc mewn ychydig dudalennau.[87] Yn gyffredinol, gellir olrhain y trawsnewid fel symudiad o'r dwyrain i'r gorllewin, gyda'r Bedyddwyr (a'r Annibynwyr i raddai llai) yn barotach na'r Methodistiaid Calfinaidd i newid iaith. Er mai proses araf ydoedd mewn llawer o gapeli, nid oedd patrwm y newid yn unffurf. Er bod llawer o eithriadau, gellir canfod graddfeydd pendant wrth i'r capeli gyflwyno'r Saesneg gam wrth gam. Y cam cyntaf fel arfer fyddai defnyddio'r Saesneg yn yr Ysgol Sul a'r gweithgareddau cymdeithasol perthynol. Cyflwynid y Saesneg i'r gwasanaethau wedyn, weithiau drwy gael pregeth Saesneg neu drwy gynnal un oedfa gyfan gwbl Saesneg. Yn aml, parheid i ganu emynau Cymraeg a thraddodi'r fendith yn Gymraeg ymhell wedi hepgor yr iaith o weddill y gweithgareddau. Mewn rhai capeli bu'r ddwy iaith yn gymysg am flynyddoedd lawer. Rhai enghreifftiau yn unig yw Tabernacl, Trosnant (1842–87), Penywaun, Cwmbrân (1841–71), Noddfa, Abersychan (1866–95) a Soar, Cendl (1879–1905). Yn yr hen gapeli y bu i'r broses barhau hwyaf.

Digwyddodd y dirywiad yn gynt mewn capeli mwy diweddar. Er enghraifft, bu'n rhaid cau Noddfa, Cwmfelin-fach, yn 1929 ar ôl deunaw mlynedd yn unig. Mewn ambell gapel newidiwyd yr iaith yn ddiymdroi. Gwnaethpwyd hynny yn Rehoboth, Pont-y-pŵl, ym mis Tachwedd 1866; ac ym Methesda, Cendl, penderfynwyd ar 18 Rhagfyr 1910 i newid iaith pob gwasanaeth yn llwyr ymhen chwe mis. Proses derfysglyd ydoedd mewn llawer man. Cymaint oedd y broblem yng nghapel Pisgah, Tal-y-waun, yn 1866 fel yr ysgrifennodd y gweinidog:

> It is ten times more fatal to spiritual progress than commercial failure; God knows, it is a wonder that churches survive the transition from Welsh to English.[88]

Bu'n rhaid i'r bardd, Crwys, ymdopi â'r broblem yn ystod ei gyfnod fel gweinidog ym Mrynmawr ar ddechrau'r ugeinfed ganrif:

> Byddai terfysg nid bychain . . . a chafodd aml i weinidog lawer o drafferth yn llywio'r llong . . . dros y cefnfor. Ni ddihangodd fy Rehoboth innau yr un dynged chwaith, ond aethom drwy'r bwlch yn bur heddychol.[89]

Y mae hanes capeli'r sir yn frith o ymraniadau ac ymddiswyddiadau dros fater yr iaith. Rhai capeli a brofodd ddadlau ffyrnig oedd Bethesda, Tŷ-du (1864), Capel Ed, Goetre (1864–70), Ebenezer, Pontnewynydd (1873), Glyn, Rhisga (1873–4), Tabernacle, Garndiffaith (1882) a Hermon, Nant-y-glo (1904). Bu'n rhaid cynnal pleidlais mewn llawer capel er mwyn ceisio penderfynu'r mater yn heddychlon. Digwyddodd hyn yn Nhabernacle, Garndiffaith (1882), Bethesda, Sirhywi (1896), Nebo, Glynebwy (1896) a Salem, Trelyn (1913). Fel arfer, y gynulleidfa a benderfynai, ond yn achos y Methodistiaid Calfinaidd, gan yr Henaduriaeth sirol yr oedd y penderfyniad terfynol. Bu'r iaith yn achos gwrthdaro mewn sawl Cyfarfod Chwarter yn ystod y chwedegau, ac yn 1862 pan gafwyd dadlau ynghylch achos Saesneg Brynmawr, yr oedd y bardd, Islwyn (yr ysgrifennydd ar y pryd), ymhlith y garfan a wrthwynebai droi capeli Cymraeg i'r Saesneg.[90] Pe codai gwrthdaro yn yr eglwysi, arfer y Methodistiaid fyddai anfon comisiwn yn cynnwys

nifer o weinidogion i asesu'r sefyllfa ieithyddol. Er enghraifft, ymwelwyd
â chapel Nazareth, Aber-carn, yn 1875 ar ôl i'r gynulleidfa wneud cais
am wasanaeth Saesneg wedi i griw o weithwyr o ardal Caerloyw
ymsefydlu yn y pentref.[91]

Bu rhai capeli'n ffodus i osgoi gwrthdaro. Cafwyd newid llyfn o'r
Gymraeg i'r Saesneg yng Ngharmel, Sirhywi, Tabernacle, Abertyleri a
Sharon, Goetre. Enghraifft ddiddorol yw capel Cae'r gorlan, Aber-
carn. Yn ystod y saithdegau bu'r aelodau di-Gymraeg yn cynnal
gwasanaethau Saesneg mewn ysgoldy. Cynyddodd eu nifer erbyn 1876
a phenderfynwyd ymrannu'n ddwy eglwys. Etholwyd pwyllgor;
chwech o aelodau Cymraeg a chwech o aelodau Saesneg. Daethpwyd i
gytundeb ynglŷn â'r trefniadau mewn modd cyfeillgar, a gwelwyd
brodyr, hyd yn oed, yn troi at gapeli gwahanol heb darfu ar yr heddwch
teuluol.[92] Eithriadau yw'r rhain fodd bynnag. Fe allai'r anghytuno
barhau am flynyddoedd, a cheir nifer o enghreifftiau o garfanau'n
gwyrdroi'r penderfyniad gwreiddiol i newid iaith y gwasanaethau. Yn
Nhabernacle, Trosnant a Salem, Trelyn dychwelwyd at y Gymraeg
ddwywaith cyn mabwysiadu'r Saesneg yn derfynol.[93]

Er na ddylid cyffredinoli, gan fod amgylchiadau pob capel yn
wahanol, i raddau helaeth Seisnigrwydd y plant a'r bobl ifanc a fyddai,
gan amlaf, yn ysgogi'r galw am wasanaethau Saesneg. Un dylanwad
pwysig yn hyn o beth oedd yr Ysgol Sul. Pwysleisir yn aml gyfraniad yr
Ysgol Sul yn cadw'r Gymraeg yn fyw. Cafwyd traethodau di-ri ar y
pwnc yn eisteddfodau'r sir yn ystod y cyfnod. 'Pwy fedr amau na fuasai'r
Omeraeg lân wedi ei cholli'n llwyr . . . oni buasai'r ysgol Sabothol . . . ei
hymarferyd?' gofynnodd awdur traethawd yn Eisteddfod Blaenau
Gwent yn 1850.[94] Ond mewn llawer man yn y sir dyna'n union a
ddigwyddodd, am fod y mwyafrif ohonynt yn dysgu Saesneg i'r plant.
Hyd yn oed yn 1840 medrai'r Comisiynydd Tremenheere dalu teyrnged
i ysgolion Sul y capeli Ymneilltuol am eu cyfraniad yn dysgu Saesneg i'r
dosbarth gweithiol, ac ategwyd hynny gan Adroddiad Addysg 1847.[95]
Yn ystod y chwedegau a'r saithdegau daeth y Saesneg yn rhan o
weithgareddau llawer o ysgolion Sul. Yng Nghasnewydd yn 1867,
cyhuddwyd diaconiaid y capeli o wadu'r Gymraeg yn yr Ysgol Sul.[96] Ac
er bod plant Ysgol Sul Pen-maen yn canu 'Gwnewch bopeth yn
Gymraeg' mewn cyngerdd ym mis Ebrill 1871, yn yr un mis cafwyd yr
adroddiad canlynol am Ŵyl De Ysgol Sul Aber-carn:

> Gresyn oedd clywed plant y Cymry yn adrodd Saesneg . . . Gwarth! Pa
> ryfedd fod y Saesneg yn ennill tir yn Sir Fynwy pan fo'r Cymry eu hunain yn
> ei chodi i fyny.[97]

Yn aml, athrawon yr ysgolion Sul a fyddai ar flaen y gad yn galw am
gyflwyno Saesneg i'r oedfaon. Yn Ebenezer, Pontnewynydd, er

enghraifft, hwy oedd fwyaf awyddus i gael chwarter awr o Saesneg yn y gwasanaeth hwyrol er mwyn y bobl ifanc yn 1869–70.[98] A buan iawn y dechreuodd y capeli fedi cynhaeaf eu polisi o osod pwys ar y Saesneg yn yr Ysgol Sul. Yn Nhredegar, lle yr oedd aelodaeth y capeli Cymraeg yn dirywio, beiwyd y Cymry am fagu eu plant yn Saeson:

> Pe buasai'r Cymry . . . wedi cyflawni eu dyletswyddau tuag at y plant, ni fuasent mor analluog i siarad y Gymraeg ag ydyw naw o bob deg ohonynt; ni fuasai Saron, Elim, Adulam a Siloh mor wag ag ydynt, a ni fuasai gymaint o addoldai Saesneg . . . ym mha rai y mae y Cymry yn aelodau, y rhai na ddeallant Gymraeg na Saesneg yn iawn.[99]

Gwrthdaro rhwng y genhedlaeth hŷn a'r genhedlaeth iau oedd yr ymdrech rhwng y ddwy iaith yn y capeli Cymraeg felly. Fel hyn y disgrifia Crwys y sefyllfa ym Mrynmawr:

> Dadl yr hynafgwyr ydoedd, os oedd yr ieuanc eisiau Saesneg, wel aed drosodd i'r egwlysi hynny; barnai eraill fod y rhagolygon yn gofyn am ystyriaeth brysur, a bod rhyw bethau yn bwysicach na iaith.[100]

Drwy gydol y cyfnod, cyffyrddai'r ddadl hon â chraidd y berthynas gymhleth rhwng crefydd a'r iaith Gymraeg. Credai rhai y byddai'r Cymry, wrth golli eu hiaith, o angenrheidrwydd yn colli eu crefydd hefyd:

> *Look for a moment at those districts where the Welsh language has been supplanted by the English tongue, the inhabitants have degenerated in body and mind, and religion is but a shadow of a shadow.*

meddid yn 1869.[101] Teimlai eraill ei bod hi'n bosib trosglwyddo'r ymdeimlad crefyddol drwy gyfrwng iaith arall heblaw'r Gymraeg. Yr oedd hi felly yn ddyletswydd ar grefyddwyr i ddewis y Saesneg gan fod crefydd yn bwysicach nag iaith. 'Pan ddelo crefydd ac iaith i wrthdrawiad . . . yr olaf a ddylai ildio' yn ôl y Parch J. Glyn Davies, Casnewydd.[102] Âi eraill ymhellach, gan honni bod sefyll yn ffordd y Saesneg yn atal ewyllys Duw.[103] Priodolwyd dirywiad y capeli Cymraeg i gyndynrwydd y Cymry i symud gyda'r oes:

> *Loyalty to tradition is undoubtedly a fine feature, but when loyalty did not make for success, it was the duty of the fathers to make the Church more effective by changing the services to English.*

meddai hanesydd Methodistiaeth Galfinaidd yn yr sir wrth gyfeirio at brofiad capel Salem, Nant-y-glo.[104] Beiwyd diffyg rhagwelediad y tadau pan gaewyd Ebenezer, Pont-y-gof, yn 1892, a Siloh, Victoria, ychydig yn ddiweddarach.[105]

Ond wrth ddewis y Saesneg, sylweddolai Ymneilltuwyr Mynwy eu bod yn cefnu ar rywbeth amgen nag iaith:

Colled ddirfawr anghymodlon
Fyddai colli iaith y Brython
Syrthiai'r hwyl o'r galon gynnes
Heb Gymraeg i danio'r fynwes.

Dyna deimlad un o Gymry Casnewydd wrth glywed cynulleidfa fawr yn canu emyn Cymraeg mewn gwasanaeth yn y dref yn 1865.[106] Wrth sylwi ar gynnydd yr achosion Saesneg yn y sir yn 1886, teimlai Arthur Mynwy hefyd fod 'y sêl yn diffodd, a'r cynulliadau bastarddol o Gymraeg a Saesneg yn pylu yr awyrgylch addolgar oedd mor nodweddiadol o'n cyndeidiau'.[107] O dan yr amgylchiadau, rhaid oedd credu y gallai'r 'teimlad dwfn o grefydd gael ei amlygu yn yr iaith Saesneg fel yn yr iaith Gymraeg'.[108] Un ymdrech i sicrhau hyn oedd cyhoeddi llyfr emynau dwyieithog gan y Parch T. L. Jones, Machen. Fel un a fu'n weinidog mewn ardal ddwyieithog sylweddolai mai 'gorchwyl anodd iawn ydyw cadw i fyny deimlad crefyddol yn sefyllfa drawsnewidiol y gymdogaeth o'r Gymraeg i'r Saesneg'.[109]

Yn ôl rhai, bu'r ymdrech hon i drosglwyddo'r 'ymdeimlad Cymreig' yn llwyddiannus. Llonnwyd ymwelydd â chapel New Inn ger Cwmbrân yn 1861 wrth weld 'nad oedd yr hwyliau a'r teimladau Cymreig wedi llwyr ymadael' er bod 'cymaint o gymysgedd iaith wedi cymeryd lle mewn amser mor fyr'.[110] Credai rhai mai'r elfen Gymreig a fu'n gyfrifol am lwyddiant y capeli hynny a newidiodd iaith yr addoliad i'r Saesneg:

Yr hyn sydd yn ddiddorol yw mai yr hen eglwysi Cymreig sydd wedi myned yn eglwysi Saesneg yw eglwysi cryfaf ... Mynwy erbyn hyn. Gallasant gario trosodd i'r oruchwyliaeth newydd ryw arddeliad, hwyl ac afiaith na cheir yn gyffredin mewn eglwysi Saesneg.[111]

Wrth olrhain hanes capel Tabernacle, Abertyleri, yn 1954, priodolai'r Parch T. Glanville Jones lwyddiant yr eglwys i'r ffaith fod y gynulleidfa wedi medru cadw'r cynhesrwydd a'r hwyl Gymreig drwy gyfrwng yr iaith Saesneg.[112] Ond eu hargyhoeddiad fod Ymneilltuaeth Gymraeg a'r iaith Gymraeg yn anwahanadwy a barodd i lawer o gynulleidfaoedd lynu'n ddiysgog at eu mamiaith hyd y diwedd. Bu'r ymlyniad at yr iaith yn drech na ffyddlondeb i enwad mewn sawl man. Ffurfiwyd capeli Cymraeg cydenwadol ym Mhont-y-pŵl yn ystod y 1880au ac yng Nglynebwy rhwng y ddau ryfel byd.[113] Daliodd eraill eu tir hyd nes y bu'n rhaid iddynt ildio. Pum chwaer oedrannus a fynychai hen gapel y Babell pan gorfodwyd hwy i'w gau yn ystod y 1950au.

When the Welsh language dies, the Congregational Union of Monmouthshire will of necessity die ... When the Welsh language expires, the spirituality and sacredness of religion will expire at the same time.

Dyna broffwydoliaeth cadeirydd Cymanfa Undeb Annibynwyr Cymraeg Sir Fynwy yn 1905.[114] Gwireddwyd rhan gyntaf ei broffwydoliaeth. Ddiwedd 1982 diddymwyd yr Undeb a chytunodd y capeli Cymraeg a oedd yn weddill i ymuno â rhanbarth Morgannwg. Yn yr un modd, y mae capeli'r Bedyddwyr yn awr yn rhan o Gymanfa Bedyddwyr Dwyrain Morgannwg a Mynwy. Yn ystod yr ugeinfed ganrif gwelwyd diflaniad Ymneilltuaeth Gymraeg wrth i'r iaith gilio. Caeodd capeli Cylchdaith y Wesleaid Cymraeg ym Mlaenau Gwent bob yn un ac un, a daeth pregethu Cymraeg i ben ymhlith y Wesleaid gydag ymddeoliad y Parch Islwyn Morgan ynghanol y 1970au. Y Methodistiaid Calfinaidd a lynodd at y Gymraeg hwyaf. Cyn uno capeli Cymraeg Rhymni Uchaf i greu gweinidogaeth fro ddwyieithog ym mis Mawrth 1992, Ebeneser, Twyncarno, capel y Methodistiaid Calfinaidd oedd yr unig gapel o blith pum capel Cymraeg y dref a fynnai ddefnyddio'r Gymraeg yn unig yn y gwasanaethau. Mae'r sefyllfa yn Rhymni heddiw (lle mae'r ddau gapel arall (Bedyddwyr ac Annibynwyr Rhymni Isaf) hefyd wedi troi'n ddwyieithog) yn dangos fod y broses o drawsnewid iaith y capeli yn broses anorffenedig sy'n dal i esgor ar ddadleuon ynglŷn â natur y berthynas rhwng crefydd a'r Gymraeg.

Y mae'n wir mai'r capeli Cymraeg oedd noddfa olaf yr iaith yn Sir Fynwy. Gwnaethant felly gyfraniad mawr i ymestyn oes y Gymraeg yn y sir. Eto, wrth olrhain hanes crefydd, ni ellir osgoi'r casgliad bod y cysylltiad agos rhwng y Gymraeg ac Ymneilltuaeth, yn y pen draw, wedi bod yn ddinistriol i'r naill a'r llall. Wrth neilltuo'r Gymraeg i fyd crefydd, gwadwyd iddi le teilwng fel iaith y byd a'r betws. Dangosodd astudiaethau cymdeithasegwyr iaith ei bod hi'n bosib diogelu iaith os neilltuir un cylch o weithgarwch cymdeithasol yn llwyr iddi. Er mai'r Gymraeg oedd iaith y capel yn Sir Fynwy, ni fu 'n gaer ddigon cadarn i sicrhau ei pharhad. Yn ogystal â'r tueddiadau Seisnig oedd yn rhan annatod o Ymneilltuaeth Gymraeg yn ystod y bedwaredd ganrif ar bymtheg, bu effaith y mewnlifiad Saesneg, a'r seciwlareiddio cyffredinol a ddigwyddodd cyn diwedd y ganrif, yn ffactorau ychwanegol a sicrhaodd ei difodiant graddol. Gwir y dywedodd 'Cwynfan Gwent' o Lynebwy yn 1922, 'Mae'r iaith Gymraeg yn marw â'r Beibl yn ei llaw'.[115]

V

Dysg a Darllen

Yn 1838 disgrifiai traethodwyr Eisteddfod Cymreigyddion y Fenni y newidiadau a ddigwyddasai yn sgil sefydlu'r gweithfeydd. Yn ddieithriad, pwysleisiwyd y 'cynnydd mewn gwybodaeth' a ddaeth i ran y Cymry cyffredin yn ystod cyfnod y Chwyldro Diwydiannol.[1] Prin iawn oedd 'manteision gwybodaeth' yn yr hen ddyddiau yn ôl Eiddil Ifor, ond wedi sefydlu'r gweithfeydd cafwyd trawsnewidiad. Cyferbynnai'r cyfnod pan oedd:

> . . . llwyrfrydoldeb ein serch at ein hiaith ein hunain yn rhwystr i ni . . . fyned rhagom yn llwybrau gwybodaeth . . . Nid oedd hwyrach un o bob deg . . . a'r archwaeth lleiaf ganddo i ddarllen cyhoeddiadau Saesneg, ac heblaw yr Ysgrythur Lân, nid oedd y pryd hwnnw nemawr iawn o lyfrau gwedi eu cyhoeddi yn ein hiaith . . .

Ond ddeng mlynedd ar hugain yn ddiweddarach:

> . . . pan ddechreuwyd . . . symud y rhwystrau, gwelwyd y trigolion, yn Saeson ac yn Gymry yn cynyddu yn gyflym mewn gwybodaeth. . . Nid oes braidd unrhyw genedl a gynyddodd lawer mwy na thrigolion Cymru yn y deng mlynedd ar hugain diwethaf.

Twf y wasg a chynnydd yr ysgolion Sul a fu'n bennaf gyfrifol am y newid yn ei farn ef. Y capeli Ymneilltuol, meddai, a greodd:

> . . . awyddfryd yn ein tlodion i ddwyn eu plant i fynu yn ddarllenwyr. Am ein bod yn siarad Cymraeg, ac nad oedd yn ein plith ond ychydig . . . o ysgolion Seisnig, nid rhyfedd ein bod mor belled ar ôl mewn darllen . . . Ond tua deng mlynedd ar hugain i nawr dechreuodd y Cymry estyn eu camrau, ac o hyny hyd heddyw, enillasant dir . . . ar y Saeson . . . Ac anodd ydyw cael un mewn ugain o dan ugain oed na all ddarllen yn dra rhugl.[2]

Darlun o ddatblygiad a gwelliant a geir gan Eiddil Ifor a'i gyd-draethodwyr wrth ddadansoddi cyflwr addysgol poblogaeth y gweithfeydd yn 1838. Flwyddyn yn ddiweddarach, tynnwyd darlun gwahanol iawn gan H. S. Tremenheere, comisiynydd y llywodraeth, a anfonwyd i'r ardal i adrodd ar gyflwr addysg ar ôl gwrthryfel y Siartwyr yn 1839. Tafla'r dystiolaeth a gasglodd amheuaeth ar honiad Eiddil Ifor mai anodd fyddai dod o hyd i un mewn ugain o dan ugain oed na fedrai ddarllen yn rhugl. Holodd ddau ar bymtheg o deuluoedd Cymraeg mewn dwy stryd gyfagos yn un o'r trefi diwydiannol, a chael bod deg o'r gwŷr yn medru darllen, chwech yn gwneud hynny yn amherffaith, tra na allai'r un ohonynt ysgrifennu. Pedair o'r gwragedd a fedrai ddarllen y Beibl yn Gymraeg. Ymhlith y tri ar hugain o blant rhwng pum mlwydd a phymtheg oed, pump a fedrai ddarllen, ac yr oedd un wrthi'n dysgu gyda'i rieni. Dau yn unig a fu mewn ysgol ddyddiol, ond mynychai tri ar ddeg o'r plant yr Ysgol Sul yn gyson. Sylwodd Tremenheere hefyd ar y math o lyfrau a oedd yn eiddo i'r teuluoedd. Beiblau, llyfrau emynau neu lyfrau crefyddol Cymraeg eraill oedd ganddynt, ac ni ddaeth ar draws un enghraiift o lenyddiaeth fwy cyffredinol. '*Of the few who have learnt to read at all, a large proportion confine themselves to the restricted literature of their own language*', oedd ei gasgliad.[3]

Nid oes amheuaeth fod Tremenheere yn iawn wrth ddweud fod cyfran uchel o'r boblogaeth weithfaol heb fedru darllen nac ysgrifennu, ac mae'n debygol fod Eiddil Ifor yn gormodi. Eto, hwyrach bod cefndir gwahanol y ddau yn gymorth i gysoni'r gwahaniaeth mewn pwyslais a geir gan y naill a'r llall. Ymwelydd di-Gymraeg oedd Tremenheere, a chomisiynwyd ei adroddiad ar sail y dybiaeth fod natur gythryblus poblogaeth yr ardal i'w phriodoli i ddiffyg darpariaeth addysgol. Yn wahanol i Eiddil Ifor, a fu'n rhan o'r adfywiad llenyddol yn yr ardal, ni fedrai werthfawrogi'r diwylliant bywiog a fodolai drwy gyfrwng yr iaith Gymraeg, nac ychwaith weld gwerth yn yr addysg grefyddol a gaed gan Ymneilltuwyr. Diddorol yw nodi, serch hynny, i'r ddau, y Cymro a'r comisiynydd, bwysleisio'r berthynas agos rhwng sefydliadau crefyddol ac addysg, ynghyd â natur grefyddol llenyddiaeth Gymraeg – nodweddion a fyddai'n ganolog i hanes addysg a bywyd diwylliannol Cymry'r ardal drwy gydol y ganrif.

Yr ysgolion Sul oedd prif gyfrwng addysg y dosbarth gweithiol yn ystod y blynyddoedd cynnar, ac fel y dangoswyd yn y bedwaredd bennod dysgwyd y Saesneg yn ogystal â'r Gymraeg mewn llawer ohonynt, er mai darllen Cymraeg a gâi'r sylw pennaf. Credai Tremenheere i'r ysgolion Sul ymgymryd â thasg enfawr nad oedd ganddynt mo'r adnoddau i'w chyflawni. Ond er iddo bwysleisio'u cyfyngiadau, bu'n rhaid iddo gydnabod eu cyfraniad. '*Unquestionably an inestimable service*', oedd ei sylw.[4] Ac eithrio'r ysgolion Sul, prin iawn oedd y ddarpariaeth addysgol ar gyfer poblogaeth weithfaol yr ardal ddiwydiannol yn ystod hanner cyntaf y ganrif. Ysgolion 'antur' preifat oedd mwyafrif yr ysgolion dyddiol, ac amrywiai eu safon yn fawr. O'i gymharu â'r cynnydd anferth yn y boblogaeth, bach iawn o gynnydd a gafwyd yn nifer y sefydliadau addysgol. Rhwng 1818 a 1835, er enghraifft, cynyddodd nifer yr ysgolion Cenedlaethol a Brutanaidd ym mhlwyf Aberystruth o ddau i wyth, a deg ysgol ddyddiol oedd yn y plwyf yn 1847.[5]

Sefydlwyd rhai ysgolion gan y diwydianwyr. Y gynharaf oedd Ysgol Waun y Pound, rhwng Cendl a Sirhywi, a sefydlwyd ar gyfer plant eu gweithwyr gan Kendall (Cendl) ac Atkinson a Barrow (Sirhywi). Rhwng pump ar hugain a deg ar hugain o blant a fynychai'r ysgol. Yn 1816 sefydlwyd ysgol ym Mlaenafon gan chwaer un o berchnogion y gwaith, lle y dywedwyd bod 120 o ddisgyblion. Er i feistri eraill wneud ymdrech i sefydlu ysgolion cyn 1840 — er enghraifft, yn y Farteg (1823), Trefethin (1832), Machen a Nant-y-glo (1837) — araf iawn oeddynt yn ymateb i'r angen addysgol.[6] Yn ôl Tremenheere, 2,986 o blant a dderbyniai addysg ddyddiol ym mhlwyfi Bedwellte, Aberystruth, Trefethin a Mynyddislwyn yn 1839. Flwyddyn yn ddiweddarach, tybiai Kenrick mai 927 o'r 3,547 o blant rhwng tair a deuddeg oed a fynychai'r ysgol ym mhlwyf Trefethin.[7]

Ar ôl gwrthryfel y Siartwyr yn 1839 daeth y dosbarth canol lleol yn fwy ymwybodol o'r angen i addysgu'r boblogaeth. Yn dilyn cyhoeddi Adroddiad Tremenheere yn 1840, a llythyr Hugh Owen at y Cymry yn eu hannog i sefydlu Ysgolion Brutanaidd yn 1843, cynyddodd y diddordeb mewn addysg ymhlith diwydianwyr, Eglwyswyr, ac arweinwyr yr Ymneilltuwyr fel ei gilydd. Sefydlwyd nifer o ysgolion dyddiol yn gysylltiedig â'r prif weithfeydd yn ystod y pedwardegau, ac erbyn cyhoeddi Adroddiad Addysg 1847 yr oedd 127 o ysgolion dyddiol, a 150 o ysgolion Sul yn gwasanaethu'r deunaw plwyf mwyaf gorllewinol yn Sir Fynwy. Er gwaetha'r cynnydd, darlun tywyll iawn o gyflwr addysg a dynnwyd gan yr adroddiad hwnnw. Yn wir, disgrifiwyd gorllewin Sir Fynwy fel ardal gwbl golledig:

> *Evil in every shape is rampant in this district . . . all good influences are comparatively powerless . . . The whole district teems with grime . . . and moral disorder, with scarcely a ray of mental or spiritual intelligence.*[8]

Creodd Adroddiad 1847 gynnwrf mawr yn yr ardal, yn arbennig oherwydd y modd y dilornwyd cymeriad y Cymry ar sail eu crefydd Ymneilltuol a'u hanallu i siarad Saesneg. Fel y dangoswyd eisoes, amddiffynnwyd y boblogaeth leol gan y gweinidogion Ymneilltuol, a chondemniwyd agwedd gwrth-Gymreig y clerigwyr Eglwysig. Er hynny, nid yr iaith, ond yn hytrach, y ddadl fawr dros ac yn erbyn yr egwyddor wirfoddol oedd y prif bwnc a hawliai sylw'r rheini a ymddiddorai mewn addysg yn ystod y blynyddoedd hyn.[9] Hyd yn oed ar ddechrau'r pumdegau, pan ddaethai mwyafrif yr Ymneilltuwyr i gefnogi'r Gymdeithas Frutanaidd a Thramor, ac i sylweddoli na allai cymdeithasau gwirfoddol ddarparu addysg gyflawn heb gymorth, ni pheidiodd y dadlau ynghylch derbyn cymorthdaliadau. Ychydig iawn,

iawn o sôn a fu am y Gymraeg fel cyfrwng dysgu. Ar y cyfan, derbyniwyd yr egwyddor mai ysgolion Saesneg oedd angen mawr y Cymry. Anwybyddwyd gwerth addysgol yr iaith, gan ei hystyried fel y prif rwystr i 'ddatblygiad' y genedl. Yn hyn o beth, nid oedd agwedd y mwyafrif o'r Ymneilltuwyr yn gwahaniaethu llawer oddi wrth syniadaeth y clerigwyr, comisiynwyr 1847 neu Tremenheere a ddywedodd yn 1846:

> *Good schools will aid materially in spreading the English language, the ignorance of which is one of the great causes of the backward state of the Welsh part of the population.*[10]

Fel y nodwyd yn y drydedd bennod, nid oedd yr egwyddor o addysg Gymraeg yn hollol angof yn ystod hanner cyntaf y ganrif. Yr oedd sefydlu ysgolion Cymraeg ymhlith amcanion gwreiddiol Cymdeithas Cymreigyddion y Fenni, er enghraifft. Yn ôl Carnhuanawc, gohebydd y gymdeithas yn 1833, yr oeddynt wedi:

> ... ymrwymo, mor bell ag y mae amgylchiadau yn caniatau, i fynu idd eu plant ddysgu yr iaith Gymraeg ar ryw ran o bob dydd yn feunyddiol yn yr ysgolion dyddiol yn ogystal ag ar y Sabothau.[11]

Yn unol â'u bwriad, sefydlodd Cymreigyddion y Fenni ysgol ddyddiol i ddysgu Cymraeg i blant di-Gymraeg ym mhlwyf Llanwenarth, ysgol a fyddai'n 'ail adfer yr iaith i Fynwy'. Prin iawn yw'r wybodaeth am yr ysgol, ac ni cheir cyfeiriad ati ar ôl mis Tachwedd 1837 pan ddywedir mai Caradawc oedd yr athro.[12] Ni sefydlwyd ysgolion Cymraeg gan y Cymreigyddion mewn mannau eraill, ac erbyn 1847 saith ysgol yn unig, o gyfanswm o 127 o ysgolion yng ngorllewin Sir Fynwy, a ddefnyddiai'r Gymraeg. Nid oedd un ysgol yn gyfan gwbl Gymraeg. Ynghyd â thair ysgol breifat ym mhlwyf Bedwellte, dysgwyd yr iaith mewn dwy ysgol ym mhlwyf Llanofer, yn Ysgol Genedlaethol Crymlyn ac yn Ysgol Aber-carn.[13] Sefydlwyd Ysgol Aber-carn o dan nawdd Arglwyddes Llanofer yn arbennig er mwyn dysgu'r Gymraeg, ond mae peth amwysedd ynglŷn â'r dystiolaeth sydd ar gael amdani. Ceir cyfeiriad ati yn Adroddiad 1847, pan roddwyd adroddiad anffafriol i'r Comisiwn gan un o gynorthwywyr y comisiynwyr:

> *The chief promoter insists on the schoolmaster teaching Welsh to the children as well as English. The first class of boys were reading the second Welsh class book. . . . Only one understood and could converse in Welsh; they read incorrectly . . . they could not answer the simplest question in Welsh grammar . . . The schoolmaster is a good Welsh scholar, but thought it quite impracticable to teach the Welsh language to English children as they would not stay in the school a sufficient time.*[14]

Fe ymddengys felly mai dysgu plant o gartrefi di-Gymraeg a wnaed yno, ond o ystyried Cymreigrwydd y pentref yn y cyfnod, nid yw'n debygol fod holl ddisgyblion yr ysgol heb fedru'r iaith. Wrth drafod cywirdeb Adroddiad 1847, gwadai Ieuan Gwynedd fodolaeth 'ysgol yr Arglwyddes Hall ym Mynyddislwyn'. Nid oes tystiolaeth arall yn dyddio o 1847, ond yn sicr yr oedd yr ysgol mewn bodolaeth yn 1854–5, oherwydd ceir cyfeiriad ati yn nyddiaduron Nefydd, ac mewn adroddiad papur newydd pan sonnir am dros gant o blant yn mwynhau te parti yn Ysgol Gymraeg yr Arglwyddes Hall.[15]

Ac eithrio'r ysgolion hynny a ddeuai o dan ddylanwad Arglwyddes Llanofer, ychydig iawn o ymdrechion ymarferol a wnaed i gyflwyno'r Gymraeg i fyd addysg. Er hynny, yr oedd y testun, 'Y priodoldeb o ddysgu'r Gymraeg i blant Cymru' yn un poblogaidd yn eisteddfodau'r Cymreigyddion a'r Iforiaid yn y sir, a bu nifer o aelodau mudiad y Cymreigyddion yn barod i ddadlau achos addysg Gymraeg.[16] Hwyrach mai Eiddil Ifor oedd y mwyaf llafar ei farn ar y pwnc erbyn canol y ganrif. Mewn erthygl ar 'Ddiwylliant y Werin Gymraeg', yn 1854 cydnabu:

> . . . esgeulusdra mawr y werin Gymraeg am ei bod yn rhy gyffredin yn rhoddi addysg foreuawl iddi eu plant . . . mewn dull diffygiol, sef dysgu yr iaith Saesneg iddynt cyn cyfrannu iddynt addysg yn eu hiaith eu hunain.[17]

Credai fod gwerth dysgu'r Gymraeg i blant yn gyntaf, nid yn unig am resymau ymarferol, ond hefyd oherwydd gwerth cynhenid yr iaith. Fel yr awgrymwyd eisoes, mae'n bosib mai Eiddil Ifor oedd awdur cyfres o lythyrau a gyhoeddwyd yn *Seren Gomer* yn ystod y pedwardegau o dan y ffugenw, 'Emyr Llydaw'. Yn y llythyr a gyhoeddwyd ym mis Ebrill 1845 dywedwyd mai canlyniad dysgu Saesneg yn unig i'r plant fyddai:

> . . . eu gwneud yn anwybodus o genedlgarwch eu hynafiad, . . . eu hestroneiddio, . . . gosod mur rhyngddynt rhag dyfod i feddiant o wybodaeth am geinion awenyddol gwlad eu genedigaeth, ei deifion a'i harferion.

Ym mis Awst 1846 meddid:

> Mawr ffwdan sydd o barth yr Ysgolion Brutanaidd yn bresennol; a gallesid meddwl y buasai brwdfrydedd drostynt yn rhwymo y Cymry i gael y Gymraeg i mewn i Normaliaeth, ond Ow! . . . dim dysgu y Gymraeg yma eto . . .

Pleidiwr yr egwyddor wirfoddol oedd yr awdur, ac un o'i resymau dros ymwrthod â chymorthdaliadau oedd:

> . . . am nad oes achos i ni, drigolion Cymru, hidio dim am roddion y llywodraeth; nid oes dim ohonynt yn cael eu talu er buddiant a dysgeidiaeth Gymraeg.[18]

Codwyd ambell lais o blaid addysg Gymraeg gan y garfan arall hefyd. Wrth alw ar y Cymry i gefnogi ymdrechion Hugh Owen dros Ysgolion Brutanaidd, meddai'r Parch D. Llwyd Isaac, Pont-y-pŵl:

Dechreuwch gyda dysgu y Gymraeg i'r plant yn gyntaf . . . Pwy a glywodd am un genedl arall . . . ag sydd yn dysgu iaith estronol idd eu plant?[19]

Lleisiau unigol oedd y rhain, fodd bynnag. Anaml iawn y codwyd pwnc yr iaith yn sgil y trafodaethau mawr ar addysg rhwng 1843 a 1850. Wrth dynnu sylw at yr angen am ysgolion yn 1846, pwysleisiai'r Gymdeithas Addysgiadol Gymreig fanteision addysg Saesneg er mwyn agor y drws i 'drysorfeydd o wybodaeth'. Dadleuwyd y byddai gwybodaeth o'r Saesneg yn sicrhau y câi'r Cymry degwch o flaen y gyfraith (nid ystyriwyd safbwynt y Cymreigyddion, sef y dylid mynnu'r hawl i gynnal achosion llys yng Nghymru yn Gymraeg).[20] Hwyrach bod safbwynt golygydd *The Cardiff and Merthyr Guardian* yn yr un flwyddyn yn adlewyrchu agwedd llawer o Gymry'r cyfnod tuag at le'r iaith Gymraeg yn y byd addysg:

> *Let it be understood, we do not wish our own language to be obliterated . . . but, whilst it might form as a medium of social intercourse, and above all, for the expression of . . . supplications at the Throne of Grace, we would still earnestly endeavour to impart to every native of our beloved country a knowledge of that language by means of which alone they may attain advancement in the present day.*[21]

Os oedd ymwybyddiaeth o bwysigrwydd yr iaith Gymraeg o gwbl ymhlith y rheini a weithiai dros sefydlu ysgolion yn y pedwardegau, ymwybyddiaeth a ddehonglwyd yn nhermau moesol a chrefyddol ydoedd. Pan ddadleuai Ieuan Gwynedd o blaid parhad yr iaith Gymraeg yn 1848, am grefydd yn unig y soniai:

> *If the Welsh language were to perish . . . one of the greatest bulwarks of our safety and happiness as a nation would be removed. Religion is the glory of our land . . .*[22]

Er na ellir gwadu bod ysbryd 'cenedlaethol' wedi'i gynhyrfu yn sgil y dadlau a ddilynodd gyhoeddi'r 'Llyfrau Gleision', y 'genedl Anghydffurfiol' a oedd yn ymateb. Pwrpas crefyddol yn unig oedd i'r iaith Gymraeg yn nhŷb addysgwyr yr oes, a phrin y gellir dweud i'r adroddiad ysgogi ymwybyddiaeth genedlaethol yn yr ystyr eu bod yn ymwrthod â gwerthoedd Seisnig. Yn wir, gellir dadlau i'r adroddiad gael effaith i'r gwrthwyneb, gan greu awydd cryfach ymysg y Cymry i brofi eu gwerth i'r Saeson ym myd addysg Saesneg. Ni fanteisiodd y Cymreigyddion ar gynnwrf 1848 er mwyn hyrwyddo'r nod cynharach o sicrhau lle teilwng i'r Gymraeg ym myd addysg. Ac eithrio rhai unigolion, ni chodwyd amheuaeth ynglŷn â'r polisi o ddysgu'r Saesneg yn unig i blant y Cymry.

Dechreuodd ymgais yr Ymneilltuwyr i ehangu'r ddarpariaeth addysgol yn ne Cymru o ddifrif yn 1853 pan benodwyd Nefydd yn gynrychiolydd y Gymdeithas Frutanaidd yn yr ardal. Y Gymraeg oedd iaith gyffredin y dosbarth gweithiol yng ngorllewin Sir Fynwy o hyd.

Dyma gyfiawnhad John Bowstead dros gynnwys y sir yn ei adroddiad i'r Gymdeithas yn 1854. Ond trwytho'r plant yn yr iaith Saesneg oedd y nod. Sylw'r arolygwr, Matthew Arnold, ar Ysgol y Blaenau yn 1852, oedd '*The lower part of this school might, with advantage, have more done to Anglicise them*'.[23] Er mai'r Gymraeg oedd prif iaith ymgyrchu'r Gymdeithas Frutanaidd yn Sir Fynwy, ni fynegwyd awydd i ddysgu'r iaith yn yr ysgolion. A hwyrach bod Nefydd ei hun yn nodweddiadol o'r ddeuoliaeth a fodolai yn agwedd pobl y cyfnod tuag at yr iaith. Er ei fod yn weinidog gyda'r Bedyddwyr Cymraeg, yn llenor ac yn eisteddfodwr, yn aelod gyda'r Cymreigyddion, ac, yn nes ymlaen, yn aelod o Lys yr Eisteddfod, ni cheisiodd, am a wyddys, ddylanwadu ar y Gymdeithas Frutanaidd i ddefnyddio'r Gymraeg fel cyfrwng, ac ychydig iawn o gyfeiriadau at y Gymraeg a geir yn ei adroddiadau. Agwedd anffafriol oedd ganddo tuag at ysgol yr Arglwyddes Llanofer yn Aber-carn. Er ei fod yn gyfarwydd â'r Arglwyddes, ei sylw, wrth ymweld â'r ysgol yn rhinwedd ei swydd yn 1854 oedd:

> The teacher, John Hall, is pretty well informed in the Welsh language, but is very backward in English, therefore the school is a very inferior one.[24]

Wrth adolygu ei gyfraniad, dyma a ddywed Dr E. D. Jones am agwedd Nefydd tuag at yr iaith Gymraeg mewn addysg:

> Nefydd is strangely silent on this important aspect . . . A firm stand for the use of Welsh similar to that taken by Griffith Jones of Llanddowror in the eighteenth century would have altered the whole character of Welsh education.[25]

Ond yr oedd cymdeithas ddiwydiannol Sir Fynwy'n wahanol iawn i'r gymdeithas y perthynai Griffith Jones iddi. O dan amgylchiadau'r oes oedd ohoni dewisai rhieni addysg Saesneg i'w plant. Sylwyd ar yr awydd hwn gan Bwyllgor y Cyngor ar Addysg yn 1846:

> The mass of the population . . . are exceedingly desirous that their children should learn it . . . , for English being the language of promotion, a Welsh parent of the humbler class does not care to send a child to day school unless the first object be to learn English.
> So strong indeed is the desire for English that it is a fundamental rule of the day schools that English only shall be taught in them.[26]

Yn ôl adroddiad y pwyllgor, nid oedd y rhieni o fwriad am ddileu'r arfer o siarad Cymraeg, ond yr oeddynt yn 'gymharol ddihid' ynglŷn â chadw'r iaith i genedlaethau'r dyfodol. Nid rhyfedd mai dyma agwedd rhieni Sir Fynwy. Dros y blynyddoedd, gwelsent bwysigrwydd cynyddol yr iaith Saesneg yn eu cymdeithas, a bu dylanwad y gweinidogion yn ffactor bwysig yn lliwio barn rhieni Ymneilltuol. Crisiala cyfres o lythyrau gan y Parch E. Roberts, gweinidog y Bedyddwyr ym Maesaleg, a gyhoeddwyd yn *The Star of Gwent* yn 1855 o dan y teitl '*Welshmen and the English Language: A plea for Education in the*

Principality', syniadaeth yr oes. Ynddynt dadleuai mai drwy gyfrwng y Saesneg y dylasid addysgu plant y Cymry, a hynny er mwyn sicrhau swydd dda a thegwch o flaen y gyfraith i bob Cymro, ynghyd â ffyniant masnachol y wlad. Fel gweinidog ar gapel Cymraeg, eisteddfodwr ac aelod o gymdeithas yr Iforiaid, yr oedd yn barod i roi lle i genedlgarwch, ond y Saesneg, ac nid y Gymraeg oedd iaith y dyfodol. Yn ei lythyr olaf yn y gyfres gofynnai:

> *What will become of the Welsh language? That we are not prepared to answer . . . The prevalence of English does not . . . necessitate the death of Welsh, . . . it is our belief that Welsh will hold its grasp . . . for some centuries more. But . . . if it obstructs the march of progress . . . the true friends of their country would not wish to postpone its euthanasy.*[27]

Pwysleisiai'r agwedd iwtilitaraidd hon ddefnyddioldeb yr iaith Saesneg. Ystyrid y Gymraeg yn ddiwerth, ac eithrio fel iaith i'w defnyddio ar gyfer dibenion crefyddol. Ond wrth anwybyddu'r Gymraeg yn yr ysgolion, methodd Cymry'r cyfnod â sylweddoli ei photensial defnyddiol. Un o brif ddadleuon pleidwyr y Gymraeg mewn addysg oedd y ddadl ymarferol. Ym mis Ebrill 1845, er enghraifft, tybiai 'Emyr Llydaw' mai'r polisi callaf fyddai addysgu'r plant drwy gyfrwng eu mamiaith. Canlyniad dysgu'r Saesneg yn gyntaf, meddai, oedd creu, 'Cymry Saesonig . . . ' rhwng dwy gadair wedi syrthio idd y llawr heb ddal yr un, a hyny o achos . . . balchder anwybodus eu rhieni'.[28]

Gellid meddwl y buasai'r ysgolion hynny a roddai ystyriaeth i'r ffaith mai'r Gymraeg oedd mamiaith y plant yn fwy llwyddiannus na'r rheini a wrthodai gydnabod hynny. Yn y Blaenau, er enghraifft, sicrhawyd bod athrawon ysgol y cwmni yn Gymry Cymraeg er 1846. Yn Adroddiad Bowstead (1853) disgrifiwyd hi fel ysgol dda a lwyddai i wneud iawn am y ffaith mai'r Gymraeg a siaradai'r disgyblion gartref. Cyfeiriwyd ati eto yn 1856 pan nodwyd bod problemau arbennig y sefyllfa ieithyddol wedi eu goresgyn yn llwyddiannus.[29] Yn 1871, ymddangosodd hysbyseb am athro i Ysgol Rhyd-y-blew, Cendl. Nid 'rhyw goegyn Seisnig' oedd ar yr ysgol ei angen, meddid, ond rhywun a fedrai 'barablu yn groyw a rhwydd yn yr annwyl iaith Gymraeg', a hynny 'am fod rhan fawr o boblogaeth Cendl hyd yn hyn yn Gymry o ran gwaedoliaeth ac iaith'.[30] Ond eithriadau oedd yr ysgolion a ddefnyddiai'r Gymraeg. Yn wir, prin iawn yw'r cyfeiriadau at yr iaith yng nghofnodion ysgolion yr ardal. Gan amlaf, ystyrid hi'n rhwystr. Yn 1868, er enghraifft, ysgrifennai Mr Kovachich, prifathro Ysgol Uchaf Rhymni, am ei ddisgyblion, '*Find the Welsh language a hindrance to their progress in English, as it is Welsh in the home, in society and in the chapel*'.[31]

Erbyn y chwedegau, dechreuwyd sylweddoli bod yr ysgolion Saesneg yn dylanwadu ar iaith y gymdeithas o'u cwmpas. Yn 1865 ymhyfrydai'r Parch David Rees, Llanelli, yn yr 'Ysgolion dyddiol gorwych' a oedd yn 'newid tybiau, chwaeth a thafodaith y plant'.[32] Yn ei atgofion am ei gyfnod yn ysgol Mr Kovachich yn Rhymni ddiwedd y saithdegau, dywed Thomas Jones:

> *No Welsh was spoken or taught in school in my time, and this fact tended to oust it from the home and the street. I have been told that we spoke Welsh at home until I was about six, and that thereafter, as the children went to school, the family turned to English and reserved Welsh for the purposes of religion.*[33]

Mewn rhai mannau yn Sir Fynwy yr oedd effaith yr ysgolion dyddiol eisoes yn dylanwadu ar iaith y capel. Yn 1868, teimlai'r Parch J. Davies, Casnewydd, mai craidd problem ieithyddol y capeli oedd y ffaith nad oedd gan Gymru 'addysg o'i heiddo ei hun'. Credai fod y sefyllfa eisoes y tu hwnt i adferiad:

> Gan nad oes gobaith mwyach y rhoddir addysg yn iaith y wlad, rhodder hi, gyda'r holl anfanteision cydfynedol a hynny, yn yr iaith Saesneg. Gwneler hynny yn hytrach na'u bod (y plant) yn tyfu i fyny heb ddysgu . . . dim.[34]

Y Saesneg a orfu. Ar ôl i Ddeddf Addysg 1870 ddod i rym, dwysawyd effaith yr ysgolion fel cyfryngau Seisnigeiddio. Erbyn chwarter olaf y ganrif, ac yn arbennig ar ôl i addysg elfennol ddod yn orfodol, deuai cyfran uwch o blant o dan eu dylanwad, a phrin iawn oedd y boblogaeth uniaith erbyn hynny.

Er mai cymdeithas ddwyieithog oedd cymdeithas yr ardal ddiwydiannol, nid oedd 'dwyieithrwydd' yn rhan o syniadaeth addysgwyr yr oes. Credid fod yn rhaid dewis y naill iaith neu'r llall, ac nid ystyrid y gallai dwyieithrwydd gyfoethogi profiad addysgol y plant. Y cyntaf i herio'r syniadaeth gyfoes oedd Dan Isaac Davies a sefydlodd Gymdeithas yr Iaith Gymraeg yn 1885 er mwyn dwyn pwysau ar yr awdurdodau i gynnwys y Gymraeg yn y gyfundrefn addysg. Credai y dylid dysgu'r Gymraeg fel 'Pwnc Arbennig' (dewisol) yn yr Ysgolion Bwrdd. Ond er iddo ef a'i gefnogwyr herio'r drefn oedd ohoni, nid amcan y gymdeithas oedd diogelu dyfodol y Gymraeg; yn hytrach:

> Gwneud defnydd rhesymegol o'r Gymraeg yn ein hysgolion . . . Nid rhwystro lledaeniad yr iaith Saesneg, nac . . . unigoli'r genedl Gymraeg. I'r gwrthwyneb, . . . sicrhau gwybodaeth mwy deallusol a synhwyrol o'r iaith Saesneg yn ein hysgolion drwy ddefnyddio'r Gymraeg fel cyfrwng addysgol.[35]

Rhoddodd Dan Isaac Davies gryn dipyn o sylw i Sir Fynwy yn ei erthyglau a'i lythyrau i'r wasg yn 1885 a 1886. Yr oedd wedi ei argyhoeddi fod 'llawer iawn mwy o Gymraeg yn Sir Fynwy nag a feddylir gan y rhai sydd mewn awdurdod . . . ac mae tuedd i fychanu nerth yr elfen Gymreig'.[36] Yn wir, cafodd ei fudiad gefnogaeth dda yno. Caed cynrychiolaeth sylweddol o Sir Fynwy a Chwm Rhymni ar restr aelodaeth 1886. Y mwyaf gweithgar yn eu plith oedd y Parch Aaron Davies, Pontlotyn (aelod blaenllaw o Fwrdd Ysgol Gelli-gaer) a J. E. Southall, yr argraffydd o Gasnewydd. Yn wahanol i bolisi swyddogol y gymdeithas, mynnai Southall mai'r prif nod oedd diogelu dyfodol y Gymraeg drwy addysg, a hynny yn yr ardaloedd Seisnig yn ogystal ag yng nghefn gwlad Cymru. Mewn traethawd ar y pwnc a enillodd wobr iddo yn Eisteddfod Genedlaethol Casnewydd yn 1897, dadleuai fod gwerth cynhenid mewn dysgu'r Gymraeg i blant di-Gymraeg:

> . . . they will be better qualified for the social duties of Welsh citizenship of knowing something . . . of the language spoken by fifty per cent of the total population of Wales and Monmouthshire . . . An educationalist knows nothing of the preservation of a language . . . it is just from this standpoint that education in Wales has failed.[37]

Yn sgil ymgyrch Cymdeithas yr Iaith Gymraeg, cafwyd ymdrechion i sicrhau lle i'r Gymraeg fel 'Pwnc Arbennig' ar amserlen rhai o Ysgolion Bwrdd Sir Fynwy. Ym mis Ionawr 1888 trafodwyd cynnig i'r perwyl gan Fwrdd Ysgol Bedwellte. Ond o ganlyniad i welliant gan y Canon William Evans (ficer Rhymni a Chymro blaenllaw a siomodd lawer o bobl y dref yn ei agwedd at y pwnc), rhoddwyd dewis i'r prifathrawon i weithredu'r cynllun ai peidio.[38] O ganlyniad, dwy ysgol yn unig a fabwysiadodd y polisi. Daeth y pwnc i sylw'r Bwrdd eto yn 1893, a'r tro hwn y cynnig oedd i ddysgu'r Gymraeg fel 'Pwnc Dosbarth' (gorfodol) yn Ysgolion Uchaf ac Isaf tref Rhymni, ac mewn unrhyw ardal arall lle y credid y byddai hynny'n ymarferol.[39] Er i'r Bwrdd gytuno ar hynny, fe ymddengys mai effaith gyfyngedig a gafodd yr ymdrechion i gyflwyno'r Gymraeg yn ysgolion ardal Bedwellte. Rhymni oedd tref Gymreiciaf yr ardal, a dyna'r unig fan lle y gweithredwyd y polisi'n llawn. Bu'r Ysgol Uchaf yn dysgu peth Cymraeg er yr wythdegau pan ddaeth y Cymro a'r Rhyddfrydwr, Daniel Thomas, i gymryd lle Mr Kovachich fel prifathro. Byddai adran y babanod yn perfformio dramâu a chyngherddau Cymraeg yn y cyfnod hwn, a dangoswyd cryfder yr elfen Gymraeg yn 1885 pan geisiodd y Bwrdd orfodi 80 o blant yr Ysgol Uchaf i symud i'r Ysgol Ganol. Cafwyd protest gan y rhieni a deimlai y byddai hynny'n Seisnigeiddio'r plant.[40] Yn 1898 profodd Cynllun Darllen Cymraeg y Bwrdd yn llwyddiannus yn yr adrannau iau yn Rhymni, a mabwysiadwyd ef gan ysgolion Pengam.[41] Ar y cyfan, fodd bynnag, ni wnâi aelodau Bwrdd Bedwellte eu heithaf i hyrwyddo'r Gymraeg. Awgrymir hyn gan Southall wrth iddo, yn 1901, dalu teyrnged i Daniel Thomas am ddysgu'r Gymraeg yn Ysgol Uchaf Rhymni am bymtheng mlynedd:

> Quietly, steadily and unostentatiously, he has plodded on without the active support of his Board . . . giving his scholars a foothold in the . . . life of the Welsh nation.[42]

Ond er i Southall ganmol Cymreictod yr ysgol yn 1901, mynna aelodau'r genhedlaeth hŷn yn Rhymni a fynychodd yr ysgol yn ystod y dau ddegawd canlynol nad ydynt yn cofio cael Cymraeg yno, er bod yr athrawon yn Gymry Cymraeg. Ni chafwyd Cymraeg o gwbl yn Ysgolion Bwrdd Bedwellte yn Nhredegar a Chendl yn ôl tystiolaeth un Gymraes o Rymni a fu'n dysgu ynddynt yn ystod degawdau cyntaf y ganrif hon.[43]

Bwrdd Mynyddislwyn oedd yr unig Fwrdd Ysgol arall yn y sir i roddi ystyriaeth i'r awgrym y dylasid dysgu'r Gymraeg. Cynigiwyd hyn mewn cyfarfod ym mis Mehefin 1898, a phenderfynwyd cynnal arolwg barn ymhlith rhieni'r cylch. Cyhoeddwyd y canlyniad ym mis Medi yr un flwyddyn.[44] Mynegodd 1,275 o rieni awydd i'w plant ddysgu'r Gymraeg yn yr ysgol. Yr oedd 146 yn erbyn, a 117 heb farn bendant.

Such an astonishing amount of majority would convince all but the most sceptical that there was real Welsh feeling in the population, and it was said to exist more strongly among many of those of English descent than among the Welsh themselves.

oedd sylw Southall.[45] Penderfynodd y Bwrdd wneud y Gymraeg yn orfodol yn safonau I a II yn ysgolion y babanod. Awgrymwyd y dylai'r plant ddysgu emynau a chaneuon gwerin Cymraeg ac adrodd 'Gweddi'r Arglwydd' bob dydd.[46] Dechreuwyd gweithredu'r cynllun ym mis Medi 1898, ond buan y rhoddwyd y gorau iddo. Beirniadwyd y Bwrdd gan Southall am ddechrau ar gynllun heb sicrhau adnoddau digonol i'w weithredu'n llwyddiannus. Yn yr un modd, methodd cynllun Bwrdd Bedwellte. Er i dair adran yn yr ardal gyflwyno'r Gymraeg yn 1897, un adran yn unig a oedd yn dysgu'r pwnc ymhen dwy flynedd. Wrth sôn am y methiannau, meddai Southall:

Bedwellty and Mynyddislwyn School Boards, which might have been rising stars in a new vigorous national life . . . were allowed to flounder in indecision and incompetency.[47]

Erbyn 1927, pan gyhoeddwyd adroddiad Pwyllgor Adrannol y Bwrdd Addysg, 'Y Gymraeg mewn Addysg a Bywyd', Rhymni oedd yr unig fan yn y sir lle dysgid y Gymraeg yn yr ysgolion elfennol. Y mae'n arwyddocaol i aelodau'r pwyllgor argymell y dylasid ymdrin â Thwyncarno (Rhymni) fel ardal gwbl Gymraeg, gan weithredu polisïau iaith tebyg i'r rheini a awgrymwyd ar gyfer ardaloedd Cymreiciaf Cymru. [48] Ni wireddwyd yr argymhellion, fodd bynnag, fel y tystia'r genhedlaeth honno a addysgwyd yn Rhymni yn ystod y tridegau. Ni ellir amau na chafodd yr ysgolion elfennol ddylanwad mawr yn y broses o Seisnigeiddio'r dosbarth gweithiol yn Sir Fynwy yn ystod y bedwaredd ganrif ar bymtheg. Ers y dyddiau cynnar yr oedd dileu'r Gymraeg yn un o amcanion sefydlu'r Gyfundrefn Addysg:

Sanction . . . has been given . . . to the opinion . . . that this disastrous barrier to all moral

improvement and popular progress may be speedily removed by the establishment of
English schools . . . [49]

meddai Syr Thomas Phillips yn 1849. Yn 1861, wrth restru'r cyfryngau
cymdeithasol hynny a oedd yn achosi'r trawsnewid ieithyddol,
cydnabu'r arolygwr John Jenkins bwysigrwydd dylanwad yr ysgol:

> . . . *among them, in foremost rank, the school. It's proper position in this work of changing*
> *the language of a people is that of adjutant, and a most powerful one.*[50]

Yn ei asesiad yntau o achosion Seisnigeiddio ardal ddiwydiannol Sir
Forgannwg, dywed J. Parry Lewis:

> *By itself, educational policy need not have harmed the Welsh language greatly . . . But*
> *combined with immigration, which emphasised the value of English, . . . and provided a*
> *growing nucleus of reasons and excuses, educational policy, and public unconcern, tolled*
> *the knell of an ancient tongue.*[51]

Er mor bwysig oedd dylanwad yr ysgolion yn peri i blant gefnu ar eu
mamiaith, ni ddylid eu hynysu fel dylanwad unigol. Yn hytrach, gwelir
hwy fel rhan o rwydwaith o ddylanwadau cymdeithasol ac economaidd
a grewyd yng nghyd-destun meddylfryd cyfnod a osodai bwyslais mawr
ar gynnydd materol a deallusol. Yn y gorffennol, ond odid na
orbwysleisiwyd rhan yr ysgol yn y broses o golli'r iaith. Cofier, er
enghraifft, nad oedd yr ysgol yn gymaint rhan o fywyd plentyn ag ydyw
erbyn hyn. Serch hynny, bu'r ysgolion yn offerynnau pwysig er ffurfio
agweddau cymdeithasol, a'r canlyniad fu iddynt fod yn gyfryngau i
newid iaith chwarae plant, ac iaith aelwydydd.

Nid yr ysgolion dyddiol oedd unig gyfryngau addysg y dosbarth
gweithiol yn y cyfnod. Fel y crybwyllwyd eisoes, mae'n bosib i'r ysgolion
Sul gael mwy o ddylanwad na'r ysgolion dyddiol wrth ddysgu plant ac
oedolion i ddarllen. Bu sefydliadau eraill, gan gynnwys dosbarthiadau
nos a chymdeithasau diwylliannol, hefyd yn gyfryngau addysgol
pwysig. Yn aml, byddai'r rhain yn gysylltiedig â'r capeli. Er enghraifft,
yn y Blaenau ymunai'r holl ysgolion Sul Cymraeg i gyfarfod fel
cymdeithas lenyddol. Bu ysgol lenyddol mewn cysylltiad ag Ysgol Sul
capel Carmel, Sirhywi, am flynyddoedd lawer, ac yno y meithrinwyd
dawn nifer o feirdd a llenorion. Yn 1848 cynhaliai gweinidogion Sirhywi
ddosbarthiadau er mwyn egluro a thrafod materion gwleidyddol a
phroblemau cymdeithasol.[52] Yr ysgolion Sul neu'r capeli a arferai
drefnu mwyafrif y darlithoedd addysgiadol a ddaeth mor boblogaidd yn
ystod ail hanner y ganrif.

Wrth dynnu darlun mor ddu o sefyllfa anwybodus y Cymry, nid oedd
adroddiadau'r llywodraeth yn ystod hanner cyntaf y ganrif yn
gwerthfawrogi'n llawn gyfraniad y capeli yn hyn o beth. Anwybyddent
hefyd y gweithgarwch diwylliannol a ganolwyd yn y tafarndai. Seiliai

Tremenheere, er enghraifft, ei farn am ddiffyg adloniant diwylliannol yr ardal ar y ffaith nad oedd yno ond un '*Mechanics Institute*' yn 1839, sef Sefydliad Pont-y-pŵl. Cynyddodd nifer y 'Sefydliadau Llenyddol a Gwyddonol' hyn yn ystod y degawd dilynol, mae'n wir, ond prin oedd y gefnogaeth gan y gweithwyr hyd nes iddynt ddechrau cynnal dosbarthiadau drwy gyfrwng y Gymraeg. Yn 1850, er enghraifft, disgrifiwyd Sefydliad (dwyieithog) Aber-carn, a sefydlwyd gan Mr Rogers, rheolwr y gwaith (a Chymro Cymraeg), flwyddyn ynghynt fel hyn:

> An institution . . . really devoted to the improvement of the working classes. I believe this is a new feature of educational development in this part . . . The neighbouring Mechanics Institutes . . . in every instance are attended, not by mechanics and labourers . . . but by clerks, shipmen and officers . . . [53]

Yn raddol, enillodd y sefydliadau hyn boblogrwydd. Wrth hel atgofion am ei gyfnod yn Sirhywi, pwysleisiodd y bardd Cynddelw eu pwysigrwydd. Arferai yntau gerdded o Sirhywi i Lynebwy a Chendl i roi gwersi gramadeg gyda'r nos.[54] Diddorol yw nodi'r cysylltiad agos a dyfodd rhwng Sefydliad Glynebwy a chapel Penuel yn y dref, yn bennaf efallai oherwydd eu lleoliad yn union gyferbyn â'i gilydd. Cynhelid dosbarthiadau drwy gyfrwng y Gymraeg yno hyd ddechrau'r ganrif hon.[55]

Yn ogystal ag anwybyddu'r gweithgarwch Cymraeg 'answyddogol', methodd comisiynwyr y llywodraeth a sylwebyddion eraill a ddisgrifiai gyflwr addysgol y boblogaeth â gwerthfawrogi'r cynnydd aruthrol a fu yn y wasg Gymraeg yn y cyfnod. Disgrifia'r Athro Glanmor Williams y cynnydd yn y byd cyhoeddi yn yr ardaloedd diwydiannol fel 'ffrwydriad', ac nid oedd Sir Fynwy'n eithriad yn hyn o beth. Sefydlwyd nifer o weisg yn y mwyafrif o brif drefi'r ardal, gan gynnwys Casnewydd, Pont-y-pŵl, y Fenni, y Blaenau, Brynmawr, Glynebwy a Thredegar. Ar wahanol adegau, cyhoeddwyd sawl cylchgrawn enwadol yn y sir, er enghraifft, *Y Gwir Fedyddiwr*, *Yr Odydd Cymreig*, *Yr Ystorfa Weinidogaethol* (gan wasg John Jenkins ym Maesycwmer), *Y Bedyddiwr* (gan wasg Aneurin Fardd yn y Gelli-groes), *Yr Athraw* (gan wasg William Rowlands ym Mhont-y-pŵl), *Seren Gomer* (gan wasg Nefydd yn y Blaenau) a'r *Diwygiwr Wesleyaidd* (gan wasg Thomas Gibbon yn Nhredegar). Cyhoeddwyd nifer da o lyfrau Cymraeg yn yr ardal, a bu amryw weinidogion a chlerigwyr lleol yn flaenllaw iawn gyda'r wasg Gymraeg yn genedlaethol: Ieuan Gwynedd, Gwrwst, Nefydd, Islwyn a'r Canon William Evans, i enwi ond ychydig.[56]

Yn 1838 honnai Eiddil Ifor fod y dosbarth gweithiol Cymraeg yn cefnogi'r wasg Gymraeg.[57] Gwadwyd hyn gan Tremenheere a ddangosodd na allai llyfrwerthwyr yr ardal ddiwydiannol wneud bywoliaeth drwy werthu llyfrau a chylchgronau'n unig. Ond ni roddodd y comisiynydd sylw dyladwy i'r rhan a chwaraeai'r capeli yn y gyfundrefn ddosbarthu. Er iddo grybwyll y posibilrwydd fod gweinidogion ac aelodau blaenllaw ymhlith yr Ymneilltuwyr yn gwerthu Beiblau a chyhoeddiadau crefyddol, ni sylweddolodd fod rhwydwaith dosbarthu mewn bod.[58]

Fe ymddengys mai'r capel oedd y prif gyfrwng er hybu'r dosbarth gweithiol i ddarllen ac i brynu llyfrau a chylchgronau Cymraeg. Yn 1842, pan drafodwyd priodoldeb gwerthu cyhoeddiadau yn y capel, dadleuai Cromwell o Went, gweinidog Saron, Tredegar, yn gryf dros gadw'r drefn. Disgrifiai'r modd y byddai un o'r diaconiaid yn cyhoeddi ar ddiwedd oedfa pa lyfrau oedd ar werth, gan ardddangos catalog y llyfrwerthwr. Dosbarthwyd cylchgronau enwadol yn y capeli yn gyson, ac ymhlith y rheini a werthwyd yn Saron yr oedd *Cylchgrawn Rhyddid*, *Seren Gomer*, *Yr Athraw*, *Y Dirwestydd*, *Y Drysorfa Gynulleidfaol* a'r *Bedyddiwr*. Y prif reswm am ragoriaeth y Cymry mewn gwybodaeth grefyddol, yn ôl Cromwell o Went, oedd yr hyfforddiant da a gawsant yn yr ysgolion Sul, a'r 'llyfrau a ddosbarthwyd yn eu plith drwy gyfrwng y Saboth'.[59] Mewn erthygl ar 'Lenyddiaeth Cymru' yn 1849 cadarnhaodd y Parch Noah Stephens, Sirhywi, mai'r capeli oedd prif sianelau dosbarthu llyfrau a chylchgronau crefyddol.[60] Wrth sôn am gyhoeddiadau'r Annibynwyr yn 1871, talodd y Parch Thomas Rees deyrnged i'r gefnogaeth a roddwyd gan gapeli Sir Fynwy dros y blynyddoedd:

> Os cymerir y lledaeniad helaeth a wneir ar lyfrau a chyhoeddiadau cyfnodol yr enwad yn safon i farnu cymeriad deallol sir wrthi, . . . saif Sir Fynwy yn lled uchel ar y rhestr . . . Y mae derbyniad helaeth i lyfrau da.[61]

Nid gweinidogion a diaconiaid oedd yr unig ddosbarthwyr. Anfonid cylchgronau at siopwyr, crefftwyr, tafarnwyr, a gwerthwyr unigol hwythau. Y mae nifer o dafarnwyr y sir ar restr dosbarthwyr *Y Gwladgarwr* yn 1851 (cylchgrawn a ddilynodd *Ifor Hael* fel cyhoeddiad Cymdeithas yr Iforiaid). O gofio mai mewn tarfarndai yr arferai'r cymdeithasau lles gyfarfod, nid yw'n annhebygol fod y dafarn, yn ogystal â'r capel, yn ganolfan i ddosbarthu, benthyca a darllen papurau a chylchgronau'n gyffredinol. Byddai llyfrwerthwyr swyddogol hefyd yn gwerthu cylchgronau, wrth gwrs. Dengys dyddiaduron Brychan yn ystod y tridegau a'r pedwardegau mai cylchgronau enwadol a werthai orau.[62] Mewn traethawd yn Eisteddfod Cymreigyddion y Fenni, 1840, enwa Gwilym Mai *Yr Ystorfa Weinidogaethol*, *Y Gwron Cymreig* ac *Udgorn Cymru* fel y tri chyhoeddiad ag iddynt dderbyniad uchel ym Mynwy. Diddorol yw nodi ei sylw ar *Udgorn Cymru*, y papur a sefydlwyd ym Merthyr i ledaenu egwyddorion Siartiaeth:

Gan fod y bobl hyn (y Siartwyr), mor lliosog yn swyddi Mynwy a Morgannwg, y mae iddo dderbyniad mawr yn eu mysg, ac nid oes un cyhoeddiad yn fwy ei gymmeradwyaeth trwy y taleithiau hyn.[63]

Wrth gwrs, nid pawb oedd yn prynu'r cyhoeddiadau a ddarllenid ganddynt. Byddai aelodau'r capeli yn benthyca copïau ei gilydd neu'n darllen rhifynnau'r Ysgol Sul. Yn y gweithdai hefyd, arferai'r gweithwyr drafod cynnwys cylchgronau, a hwyrach fod hynny'n arwydd o fenthyca ymysg ei gilydd. Er mai prin yw'r dystiolaeth, gwyddys i nifer o glybiau llyfrau gael eu sefydlu yn yr ardal yn ystod y pedwardegau. Mewn llythyr at Nefydd yn 1844, ysgrifennai John Davies, Rhosllannerchrugog:

Y lleoedd y mae clybiau wedi eu sefydlu gennyf yw . . . Dowlais, Rhymney, Pen y Cae, Brynmawr, Llanelli (Breconshire), Darrenfelin, Nantyglo, Blaina, Beulah, Argoed . . . Y mae llyfrau gyda Evan Jones, Casbach . . . ni wnes i ddim yn Newport, y maent yn eich disgwyl chi.[64]

Ni ddaethpwyd ar draws cyfeiriad arall at y clybiau hyn, ond fe ymddengys iddynt fod yng ngofal y gweinidogion Ymneilltuol. Yn ystod y pumdegau sefydlwyd llyfrgelloedd ym mhrif drefi'r ardal. Yr oedd nifer ohonynt mewn cysylltiad â'r Sefydliadau Llenyddol a Gwyddonol lleol, fel Llyfrgell Aber-carn a agorwyd yn 1853. Sefydlwyd llyfrgell yn Rhymni yn 1850, ond dirywiodd yr aelodaeth, ac ym mis Rhagfyr 1856 gwnaed ymdrech o'r newydd i sicrhau cefnogaeth y gweithwyr. Penderfynwyd y byddai pob gweithiwr yn cyfrannu swllt o'i gyflog bob chwarter i gynnal y llyfrgell. Yn yr un flwyddyn y sefydlwyd Ystafell Ddarllen y Blaenau.[65]

Ond er gwaethaf y diddordeb, a'r cynnydd yn y wasg Gymraeg, cafwyd arwyddion, yn gynnar yn y ganrif, nad oedd hi'n llwyddo fel ag y dylai. Mewn llythyr a gyhoeddwyd yn *Seren Gomer* ym mis Rhagfyr 1836, 'Gwerthiad Llyfrau Cymraeg, neu yn Hytrach, eu Hanwerthiad', soniai'r Cymro Bach (y Parch Benjamin Price, Llanwenarth) am wendid trefniadau dosbarthu a phris uchel cyhoeddiadau Cymraeg a olygai nad oedd y llyfrau a fwriadwyd ar gyfer y werin yn eu cyrraedd. Yn 1849 credai'r Parch Noah Stephens, Sirhywi, fod canran uwch o boblogaeth Cymru yn ddarllenwyr o'i gymharu â Lloegr, ond bod pris y llyfrau, a'r ffaith fod y cyfoeth yng Nghymru yn nwylo estroniaid neu 'Gymry Seisnig', yn atal cylchrediad ehangach. Tra bo awduron Cymru'n dlawd, a phris y llyfrau'n uchel, byddai llenyddiaeth Cymru'n parhau i frwydro yn erbyn 'rhwystrau fwy na'u rhif'.[66] Yn sicr, yr oedd y gost yn atal llawer o Gymry rhag prynu. Yn 1852 dywedodd llywydd Cymreigyddion Isca Esyllwg (Rhisga):

Y mae y wraig, gresyn i adrodd, yn ceintach fod Sion yn talu tri swllt bob chwe mis am *Seren Gomer* . . . Llyfrynnau 2d ymhlith y Cymry ynt y mwyaf gwerthadwy.

Ond nid y gost oedd yr unig reswm:

> Nid i dlodi yn unig y mae priodoli hyn, ond i ddiffyg chwaeth ac egni i
> ddarllen a chefnogi llenyddiaeth Gymreig. Na chlepanier hynny wrth Sais
> rhag ofn i'r gwŷr o'r Llyfrau Gleision glywed.[67]

Y gwir oedd bod y Cymry dwyieithog, wrth ddysgu darllen Saesneg, yn
dewis yr iaith honno yn hytrach na'r Gymraeg.

Mor gynnar â 1846 holwyd, 'Paham y mae mwy o ddarllen Saesneg
yng Nghymru nag sydd o Gymraeg?' Yr ateb a roddwyd oedd:

> . . . am fod y prynwyr mor lleied o nifer, a'r cyhoeddwyr mewn perygl o gael
> eu colledu. O ganlyniad, mae y darllenwyr yn troi at yr iaith y cânt y
> gymaint yn ychwaneg am eu harian.

Ymhellach dywedwyd:

> . . . y mae amddiffynwyr goreu yr iaith wedi methu ei throsglwyddo i'w
> plant, . . . Y mae y Cymry bellach am ddeall yr amserau, a thuag at ddiwallu
> yr archwaeth hon y mae miloedd o newyddiaduron yn dyfod i'n mysg bob
> dydd . . . ond nid oes un ohonynt yn ein hiaith ein hunain.[68]

Flwyddyn yn ddiweddarach ceryddwyd y 'Werin Weithyddol' am eu
bod yn derbyn *The Daily Times, The Weekly Dispatch, The Sun* a *The
Examiner,* ' . . . ac mae llawer ohonoch yn frwdus dros ben am y *Northern
Star* . . . Paham na fyddai ynoch ddigon o aidd i gadw i fyny un
newyddiadur Cymraeg?'[69] Wrth iddynt nodi'r tueddiadau hyn, gofidiai
cyfranwyr i'r wasg Gymraeg eu bod yn colli gafael ar y genedl, a bod y
wasg Saesneg yn tanseilio dylanwad y pulpud fel cyfrwng addysg. Yn
1852 dilornai Gwilym Elwy, 'chwaeth isel a llygredig y Cymry hynny
sydd yn moliannu cymaint ar y wasg Saesneg'.[70] Ofnent hefyd yr effaith
a gâi hyn ar yr iaith Gymraeg. Yn 1859 mynnai 'Brython' o Lynebwy
fod 'bron pawb yn alluog i ddarllen', ond mai ychydig o gefnogaeth a
roid i'r wasg Gymraeg. Yr oedd hyn, meddai, 'yn gyhuddiad arall
anffafriol i lwyddiant yr iaith'.[71]

Adlewyrcha'r ffaith fod y Cymry, wrth ddyfod yn ddwyieithog, yn
dewis y Saesneg yn hytrach na'r Gymraeg, nid yn unig gryfder
dylanwad addysg a'r cyfryngau torfol Saesneg, ond hefyd natur y byd
cyhoeddi Cymraeg yn y cyfnod. Prif bwrpas y wasg Gymraeg, yn ôl
llawer o'r golygyddion, oedd addysgu'r genedl:

> Peiriant yw'r wasg sy'n peri – gwir addysg
>   Gwareiddiad goleuni.

meddai Ieuan Gwynedd, a sefydlwyd y mwyafrif o'r cyfnodolion
Cymraeg yn hanner cyntaf y ganrif gyda'r bwriad o gyflwyno
gwybodaeth gyffredinol i'r Cymry drwy gyfrwng yr iaith Gymraeg.[72]
Sylweddolwyd fod llenyddiaeth Gymraeg yn dueddol o fod yn
gyfyngedig i destunau crefyddol, a gwnaed ymdrech i ehangu'r maes.

Un o brif amcanion Dynolwyr Nant-y-glo yn 1829 oedd cyhoeddi gwybodaeth ar gelfyddyd a masnach drwy gyfrwng y Gymraeg, a bu Cymreigyddion Sir Fynwy, hwythau, yn sôn am bwysigrwydd cyhoeddi llyfrau Cymraeg ar bynciau amrywiol. Er hynny, nid oedd y mwyaf pybyr yn amcanu cyflenwi diffyg gwybodaeth y Cymry drwy gyfrwng y wasg Gymraeg yn unig. Er mai Eiddil Ifor oedd un o'r mwyaf llafar ei farn yn annog y dosbarth gweithiol i gefnogi cylchgronau Cymraeg, gan gymeradwyo ymdrechion y golygyddion i amrywio'r cynnwys ac ymestyn gorwelion y darllenwyr, yr oedd hefyd yn ymhyfrydu yn y ffaith fod y Cymry'n dysgu darllen Saesneg, ac nid oedd yn gwbl rydd oddi wrth y syniad mai culni a rhagfarn oedd cadw at y Gymraeg yn unig.[73] Credai llawer yn gryf na ddylai'r Cymry eu cyfyngu eu hunain i'r Gymraeg. Fel y dywedodd un o Gymreigyddion Llundain yn 1841:

> Y mae gobethio gweld llenyddiaeth Gymraeg yn gyfrwng a deilynga sylw y byd yn beth ffôl dros ben, ac y mae ymdrechu i ddwyn y fath obaith i gyflawniad . . . fel ymdrechiad i gadw dyn yng ngoleu y lloer trwy ei oes tra mae yr haul melyn mawr yn disgleirio . . . [74]

Ymdrechu mewn gobaith a wnâi rhai serch hynny. Y gobaith hwnnw a ysgogodd Garnhuanawc i gwblhau ei *Hanes Cymru a Chenedl y Cymru* a fu'n ymddangos mewn rhannau er 1836, ac a gwblhawyd yn 1842. Ond yr oedd y wasg Gymraeg yn ymwybodol yn barhaus ei bod hi o dan gysgod 'haul melyn mawr' y wasg Saesneg. Rhagwelai Emyr Llydaw berygl yn 1845 pan geryddai 'ysgrifennwyr a pherchnogion y cylchgronau Cymreig am fod mor fyr yn eu hanogaethau idd y Cymry . . . . i arfer eu hiaith'. Byddai anogaethau o'r fath yn fwy buddiol o lawer na'r holl 'faldordd' ar bynciau crefyddol, meddai. Galwai ar y dosbarth gweithiol i gefnogi'r wasg Gymraeg, a pheri iddi:

> . . . esgor ar gynnyrch toreithiog o wybodaeth llesol . . . mal na byddo . . . esgusdod ein gelynion i ddifodi ein hiaith . . . nac achwyn ein bod mal cenedl yn fwy anwaraidd nag eraill.[75]

Fel y dangoswyd yn y bedwaredd bennod, natur gyfyngedig llenyddiaeth Gymraeg oedd un o'r prif ddadleuon a ddefnyddiwyd wrth argymell y dylai'r Cymry gefnu ar eu hiaith yn Adroddiad Addysg 1847. Ail-adroddwyd dadleuon o'r fath droeon wedi hynny. Siaradai H. A. Bruce dros lawer o Gymry yn ogystal â Saeson pan fynegodd ei farn yn ddiflewyn ar dafod yn 1851:

> . . . *the misfortune is that this fine language, . . . is almost entirely deficient in that species of literature which constitutes the workman's ladder to intellectual progress. Nothing can be more meagre than the supply of Welsh books on General Science, History, Fine Arts . . . Do not think me therefore unpatriotic . . . if . . . I consider the language . . . a great obstruction to the . . . progress of my countrymen.*[76]

Yn y blynyddoedd ar ôl 1847 ceisiodd y Cymry brofi eu gwerth i'r Saeson yn y byd llenyddol yn ogystal ag ym myd addysg a chrefydd. Bwriad Thomas Stephens wrth gyhoeddi *The Literature of the Kymry* yn 1849 oedd dod â thraddodiad llenyddiaeth Gymraeg i sylw Saeson. Credai mai ennyn cydymdeimlad y genedl Seisnig oedd y ffordd orau i lenorion Cymru wasanaethu eu gwlad.[77] Serch hynny, credai hefyd y dylid ymdrechu i ehangu'r ddarpariaeth drwy gyfrwng y Gymraeg. Wrth sôn yn 1858 am brinder llyfrau Cymraeg ar ddaearyddiaeth, seryddiaeth a 'chwedlau ysgafn fel Dickens', disgwyliai welliant.[78]

Erbyn y chwedegau, fe gafwyd peth 'gwelliant' yn hyn o beth. Yn 1864 beirniadai Henry Richard anwybodaeth y Saeson am Gymru, a'r modd y difrïent y wasg Gymraeg:

> *Your readers must not imagine that the Welsh language is destitute of books on other than Biblical and theological subjects.*

Yr oedd, meddai, bump o gylchgronau chwarterol, pump ar hugain o rai misol, wyth papur wythnosol, ynghyd â llawer iawn o lyfrau amrywiol, a throsiadau o'r Saesneg.[79] Ond fel y dangoswyd eisoes, yr oedd llawer o arweinwyr y farn gyhoeddus yng Nghymru yn ystyried y wasg Gymraeg fel offeryn er amddiffyn crefyddoldeb y genedl. Ymhyfrydai gweinidogion fel y Parch Thomas Rees, Cendl, yn y ffaith mai deunydd crefyddol a moesol oedd prif gynnyrch y wasg Gymraeg. Ofnent i'r Cymry gael eu llygru gan nofelau a llenyddiaeth ysgafn. Ar yr un pryd, anogent y Cymry i ddysgu darllen Saesneg. A'r hyn na sylweddolwyd ganddynt oedd na ellid disgwyl i'r genhedlaeth ddwyieithog a oedd yn codi fodloni ar ddarllen Cymraeg yn unig, yn arbennig o ystyried y dewis eang a oedd ar gael drwy gyfrwng y Saesneg. Erbyn i'r wasg Gymraeg fagu hyder, a chynhyrchu rhyw gymaint o ddeunydd mwy amrywiol, yr oedd y Cymry hynny a fedrai'r Saesneg eisoes wedi dewis yr iaith honno fel prif iaith eu darllen. Yn ôl y Parch Thomas Rees yn 1867:

> *The circulation of Welsh books is necessarily limited. It is calculated that not above two thirds of the inhabitants of the Principality understand the Welsh language, and of that number, one half understand English as well . . . and most of these . . . prefer to confine themselves to English literature.*[80]

Er i Henry Richard dystiolaethu i'r gwrthwyneb, yr oedd llyfrau Cymraeg yn para i fod yn bennaf ynglŷn â materion crefyddol, a bu hynny'n anfantais o ran denu darllenwyr Cymraeg newydd. Cafwyd cwynion bod ddiffyg dewis o lyfrau Cymraeg yn llyfrgelloedd newydd Rhymni a'r Blaenau yn ystod y pumdegau. Er i lyfrgell Rhymni ddarparu cyflenwad da o lyfrau Cymraeg ar ôl 1856, chwech ar hugain yn unig o'r 400 o lyfrau yn llyfrgell y Blaenau a oedd yn Gymraeg yn 1859.[81] Er mai sefydliad dwyieithog oedd Sefydliad Llenyddol a

Gwyddonol Glynebwy, lleiafrif o lyfrau'r llyfrgell oedd yn Gymraeg. Yn 1870–1 yr oedd yno 177 o lyfrau Cymraeg, a 1,681 o lyfrau Saesneg. Dengys yr ystadegau fod llawer mwy o ddarllen ar y llyfrau Saesneg yno hefyd:[82]

BENTHYCIADAU 1870–1		
Testun	Cymraeg	Saesneg
Hanes	21	136
Bywgraffiadau	19	119
Teithiau	8	156
Cyfnodolion	27	50
Gwyddoniaeth a Chelfyddyd	24	141
Storïau a Nofelau	6	1302
Llenyddiaeth Gyffredinol	27	224
Crefydd	54	94
Barddoniaeth	45	61
Cyfanswm	231	2283

Sylwer mai cyfrolau barddoniaeth a chrefydd, a'r cyfnodolion yn unig a fedrai gystadlu â'r llyfrau Saesneg o ran benthyciadau. Y mae'r gwahaniaeth yn yr adrannau 'Storïau a Nofelau' a 'Llenyddiaeth Gyffredinol' yn drawiadol iawn. Yn 1879 dywedwyd bod 'darllenfa deilwng' o lyfrau Cymraeg a Saesneg yn Nhredegar. Ond o ddadansoddi cynnwys catalogau Llyfrgell y Gweithwyr yn Nhredegar yn 1911, 1914 a 1922, gwelir mai adran fechan oedd yr adran Gymraeg, ac nad ychwanegwyd fawr ati rhwng 1911 a 1922. Llyfrau barddoniaeth, diwinyddiaeth a chofiannau oedd y llyfrau Cymraeg yn bennaf.[83]

At silffoedd llyfrau Saesneg y llyfrgelloedd lleol y byddai'r bobl ifanc yn troi. Wrth resynu at lyfrgell Saesneg gyfyngedig ei gartref, meddai'r bardd o Rymni, Idris Davies:

> There was a bookcase at home, full of books, but they were, with one or two exceptions, all Welsh and theological . . . It was a typical Victorian Nonconformist Library . . . [84]

Mewn cyfnod pan fygythid safle'r Gymraeg yn y gymdeithas gan fewnfudo ac addysg Saesneg, ni allai dylanwad cynyddol y wasg Saesneg ond dwysáu effeithiau'r Seisnigeiddio. Eto i gyd, rhaid gochel rhag tynnu darlun cwbl ddu o'r sefyllfa yn ystod ail hanner y bedwaredd ganrif ar bymtheg. Er mai prin efallai oedd y rhai a brynai lyfrau Cymraeg, yr oedd papurau newydd a chyfnodolion Cymraeg yn para i fod yn boblogaidd yn yr ardal. Un fenter nodedig yn y sir oedd sefydlu papur wythnosol newydd, *Y Glorian*, a argraffwyd yng Nghasnewydd o dan gydolygiaeth Islwyn, Llew Llwyfo a Glasynys. Cyhoeddwyd y rhifyn cyntaf ar Ddydd Gŵyl Ddewi 1867, a dywedwyd bod y papur o blaid 'cadwriaeth ac anfarwoldeb yr Omeraeg lan'. Y mae cynnwys bywiog y ddau rifyn ar hugain a gyhoeddwyd yn dystiolaeth i weithgarwch diwylliannol Cymraeg yr ardal. Daeth y papur i ben ym mis Gorffennaf 1867. Er bod hanesydd y wasg, Ifano Jones, yn awgrymu mai anawsterau ariannol a fu'n gyfrifol am y methiant, gwadwyd hynny gan y golygyddion:

Ar waethaf llu o anfanteision, . . . gwerthodd ei ffordd, a chyrhaeddodd gylchrediad ddiamheuol o 3000–4000 yn wythnosol.[85]

Hyd yn oed yn ystod chwarter olaf y ganrif yr oedd cynulleidfa Gymraeg ddarllengar yn bodoli o hyd yng ngorllewin Sir Fynwy er mai lleiafrif oeddynt. Prawf o hynny yw'r toreth o ddeunydd lleol a geir yn y papur wythnosol, *Tarian y Gweithiwr*, yn ystod y saithdegau a'r wythdegau. Ym mis Mawrth 1879 dechreuodd Ceiliog y Gwynt, ei golofn wythnosol ddychanol, 'O Ben Cloc Mawr Tredegar', gyda'r geiriau, 'Gan fy mod wedi cael arddeall fod *Tarian y Gweithiwr* yn meddu cylchrediad eang yma . . . '[86] Parhaodd y golofn drwy gydol yr wythdegau, ac erys yn arwydd o fywiogrwydd bywyd Cymraeg y cylch. Yn Aberdâr y cyhoeddwyd *Y Darian*, a bu'r dref honno'n ganolfan i'r wasg Gymraeg yn y cyfnod, gan wasanaethu cymoedd Sir Fynwy yn ogystal â chymoedd Sir Forgannwg.[87] Yno, er enghraifft, y cyhoeddwyd llyfr Edward Davies, Rhymni, *Cromwell*, ym 1878. Nid oedd gweisg Sir Fynwy wedi chwythu eu plwc yn llwyr o ran cyhoeddi llyfrau Cymraeg chwaith. Ymddangosodd amryw lyfrau o weisg Rhymni (a sefydlwyd yn 1870) a Chasnewydd rhwng yr wythdegau a blynyddoedd cyntaf y ganrif newydd.[88] Yn 1897 sefydlwyd y Minerva Press yn y Fenni gan y Brodyr Owen o Ddolgellau, a bu'r wasg honno'n flaenllaw gyda chyhoeddi llyfrau Cymraeg hyd y dauddegau.[89] Dengys rhestr tanysgrifwyr cofiannau Ieuan Gwynedd a Twynog, er enghraifft, fod cefnogaeth deilwng i lyfrau Cymraeg o ddiddordeb lleol ar ôl troad y ganrif, ac erys silffoedd llyfrau rhai o Gymry hynaf Rhymni yn dystion i'r ffaith fod rhai gweithwyr yn parhau i gefnogi'r wasg Gymraeg am gyfnod hir wedyn.

Ond, fel y dywedwyd, lleiafrif oeddynt. Adlewyrcha cynnwys *Tarian y Gweithiwr* y crebachu a fu yn y bywyd Cymraeg erbyn diwedd y ganrif. Erbyn y nawdegau, prin yw'r cyfraniadau o ardal ddwyreiniol maes glo Sir Fynwy, ac er y byddai gohebwyr yn parhau i anfon newyddion ac adroddiadau am weithgareddau diwylliannol Cymraeg o'r prif drefi prin y gellir dweud bod bywyd Cymraeg cyflawn yn bodoli yn y mannau hynny, a daw'n amlwg mai lleiafrif bychan a dderbyniai bapurau

Cymraeg. Cadarnha J. E. Southall mai ychydig oedd y rheini a gefnogai'r wasg Gymraeg erbyn 1900. Meddai:

An ever advancing English tide is . . . drying up the current of Welsh thought . . . In the Monmouthshire valleys, the sale of Welsh literature has shrunk to very small proportions.[90]

Am nifer o resymau, cefnodd Cymry Sir Fynwy ar y wasg Gymraeg wrth iddynt droi'n ddwyieithog. Dirywiodd y wasg yn sgil dirywiad y Gymraeg yn y gymdeithas. Dywed yr Athro Griffith John Williams mai dylanwad deddfau Addysg 1870 a 1889 a'i lladdodd yn derfynol. Yn awr, fe fyddai'r plant a fuasai'n gefn iddi yn troi yn naturiol i ddarllen yn Saesneg.[91] Ond gellir canfod gwreiddiau'r dirywiad ymhell cyn dyddiau'r Ysgolion Bwrdd. Wrth i arweinwyr diwylliannol hanner cyntaf y ganrif, yn weinidogion a golygyddion, annog y Cymry i ddysgu Saesneg a mynychu ysgolion Saesneg, rhoddasant, yn ddiarwybod iddynt eu hunain, y modd i gefnogwyr eu 'peiriant' addysgol ymwrthod â'u dylanwad. Golygai hynny ymwrthod hefyd â chynnyrch 'cyfyngedig' y wasg Gymraeg.

VI

'Mae'r iaith Gymraeg yn marw . . .'

Darlun cyffredinol o ddirywiad a geir o ganol y chwedegau, a dengys y dystiolaeth i gyd fod y Gymraeg yn colli tir hyd yn oed yng ngorllewin Sir Fynwy o hynny allan. Yr oedd cyfnod y trawsnewid wedi gadael ei ôl, yn arbennig yn yr ardaloedd mwyaf dwyreiniol. Yn 1871 medrai'r Parch Thomas Rees ddatgan fod pob cynulleidfa Gymraeg o bob enwad o Flaenafon i Gasnewydd wedi gweld ei dyddiau gorau, gan fod y plant a'r ieuenctid yn dewis yr iaith Saesneg.[1] Wyth mlynedd yn ddiweddarach, yr un oedd casgliadau'r ystadegydd, E. G. Ravenstein.[2] Fel y dangoswyd eisoes, yn nwyrain yr ardal yr oedd y Gymraeg yn prysur ddod yn iaith lleiafrif o bobl hŷn, ac yn y gorllewin hefyd effeithiwyd yn fawr ar ei safle yn y gymdeithas gan fewnfudo ac ymfudo'r cyfnod, a chan ddatblygiadau cymdeithasol.

Eto i gyd, ni ddylid dyddio'r Seisnigeiddio yn rhy gynnar, nac ychwaith ymdrin â dirywiad yr iaith fel proses a oedd yn rhwym o ddigwydd. Wedi'r cyfan, yr oedd bron i 75 y cant o boblogaeth yr ardal orllewinol honno a ddiffiniodd Ravenstein fel yr ardal Gymraeg yn medru'r iaith yn 1871, a gwyddys mai'r Gymraeg oedd y brif iaith ymhlith y gweithwyr yno, ac iaith llawer o'r gweithgarwch cymdeithasol o hyd.

Caed rhai sylwebyddion a bwysleisiai ochr gadarnhaol mewnlifiad y chwedegau a'r saithdegau. Yn ei ysgrifau ar ddwyieithrwydd a gyhoeddwyd yn ystod yr wythdegau, mynnai Dan Isaac Davies fod ardaloedd gweithfaol de Cymru ar eu hennill am fod cynifer o blant y mewnfudwyr yn dysgu'r Gymraeg. Gan ddefnyddio enghreifftiau o Bontlotyn gerllaw Rhymni, daeth i'r casgliad:

> Mae ychwanegiadau o'r fath wedi cynyddu nifer y Cymry yn fwy o lawer nag yr ydym yn tybied. Mae lle cryf i gredu ein bod wedi ennill, ac yn parhau i ennill mwy trwy dderbyn plant dieithriaid o genhedloedd eraill i'n mynwes nag ydym wedi colli o blant y Cymry trwy ysbryd Dic Shon Dafyddol.[3]

Fel y dangoswyd eisoes, yr oedd pen uchaf Cwm Rhymni yn parhau i gymathu mewnfudwyr yn ystod y blynyddoedd hyn, ac am gyfnod wedyn. Hyd yn oed mewn mannau yn y cymoedd mwy dwyreiniol, bu'r sefydliadau Cymráeg ar eu hennill o ganlyniad i fewnfudo o gefn gwlad Cymry yn ystod yr wythdegau. Er bod y mwyafrif o ohebwyr ac ysgrifwyr yn darogan tranc y Gymraeg, credai Dan Isaac Davies fod yr elfen Gymraeg yn parhau i fod yn elfen hollbwysig yn Sir Fynwy yn ystod chwarter olaf y ganrif. Meddai:

> Ni charwn ymrwymo i brofi fod llai o Gymry yn gallu siarad Cymraeg yng
> Ngwent yn awr nag oedd deugain mlynedd yn ôl er eu bod yn llai o nifer
> mewn cymhariaeth a'r holl boblogaeth. Ac y maent yn awr yn rhy liosog yn y
> rhannau poblog o'r sir i'w hesgeuluso pan ddewisir clerigwyr, meddygon a
> phob math o swyddogion.[4]

Mae'n wir y ceir amryw achosion o wrthdaro ynglŷn â'r iaith yn ystod traean olaf y ganrif sy'n dangos nad oedd dwyieithrwydd yn hollol gyffredinol, a bod llawer o bobl o hyd yr oedd yn well ganddynt ddefnyddio'r Gymraeg. Fel y dangoswyd cododd sawl anghytundeb dros benodi offeiriaid a chlerigwyr Cymraeg eu hiaith yn yr ardal yn y cyfnod, a hynny'n digwydd cyn hwyred â 1886 yn achos plwyf Goetre gerllaw Llanofer.[5] Ceir nifer o achosion llys sy'n adlewyrchu hyn hefyd. Yn Nhredegar Newydd yn 1866 gwrthodwyd yr hawl i ddiffynnydd uniaith siarad Cymraeg yn y llys, a chafwyd achos tebyg ym Mrawdlys Mynwy yn 1875 pan wrthododd y Barnwr Quentin ganiatáu i ffermwr lleol roi tystiolaeth yn Gymraeg.[6] (Cyfiawnhaodd ei safiad drwy ddweud mai rhan o Loegr oedd Sir Fynwy at bwrpasau cyfreithiol.) Yn Rhymni yn 1887 cafwyd ymgyrch i geisio sicrhau y byddai'r Cwmni yn penodi meddyg Cymraeg ei iaith, ac mewn achos arall yn y dref yn 1892, cafwyd protest wedi i'r crwner lleol wrthod defnyddio'r Gymraeg mewn achos yn ymwneud â theulu Cymraeg.[7]

Y mae amlder gweithgarwch llenyddol ac eisteddfodol yr ardal yn y cyfnod hefyd yn tystio i fywiogrwydd y Gymraeg. Tasg amhosib fyddai cofnodi'r holl weithgareddau diwylliannol, oherwydd cynhaliwyd cyfarfodydd llenyddol, darlithoedd ac eisteddfodau lleol yn gyson iawn, iawn. Diddorol yw nodi sefydlu Ysgol Lenyddol Carmel, Sirhywi (dosbarth o feirdd a llenorion lleol), yn 1870–1, cyfrinfa Gymraeg gan yr Iforiaid ym Mrynmawr yn 1877, a chymdeithas lenyddol newydd yn Rhymni yn 1879.[8] Er bod llawer o'r eisteddfodau yn Seisnigeiddio, a phoblogrwydd cystadlaethau cerddorol yn lleihau dylanwad llenyddiaeth, parhawyd i gynnal nifer o eisteddfodau llenyddol yn yr ardal yn ystod yr wythdegau a'r nawdegau. Un o'r eisteddfodau mwyaf oedd honno a gynhaliwyd yn flynyddol yn y Drill Hall, y Coed-duon, drwy gydol yr wythdegau, ac am rai blynyddoedd wedi hynny. Yn 1884 a 1885, cyhoeddwyd gwahoddiadau ar gân er mwyn denu beirdd a llenorion yr ardaloedd cylchynol i gystadlu. Dywedwyd yn 1886 fod parch mawr i'r eisteddfod hon gan mai yma yr enillodd y bardd Dyfed un o'i gadeiriau cyntaf. Yr oedd cymdeithas Gymraeg frwdfrydig yn gefn iddi, ac aelod gweithgar o'r pwyllgor oedd y bardd lleol, John Jenkins (Pereiddiog).[9]

Ceir adroddiadau am eisteddfodau Cymreig eraill yn y cyfnod hefyd, megis Eisteddfod Flynyddol Capel Biwla, Bontnewydd, ac Eisteddfod Fawreddog Maesycwmer (1885). Yn 1890 ailsefydlwyd Eisteddfod Flynyddol Bedwas a ddisgrifiwyd fel 'eisteddfod wir Gymreig'. Bwriadwyd i Eisteddfod Crymlyn (1894) fod yn 'eisteddfod o'r iawn ryw' hefyd, er y mae'n amheus mai'r Gymraeg oedd yr unig iaith a ddefnyddid ar yr achlysuron hyn. Yn Aber-carn cynhaliwyd eisteddfodau llewyrchus yn gyson, ac yn Nhredegar Newydd cafwyd dwy eisteddfod yn flynyddol, adeg y Pasg a'r Nadolig, lle roedd y Gymraeg yn brif iaith (er y rhoddwyd yr hawl i draethodwyr gystadlu yn Saesneg pe dewisent).[10] Yn ardal Bargod, Deri a Fochriw gyfagos, hybwyd gweithgarwch Cymraeg gan fewnfudiad Cymry o ardaloedd eraill. Er mai yn Sir Forgannwg yr oedd y mannau hyn, yr oeddynt yn dwyn cysylltiad agos â'r bywyd diwylliannol Cymraeg yn Sir Fynwy. Un o eisteddfodau mwyaf Bargod yn y cyfnod oedd honno a gynhaliwyd ym mis Hydref 1887 pan groesawyd ysgrifennydd Cymdeithas yr Iaith Gymraeg, Beriah Gwynfe Evans, i'r llwyfan.[11]

Cynhaliwyd sawl eisteddfod yng ngogledd-ddwyrain yr ardal hefyd. Eisteddfod ddwyieithog oedd Eisteddfod Flynyddol Glynebwy, fel eisteddfodau'r Blaenau yn 1884, 1885 a 1892. Eisteddfod 'er budd Mabon' oedd yr olaf, a ddisgrifiwyd fel eisteddfod lwyddiannus iawn.[12] Eisteddfod Gymreiciaf y Blaenau oedd honno a noddwyd gan gapel Gobaith. Un o'r caneuon gosod yn 1884 oedd, 'Mae'r Iaith yn Fyw'. Yn yr un flwyddyn sefydlwyd Eisteddfod Flynyddol Cwmtyleri.[13]

Ym Mrynmawr cynhaliai Cymdeithas y Cymmrodorion yn lleol eisteddfod yn flynyddol. Bu nifer o feirdd lleol yn gysylltiedig â hi, gan gynnwys Watkin Joseph (Y Myfyr) a enillodd rai o brif wobrau eisteddfodau Bae Colwyn (1879) a Chaernarfon (1880). Parhaodd capeli Cymraeg Brynmawr i gynnal gweithgareddau diwylliannol Cymraeg hyd at ddiwedd y ganrif er bod yr iaith yn cilio o strydoedd y dref. Yn 1898, er enghraifft, cynhaliwyd noson i ddathlu cadeirio'r bardd Crwys, gweinidog capel Rehoboth. Ymgasglodd nythaid o feirdd lleol ar gyfer yr achlysur. Ym Mlaenafon hefyd mynnai cylch bychan o Gymry lynu wrth y traddodiadau. Y rhain, Gymry'r capeli, a anrhydeddodd y Parch T. Mafonwy Davies ar achlysur ei gadeirio yn Eisteddfod Powys yn 1893.[14]

Yn ogystal â'r eisteddfodau, daeth cyfarfodydd cystadleuol llenyddol yn boblogaidd yng ngorllewin Sir Fynwy yn ystod yr wythdegau a'r nawdegau. Yn amlach na pheidio, trefnid hwy gan y capeli Cymraeg,

yn arbennig felly yn yr ardal fwyaf dwyreiniol. Soniwyd fod Tredegar
Newydd yng ngafael 'rhyw *fever* llenyddol' yn 1886 pan oedd capeli
Uchdir, Bethel a Saron am y gorau'n cynnal cyfarfodydd diwylliannol
'bob pythefnos o leiaf'. Y Nadolig canlynol, cafwyd gŵyl lenyddol
Gymraeg lwyddiannus yn y Coed-duon. Sefydlwyd cymdeithas
lenyddol Gymraeg ym Margod yn 1898. Canolwyd gweithgareddau
llenyddol Cymraeg Glynebwy yng nghyfarfodydd Cymdeithas
Lenyddol Capel Penuel. Cymraeg oedd unig iaith y gweithgarwch hyd
at dymor y gaeaf 1897–8 pan gynhaliwyd ambell gyfarfod yn Saesneg.
Rhwng 1900 a 1904 cynyddodd y d/uedd hon, ond er hynny, bu hon yn
gymdeithas nodedig. Ymhlith y darlithwyr a fu'n ymweld â hi yr oedd
W. J. Gruffydd, Crwys a Sarnicol, a chafodd Cymru a'i hiaith sylw
blaenllaw yn y sesiynau trafod.[15]

Yr oedd Gŵyl Ddewi bob amser yn gyfle i arddangos Cymreictod.
Byddai Cymmrodorion Brynmawr, fel Cymry Blaenafon, yn cyd-
wledda er mwyn dathlu'r achlysur bob blwyddyn. Ond erbyn 1898 câi'r
Saeson yng ngwledd Blaenafon drafferth i ynganu geiriau 'Hen Wlad Fy
Nhadau'. Nid felly yr oedd hi yn Aber-carn a Llanofer. Yn ôl adroddiad
un ymwelydd â Llanofer yn yr un flwyddyn, fe gafwyd yno 'un peth na
cheir yn fynych mewn gwleddoedd o'r fath, sef popeth yn Gymraeg'.[16]

Yn Nhredegar, Sirhywi a Rhymni, yr oedd y Gymraeg yn parhau i
fod yn rhan annatod o'r bywyd diwylliannol cyhoeddus yn gyffredinol.
Eisteddfod uniaith Gymraeg oedd yr Eisteddfod Gŵyl Ddewi a
gynhaliwyd yn Neuadd Ddirwestol Tredegar yn 1879 o dan nawdd
Cymreigyddion Gwent. Ar ôl 1882 llwyfannwyd hi gan Gymmrodorion
Tredegar, a daeth yr Eisteddfod Gadeiriol hon yn achlysur i ddenu
beirdd a llenorion o bell ac agos. Yn ystod yr wythdegau gosodwyd
testunau'r traethodau yn Gymraeg a Saesneg ac arferid peth Saesneg o'r
llwyfan. Ond gwladgarwyr pybyr oedd y trefnwyr, a nifer ohonynt yn
Rhyddfrydwyr a ddaeth o dan ddylanwad mudiad Cymru Fydd.
Gosodwyd 'Dyfodol Cymru' fel testun traethawd yn 1882. Yr oedd
optimistiaeth Gwentwyson, a gyfansoddodd y pennill a ganlyn i'w ganu
yn eisteddfod 1885, yn nodweddiadol o agwedd ei gyd-drefnwyr:

> Byth, byth ni ysbeilir ein cenedl ni
> O'i hiaith tra'r Eisteddfod yn para'n ei bri,
> O, noddwn hi'n gynnes, datganwn ei chlod
> Tra môr a thra Brython yn bod.

Cymaint oedd brwdfrydedd y trefnwyr y flwyddyn honno fel yr
aethpwyd ati i drefnu eisteddfod fawr arall yn Sirhywi adeg y Nadolig.
'Yn ddiau', meddid, 'gellir cael un o'r eisteddfodau gorau a gafwyd yng
Nghymru erioed yn Sirhywi ond i'r bois ymroi ati yn egniol.'[17]

Er na chynhaliwyd eisteddfod ganddynt ar ôl 1890, parhai'r
Cymmrodorion i gyfarfod yn y 'Coffi Tafarn' yn Nhredegar. Croniclwyd

eu helyntion yng ngholofn wythnosol 'Ceiliog y Gwynt' yn *Tarian y Gweithiwr*. Prif ddiben cymdeithasau lleol y Cymmrodorion, yn ôl golygydd y papur hwnnw oedd, 'arbed y bechgyn a oedd yn dyfod yn barhaus o'r ardal amaethyddol rhag plygu eu pennau fel brwyn ynghanol Saeson ystwrllyd'.[18] Erbyn y nawdegau nid oedd digon o Gymry Cymraeg yn symud i'r ardal i atgyfnerthu'r bywyd diwylliannol Cymraeg, ond cafodd y rheini a ymsefydlodd yno werddon o Gymreictod ymhlith cylch o Gymry gwladgar y Cymmrodorion.

Yn Rhymni gallai'r Cymro o gefn gwlad deimlo'n gwbl gartrefol mewn awyrgylch Gymraeg. Yno yr oedd y diwylliant Cymraeg yn dal i ffynnu. Bob nos cynhelid darlithoedd, cyfarfodydd llenyddol, cystadlaethau diwylliannol, dramâu a chyngherddau Cymraeg, nid yn unig yn y llu capeli, ond yn achlysurol yn y tafarndai hefyd. 'Aml a lliosog ydynt yr eisteddfodau a gynhelir yma . . . ' meddid yn 1886.[19] Ac yn wir, cynhelid eisteddfodau gan bob capel, gan gymdeithasau dirwest, a chan gymdeithasau cyfeillgar Cymraeg (yn arbennig yr Iforiaid). Yn Rhymni y cynhelid un o brif eisteddfodau Sir Fynwy yn ystod y saithdegau, sef Eisteddfod Gadeiriol Gosen o dan nawdd Cymreigyddion Gwent. Yn 1889, sefydlwyd Eisteddfod Flynyddol Cymreigyddion Rhymni, a disgrifiwyd gŵyl 1892 fel 'yr eisteddfod fwyaf llwyddiannus a fu yma ers cyn cof gennym'. Yr oedd sawl llenor amlwg yn byw yn Rhymni yn y cyfnod, a chartref y bardd Twynog yn ganolfan iddynt ymarfer eu crefft o farddoni a llenydda.[20] Yn wir, parhaodd traddodiad y bardd gwlad yn Rhymni hyd at ganol yr ugeinfed ganrif.

Ond ac eithrio'r ardaloedd mwyaf gorllewinol, nid oedd gweithgarwch o'r math hwn mor ganolog i fywyd y cymdogaethau ag y bu. Y mae'n wir bod cerddoriaeth yn sicrhau ymlyniad torfol poblogaidd i 'ddiwylliant Cymreig', ond wrth i'r bandiau, y cymdeithasau corawl a'r cyngherddau ddod yn brif gyfrwng mynegiant y diwylliant hwnnw, collwyd yr elfen honno a glymai'r bobl wrth yr iaith Gymraeg. Ar yr un pryd, yr oedd cyfryngau adloniannol eraill yn denu, – adloniant proffesiynol sioeau'r *music-hall*, ac i raddau llai, yr opera a'r theatr. Fel y dangoswyd eisoes, anaml iawn y caed adloniant o'r fath yn y Gymraeg. Yn sicr, bu natur 'gyfyngedig' adloniant Cymraeg yn ffactor a barodd ei fod yn llai tebygol o ateb gofynion y to ifanc a oedd yn codi.[21]

Dywedwyd eisoes bod y Gymraeg, erbyn chwarter olaf y ganrif, yn cael ei chyfyngu fwyfwy i un math o weithgarwch, ac yn dyfod yn iaith a oedd yn perthyn i un garfan o'r boblogaeth yn unig. Un ystyriaeth sylfaenol wrth geisio mesur pa mor berthnasol oedd y Gymraeg yn y gymdeithas yn gyffredinol, a pha mor ganolog yr oedd i fywyd y bobl, yw gofyn i ba raddau yr oedd hi'n rhan o'u mynegiant gwleidyddol ac o ymdrech y dosbarth gweithiol am amodau gwaith teg a safon byw teilwng.

Fel y dadleuwyd yn y drydedd bennod, yr oedd y Gymraeg yn elfen yn ymwybyddiaeth wleidyddol y dosbarth gweithiol yn Sir Fynwy, yn arbennig felly yn ystod tridegau'r bedwaredd ganrif ar bymtheg pan oedd rhaniadau dosbarth a statws gymdeithasol hefyd yn adlewyrchu rhaniadau ieithyddol. Ni ellir gwadu chwaith nad oedd Cymreictod yn elfen a oedd yn berthnasol i Siartiaeth yn ystod y pedwardegau. Ond ar ôl y pedwardegau, gellir canfod newid yn natur mudiad y dosbarth gweithiol, ac fe fu hynny'n ddylanwad ar y modd yr oedd pobl yn synied am Gymreictod ac am y Gymraeg. Nid oedd y newid hwn yn gyfyngedig i Gymru. Er gwaethaf dylanwad y chwyldroadau ar gyfandir Ewrop yn 1848, yr oedd y gweithwyr ym Mhrydain yn gyffredinol yn fwy parod i gymodi â'r dosbarth canol ac i droi at wleidyddiaeth Seneddol fel modd i geisio gwella'u sefyllfa. Ni ddylid gorbwysleisio'r newid, nac anghofio ychwaith mai haen uchaf y dosbarth gweithiol yn bennaf a oedd yn weithgar yn y mudiad llafur undebol a ymddangosodd yn ystod ail hanner y ganrif. Ond os oedd y Gymraeg yn para i fod yn berthnasol i fynegiant gwleidyddol y dosbarth gweithiol yn Sir Fynwy yn ystod ail hanner y ganrif, yr oedd y cyd-destun yn wahanol.

Dangoswyd eisoes y modd y daeth Ymneilltuaeth yn ddylanwad gwleidyddol yn ogystal â bod yn ddylanwad crefyddol erbyn canol y ganrif. Yn sgil uniaethu Rhyddfrydiaeth â'r grefydd Ymneilltuol, daeth Rhyddfrydiaeth hefyd yn fynegiant o Gymreictod. I fwyafrif Ymneilltuwyr Cymraeg yn y cyfnod, nid oedd yn bosib gwahanu eu hiaith oddi wrth eu crefydd a'u gwleidyddiaeth. Er enghraifft, safai *The Principality*, papur o dan olygiaeth Ieuan Gwynedd, o blaid Anghydffurfiaeth, Rhyddfrydiaeth a Chenedlgarwch, ac erbyn y chwedegau caed *Baner ac Amserau Cymru* yn ymdrin â'r tri fel tri pheth cyfystyr â'i gilydd. Fel 'Cymro pur, Rhyddfrydwr trwyadl ac Ymneilltuwr cydwybodol' personolai'r Aelod Seneddol Henry Richard y gwerthoedd hyn.[22]

Os oedd y Gymraeg yn un â Rhyddfrydiaeth ac Ymneilltuaeth yn y cyd-destun cenedlaethol, yr oedd hynny hefyd yn wir yn lleol. Yn 1868 cafwyd ymgyrch etholiadol Gymraeg yng ngorllewin Sir Fynwy pan safodd Clifford dros y Rhyddfrydwyr gogyfer ag un o ddwy sedd Etholaeth Sirol Mynwy. Gweinidogion amlwg fel Mathetes (Rhymni), Nefydd (Y Blaenau) a David Saunders (Aber-carn) oedd arweinwyr yr ymgyrch, ynghyd ag Ifor Gwent, gŵr amlwg yn y bywyd diwydiannol. Wrth drafod yr etholiad yn eu papur, yr oedd gohebwyr *Baner ac Amserau Cymru* yn uniaethu Cymreictod â phleidlais dros y Rhyddfrydwyr. 'Yr ydym yn credu y bydd mwyafrif etholwyr y sir hon yn perthyn i'r genedl Gymreig' oedd darogan un ohonynt ym mis Medi, ond yr oedd un arall yn nes i'w le pan ddywedodd ei fod yn ofni na fuasai 'pob Ymneillduwr a phob Cymro yn ymddwyn yn deilwng ohono ef a'i genedl'.[23] Colli'r etholiad a wnaeth Clifford, ond dywedwyd i'r Cymry, ar y cyfan, ei gefnogi, er i rai o ddiaconiaid y capeli rannu eu pleidlais, ac eraill a ddisgwyliai ffafr gan eu cyflogwyr neu a ofnai'r 'sgriw' bleidleisio dros y Tori.

Ond er bod diddordeb cynyddol mewn gwleidyddiaeth ffurfiol wrth i'r wasg Gymraeg a chymdeithasau gwleidyddol ledu eu dylanwad yn ystod y chwedegau a'r saithdegau, cyfran isel o weithwyr oedd â'r hawl i bleidleisio o hyd. (Yn 1868 7,971 o etholwyr oedd yn Etholaeth Sirol Mynwy oedd â phoblogaeth o 156,677.) Nid oes rhyfedd felly mai materion diwydiannol oedd ymwneud pennaf y garfan honno o weithwyr a oedd yn barod i drefnu ac ymateb yn wleidyddol, ac mai yn yr undebau llafur newydd, yn hytrach nag yn y cymdeithasau Rhyddfrydol, y clywyd eu llais yn ystod y blynyddoedd nesaf.

Yn 1869 sefydlwyd Undeb i'r Gweithwyr Haearn (Undeb John Kane, y *National Amalgamated Association of Ironworkers*), ac ar ddechrau'r degawd newydd yr oedd yn ennill cefnogaeth yn yr ardal. Felly hefyd undeb newydd y glowyr (yr *Amalgamated Association of Miners*), a sefydlwyd gan Thomas Halliday yn yr un flwyddyn. Tua'r un adeg, cynyddodd cefnogaeth y gweithwyr tunplat i Gymdeithas Annibynnol y Gweithwyr Tunplat a sefydlwyd yn Ystalyfera yn 1868. Er bod nifer o ysgrifenwyr y wasg Gymraeg yn priodoli twf undebaeth i'r mewnlifiad Saesneg ac yn mynnu mai datblygiad gwrthun i'r Cymry ydoedd, dengys hysbysebion, gohebiaeth ac adroddiadau yn y wasg Gymraeg fod i'r iaith Gymraeg le amlwg yng ngweithgareddau'r undebau yn yr ardal yn y cyfnod. Cymry Cymraeg megis ab Arthur o Flaenafon a Paleinws o'r Blaenau a oedd yn gyfrifol am ohebu ar faterion undebol yn *Tarian y Gweithiwr* yn ystod y saithdegau a'r wythdegau, a gwyddys fod nifer o gynrychiolwyr y gweithwyr hefyd yn Gymry Cymraeg. Nid oes amheuaeth nad oedd dylanwad y Saesneg yn gryf ym maes undebau llafur – oherwydd y ffaith mai yn Lloegr yr oedd canolfannau'r undebau haearn a glo yn anad dim efallai – serch hynny, yr oedd y ddwy iaith yn cydfodoli yng ngweithgareddau gweithwyr Sir Fynwy. Yn ystod streic yng ngweithfeydd glo môr yr ardal ym 1868, soniai 'Penfelyn' o ardal y Coed-duon am 'y cydweithrediad, undeb a chariad' a ffynnai rhwng y Cymry a'r Saeson:

Ym mhob cyfarfod bydd y Cymro a'r Sais yn areithio bob yn ail . . . Bloeddiant allan nes bod yr wybren yn adseinio, 'Brodyr' gan y Cymry, 'Brothers' gan y Saeson, a thrachefn fonllef fawr Gymraeg gan y ddwy genedl . . .[24]

Yr oedd hyn yn beth newydd, meddai, gan fod traddodiad o elyniaeth rhwng y ddwy genedl yn yr ardal.

Er bod dulliau o weithredu wedi newid, a fawr neb bellach yn 'bygwth yr hen darw', yr oedd atgasedd tuag at y meistri yn parhau.

Os na ddiwygia'r meistri harn
Hwy a ddifarant Ddydd y Farn
Y glo a'r harn a'r arian fydd
Yn dyst i'w herbyn 'rolaf ddydd.[25]

meddai un baledwr o ardal Nant-y-glo yn 1871, a thua'r un adeg, disgrifiwyd gweithwyr Sir Fynwy fel 'y dosbarth gweithiol mwyaf annibynnol a diofn a fedd Cymru'.[26] Yn amlwg, perthynai'r cadernid hwn i'r garfan Gymraeg yn ogystal â'r di-Gymraeg.

Fel y dangoswyd yn y drydedd bennod, medrai'r iaith Gymraeg fod yn arf effeithiol i gyflogwyr geisio lleddfu'r tyndra rhyngddynt hwy â'u gweithwyr. Ond nid y Gymraeg oedd yr unig ffactor yn hyn o beth; yr oedd dilyn arferion diwydiannol lleol yr un mor bwysig. Yn 1867, er enghraifft, wrth roddi tystiolaeth i Gomisiwn yr Undebau Llafur, soniai G. T. Clark (Dowlais) am y berthynas dda rhwng meistri a gweithwyr yn y gweithfeydd hynny (fel Dowlais a Rhymni) lle yr oedd y mwyafrif o'r gweithwyr a'r rheolwyr yn wŷr lleol, ac am yr anawsterau a godai mewn gweithfeydd cymysg. Nododd enghraifft ym Mhont-y-pŵl lle yr oedd presenoldeb goruchwylwyr a gweithwyr o Swydd Stafford wedi achosi gwrthdaro am fod eu rheolau a'u harferion diwydiannol yn wahanol i'r hyn a arferid yn lleol.[27] Nid yr iaith oedd unig achos gwrthdaro felly; eto i gyd, yr oedd y Gymraeg yn un elfen ym mherthynas undebwyr â'i gilydd, oddi mewn ac oddi allan i faes glo de Cymru. Dangoswyd hyn yn gynnar yn y saithdegau pan gafwyd anghytuno yng nghynhadledd Undeb y Gweithwyr Haearn yng Nghasnewydd dros fater cynnwys rhai tudalennau yn yr iaith Gymraeg yng nghylchgrawn yr undeb.[28]

Un bennod yn hanes Undebaeth Lafur sy'n dangos ymwybyddiaeth o Gymreictod ymhlith o leiaf un garfan o ddosbarth gweithiol y sir yw'r achlysur yn ystod haf 1874 pan gafwyd ymdrechion i sefydlu undebau Cymreig annibynnol ymhlith glowyr a gweithwyr haearn de Cymru.[29] Yr oedd y rhesymau diwydiannol ac economaidd dros y rhaniad a ddilynodd cyn bwysiced â rhai diwylliannol. (Er enghraifft, un o brif gwynion y Cymry oedd bod arian lleol yn cael ei ddefnyddio er budd yr undebau yn ganolog yn Lloegr.) A rhaid gweld y gwrthdaro yng nghyd-destun hanes Undebaeth Lafur yn gyffredinol, ac nid yn unig yn nhermau'r ddadl 'genedlaethol' a orbwysleisiwyd gan y wasg ar y pryd. Eto i gyd, ni ellir gwadu nad oedd digwyddiadau haf 1874 yn arwydd fod rhai gweithwyr o leiaf yn dal i fynegi eu protest mewn termau cenedlaethol, a'r iaith Gymraeg yn parhau i fod yn bwysig.

Pan sefydlwyd undeb newydd y glowyr, rhoddwyd arno'r enw 'Undeb y Ddraig Goch', a rhoddwyd enwau Cymraeg gwladgarol ar y cyfrinfeydd lleol. Datganwyd mai'r Gymraeg fyddai cyfrwng holl fusnes yr undeb. Yn hyn o beth y mae'n arwyddocaol i weithwyr Rhymni chwarae rhan amlwg yn y symudiad dros undebau Cymreig a Chymraeg, yn arbennig felly yn achos yr ymgais i sefydlu undeb annibynnol ar gyfer gweithwyr haearn Cymru. Daethai'r galw o blith gweithwyr ardal Gymreiciaf Sir Fynwy.

Er mai byrhoedlog fu'r gwrthdaro, ac 'Undebaeth y Ddraig Goch' wedi methu i bob pwrpas erbyn Hydref 1874, nid dyna ddiwedd yr ymdrech i ddod ag undebaeth yn nes adref. Yn ystod yr anhrefn a ddilynodd Gload Allan 1875 pasiwyd cynnig mewn cyfarfod ym Merthyr i ffurfio un undeb canolog i lowyr de Cymru a Mynwy â'i ganolfan ym Mhontypridd. Unwaith eto, yr oedd undebwyr Sir Fynwy yn amlwg yn yr ymgais, ac er iddo fethu, y mae'r ffaith fod ymdeimlad o'r angen i fod ar wahân i Loegr yn arwyddocaol.

Rhwng 1875 a 1898 pan sefydlwyd Undeb Glowyr De Cymru, yr oedd glo yn prysur ddyfod yn bwysicach na haearn yn economi de Cymru. Y mae'r cyfnod rhwng Cload Allan 1875 a ffurfio'r undeb newydd yn gyfnod pan oedd glowyr yr ardal yn rhanedig, ac eto'n cael eu dal at ei gilydd gan gytundeb y Raddfa Lithrig a benderfynai lefel eu cyflog. Is-lywydd Pwyllgor y Raddfa Lithrig oedd William Abraham (Mabon), llywydd y *Cambrian Miners Association*. Bu dylanwad personol Mabon yn hollbwysig yn sicrhau ymlyniad glowyr de Cymru a Sir Fynwy i'r Raddfa Lithrig yn ystod y blynyddoedd hyn, a'r elfen ganolog yn hyn o beth oedd y ffaith ei fod yn Gymro Cymraeg ac yn Ymneilltuwr. Cafwyd sawl sialens i'r drefn yn ystod y cyfnod, ond yr oedd y rheini a ddaliodd yn ffyddlon i Mabon gan bleidleisio o blaid cadw a gwella'r Raddfa Lithrig yn hytrach na'i diddymu, yn ymhyfrydu eu bod, drwy wneud hynny, yn cefnogi *'Home Rule'* diwydiannol, ac yn aros yn driw i egwyddorion Cymreig. I raddau felly, gellir dehongli cefnogaeth y glowyr i'r Raddfa Lithrig fel arwydd o barhad syniadaeth 'Gymreig'. Er enghraifft, cafwyd pleidlais ar y pwnc yn ystod haf 1892, ac er nad ydyw'r canlyniadau'n arbennig o arwyddocaol, mae'n debyg y gellir canfod peth cydberthynas yn Sir Fynwy rhwng Cymreigrwydd yr ardal a'r bleidlais o blaid cadw'r Raddfa.[30] Ni ddylid gorbwysleisio hyn fodd bynnag, er i Ryddfrydwyr y cyfnod ddehongli'r rhaniad mewn termau cenedlaethol.

Ochr yn ochr â thwf undebaeth, cafwyd cynnydd mewn diddordeb mewn gwleidyddiaeth, a thwf yn y gefnogaeth i'r cymdeithasau Rhyddfrydol lleol, yn arbennig yn ystod yr wythdegau. Erbyn hynny, cysylltwyd Rhyddfrydiaeth yn agos â Chymreictod. I Gymry pybyr y trefi diwydiannol, aelodau'r cymdeithasau Cymraeg, yr oedd egwyddorion Rhyddfrydol yn ymestyniad naturiol o'u hymneilltuaeth a'u Cymreictod. Un criw nodedig oedd 'bois y Cymmrodorion a'r Coffi

Tafarn' y dilynid eu hynt a'u helynt yng ngholofn ddychanol *Tarian y Gweithiwr*, 'O Ben Cloc Mawr Tredegar', a ymddangosodd yn gyson yn y papur yn ystod yr wythdegau. Fel y crybwyllwyd eisoes, cefnogwyr Cymdeithas yr Iaith Gymraeg a Chymru Fydd oedd y rhain; rhai fel Gwentwyson, Myfyr Wyn, Hilyw, ap Noah, Clorianfardd ac Evan Powell. Yr oedd nifer ohonynt yn fân feirdd a llenorion, ac mae cynnwys eu cerddi a'u hysgrifau yn adlewyrchu eu diddordeb a'u daliadau. Ymhlith cerddi Myfyr Wyn, er enghraifft, ceir cerddi gwladgarol, penillion i Undeb y Glowyr, ac englynion i Charles Stuart Parnell a Michael Davitt. Molai ap Noah y Chamberlain ifanc, tra chanai Hilyw i'r glöwr a pheryglon ei waith.[31] Er gwaethaf y rhaniadau a fodolai yn y cyfnod rhwng y de-ddwyrain diwydiannol a'r Gymru wledig, parhai'r beirdd lleol i ddarlunio Cymru unedig, ramantaidd. Agwedd ramantaidd oedd ganddynt tuag at y Gymraeg hefyd a mynnent fynegi gobaith am ei pharhad heb fynd i'r afael o ddifrif â'r ffactorau hynny a achosai ei dirywiad. Gwelir hyn, er enghraifft, yn un arall o'r penillion a gyfansoddwyd gan Gwentwyson ar gyfer Eisteddfod Tredegar yn 1885:

> O'i phlaid Gymmrodorion, O, safwn yn hyf,
> Mae llanw'r estroniaith yn chwyddo yn gryf,
> Ond daliwn i bledio ein hiaith yn ddilai
> A buan daw'r llanw yn drai.[32]

Gweithwyr haearn neu lowyr oedd mwyafrif gwŷr y Cymmrodorion, ac er mai gweithwyr crefftus oedd nifer ohonynt, dengys eu gwaith llenyddol eu bod yn ymwybodol o beryglon gweithfeydd, ac o anghyfiawnder amgylchiadau gweithio a chyflogau isel trwch y gweithlu. I raddau, ceir yr un ymwybyddiaeth o'u cefndir diwydiannol yng ngwaith beirdd lleol eraill fel Pereiddiog (y Coed-duon) ac Ossian Gwent (Rhymni), ond ar y cyfan, testunau o fyd natur, cerddi i enwogion lleol, caneuon gwladgarol a phenillion cyfarch a fyddai'n mynd â'u bryd yn hytrach na materion diwydiannol. Pan ganwyd ar destunau diwydiannol, tueddai'r cerddi i adlewyrchu agwedd gymodlon a dderbyniai aberth y gweithiwr fel rhywbeth na ellid mo'i newid. Felly hefyd y baledi a gyfansoddwyd ar adeg damweiniau a thrychinebau yn y gweithfeydd a'r pyllau. Un enghraifft o lawer yw baled Ioan Glan Teifi am Drychineb Rhisga (1880) a ddiweddai mewn dull nodweddiadol grefyddol a chymodlon.[33]

Er mai gwella amgylchiadau trwch y boblogaeth oedd nod llawer o ymgyrchoedd y Rhyddfrydwyr lleol yn ystod yr wythdegau, nid oedd eu hymdrechion i ehangu'r etholfraint ac i sicrhau cynrychiolaeth i Ryddfrydwyr ar Fyrddau Ysgol, Byrddau Iechyd a Byrddau Gwarcheidwaid y Tlawd bob amser yn ymddangos fel pe baent yn berthnasol i'r dosbarth gweithiol. Yn 1880, er enghraifft, ymboenai

'Rhyddfrydwr' o Dredegar nad oedd y Rhyddfrydwyr yn llwyddo i apelio'n llwyddiannus at drwch y gweithwyr.[34] Un rheswm am hyn, meddai, oedd eu methiant i gynhyrchu cyhoeddusrwydd yn yr iaith Gymraeg. Ym mis Gorffennaf 1885 credai 'Peiriannwr' o Dredegar nad oedd y Rhyddfrydwyr yn defnyddio'r dull mwyaf effeithiol o genhadu sef 'i oleu dyn yn ei iaith ei hun'.[35] Eto i gyd, yr oedd ymgyrch etholiadol y Rhyddfrydwyr y flwyddyn honno yn ymgyrch ddwyieithog. Apeliwyd at y gweithiwr Cymraeg yn enw rhyddid a 'iawnderau y werin'. Codwyd ambell lais yn erbyn y ffaith mai Sais oedd yr ymgeisydd, Warmington, ond ar y cyfan cafodd gefnogaeth y Cymry, a dehonglwyd ei fuddugoliaeth yn nhermau buddugoliaeth y gwerthoedd Cymreig, gwerinol dros y gormeswyr Torïaidd, Seisnig.[36]

Er gwaethaf effaith y mewnlifiad di-Gymraeg bu'r wythdegau yn gyfnod pan gafwyd adfywiad mewn diddordeb yn yr iaith, ymhlith cefnogwyr y Rhyddfrydwyr yn arbennig. Fel y dangoswyd yn y bumed bennod, cafodd Cymdeithas yr Iaith Gymraeg, mudiad a ffurfiwyd er mwyn ceisio sicrhau lle teilwng i'r Gymraeg yn yr ysgolion, gryn dipyn o gefnogaeth gan Gymry Sir Fynwy ar ôl ei sefydlu yn 1885. Yn yr un cyfnod daeth Cymreictod yr ardal yn destun trafod mewn cyd-destun arall pan fu dadlau dros fater cynnwys y sir yn y mesur i gau'r tafarndai ar y Sul. Testun gofid mawr i Ryddfrydwyr Cymraeg yr ardal ar y pryd oedd y ffaith na lwyddwyd i ymestyn y ddeddfwriaeth i gynnwys Sir Fynwy. Teimlwyd bod hyn yn ymosodiad ar y gwerthoedd Cymreig, ac yn fodd i wahanu Sir Fynwy oddi wrth y Gymru Gymraeg, grefyddol. Bu bron i'r sir gael ei hepgor o Ddeddf Addysg Ganolraddol 1889 hefyd, ond ar ôl dadl ddifrifol yn y Tŷ Cyffredin llwyddwyd i sicrhau ei chynnwys ar sail y ffaith fod y sir wedi bod yn 'rhan o Gymru' at bwrpas addysg erioed.[37]

Ni ellir dweud felly bod y bywyd diwylliannol cyfrwng Cymraeg na'r ymdeimlad o Gymreictod wedi llwyr gilio o orllewin Sir Fynwy erbyn degawdau olaf y ganrif. Fel y dangoswyd, ail-Gymreigiwyd rhai mannau gan fewnlifiad o gefn gwlad Cymru yn ystod yr wythdegau, a dengys hanes y capeli Cymraeg hefyd mor wydn oedd y traddodiad Anghydffurfiol Cymraeg yn mynnu parhau mewn rhai mannau. Camddehongliad ydyw dweud, fel yr awgryma rhai haneswyr diweddar, fod gweithgarwch llenyddol yn fud, a'r Gymraeg yn perthyn i'r oes a fu erbyn 1870.[38] Y mae'n wir ei bod hi yn iaith a berthynai fwyfwy i'r to hŷn; eto, rhaid cofio bod bron i 75 y cant o boblogaeth rhan helaeth o'r ardal dan sylw yn siarad Cymraeg yn 1871 yn ôl amcangyfrif yr ystadegydd, Ravenstein, a bod hynny'n gyfran sylweddol iawn.[39] (Gweler Mapiau 2 a 3.)

Seiliodd Ravenstein ei astudiaeth ar atebion i holiadur a anfonodd at bobl flaenllaw yn y gymdeithas leol a fyddai'n debygol o wybod am

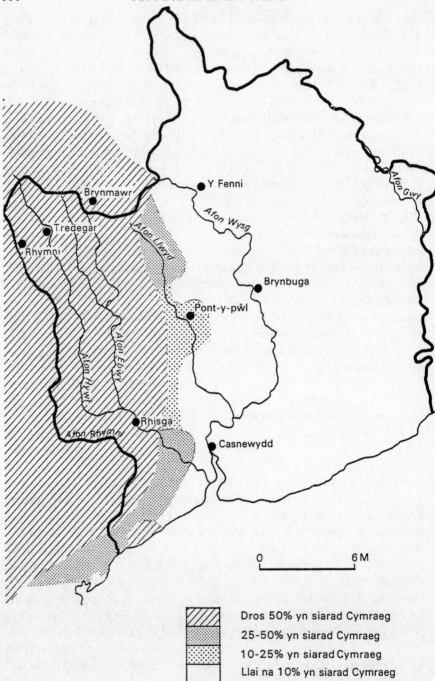

Map 2: Map ieithyddol Ravenstein yn seiliedig ar ffigurau poblogaeth 1871 (cyhoeddwyd 1879)

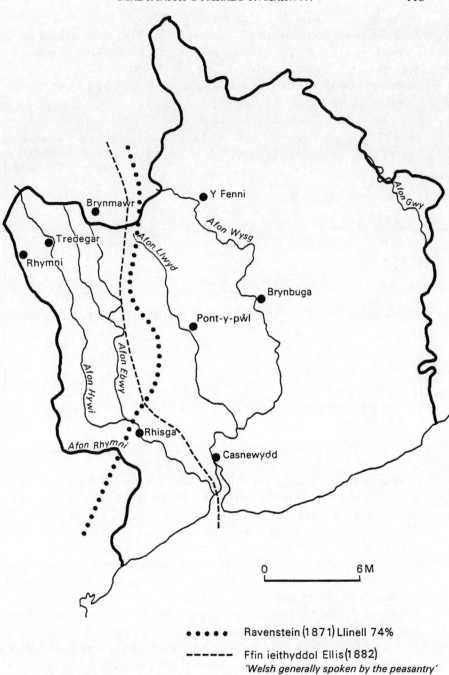

Map 3: Ffiniau ieithyddol Ravenstein ac Ellis

sefyllfa'r iaith. Defnyddiodd ffigurau poblogaeth 1871, ond gan na chyhoeddwyd canlyniadau ei ymchwil tan 1879, gellir tybied iddo gasglu'r dystiolaeth dros gyfnod, ac ni wyddys a fu i hyn effeithio ar gywirdeb y ffigurau terfynol. Yn ôl y patrwm ieithyddol a ymddangosodd, yr oedd y sir yn rhannu'n dair rhan fel a ganlyn:

Sir Fynwy	Arwynebedd (milltiroedd sgwâr)	Poblogaeth yn 1871	Cymraeg yn unig	Cymraeg a Saesneg	Canran y siaradwyr Cymraeg*
Ardal Gymraeg	83	61,525	1,500	44,850	73.7
Ardal Ddwy-ieithog	32	17,713	–	6,380	36.0
Ardal Saesneg	461	116,210	–	3,770	3.2
Cyfanswm	576	195,448	1,500	55,000	29.8

*Dyma'r canrannau a gyhoeddodd Ravenstein. Dylasai'r golofn olaf ddarllen fel a ganlyn:-

Ardal Gymraeg:	75.3%
Ardal Ddwyieithog:	36.0%
Ardal Saesneg:	3.2%
Cyfanswm:	28.9%

Er mwyn diffinio'r ardal Gymraeg ei hiaith, tynnodd Ravenstein ffin ieithyddol a oedd yn ymestyn i'r de rhwng afonydd Llwyd ac Ebwy gan groesi Afon Ebwy uwchben Rhisga, ac oddi yno hyd Machen a'r Afon Rhymni. Amcangyfrifodd fod tua thri chwarter y boblogaeth ar ochr orllewinol y ffin hon yn medru siarad Cymraeg. (Map 3.)

Gwnaed ymgais arall i ddiffinio'r ffin ieithyddol gan Alexander Ellis mewn erthygl a ymddangosodd yn *Y Cymmrodor* yn 1882.[40] Nid astudiaeth ystadegol mohoni, ond dibynnai ar atebion i holiadur byr a anfonwyd at offeiriaid bob plwyf. Tynnodd ffin ar sail gwybodaeth am 'yr iaith a siaredir yn arferol gan y werin'. Dechreuai honno yn y gogledd, i'r dwyrain o Frynmawr gan ddilyn dyffryn Ebwy Fach hyd at y fan lle mae'n ymuno ag Afon Ebwy Fawr. Cadwai i'r dwyrain o'r Ebwy, i'r gorllewin o Bont-y-pŵl, ac i'r dwyrain o Risga; yna i'r gorllewin o Gasnewydd. Oherwydd natur gyffredinol y cwestiynau a ofynnodd Ellis, a chyfyngiadau ei ffynonellau, ynghyd â'r ffaith na cheisiodd fesur pa ganran o'r boblogaeth a siaradai Gymraeg, anodd ydyw cymharu'r llinell hon â'r ffin a ddisgrifiwyd gan Ravenstein. Er hynny, hwyrach bod ei ganlyniadau yn rhoi rhyw arwydd o enciliad y Gymraeg yn yr ardal rhwng afonydd Llwyd ac Ebwy rhwng 1871 a 1881. (Map 3.)

Er bod yr astudiaethau hyn ar un wedd yn dynodi cryfder cymharol y Gymraeg, yr oedd Ravenstein ac Ellis fel ei gilydd yn rhagweld mai colli tir fyddai'r iaith yn y dyfodol. Yn ôl tystiolaeth Ravenstein, nid oedd y sawl a fedrai'r Gymraeg yn dewis ei siarad bob amser, yn arbennig felly'r bobl ifanc. Nododd Ellis barodrwydd y boblogaeth i droi i'r Saesneg. Gan mai wrth ddysgu'r iaith honno y câi'r plant fanteision gwaith a gwybodaeth, meddai, yr oedd y Gymraeg yn rhwym o farw'n gyfan gwbl. Pwysleisiai'r ddau sylwebydd fethiant y boblogaeth i drosglwyddo'r iaith i'w plant.

Yr oedd y methiant hwnnw yn creu un o nodweddion pwysicaf y sefyllfa ieithyddol yn yr ardal yn y cyfnod, sef y 'llithriad ieithyddol' neu golled y Gymraeg o'r naill genhedlaeth i'r llall. Yn Atodiad 14, ceir ymgais i fesur maint y llithriad hwn drwy ddefnyddio ystadegau Cyfrifiadau Iaith 1901–21. Dengys ddirywiad cyson yn nifer y plant a gâi eu magu'n Gymry Cymraeg, a chwymp sylweddol yn y gallu i siarad yr iaith ymhob cenhedlaeth. Y gwir oedd fod hyd yn oed y Cymry brwdfrydig, Rhyddfrydwyr a chapelwyr selog y cymdeithasau Cymraeg, yn dewis peidio â throsglwyddo'r Gymraeg i'w plant. Er eu holl frwdfrydedd o blaid yr iaith ar lwyfan yr Eisteddfod, methwyd â throsglwyddo hynny i sefyllfa real bywyd bob dydd. Fel y dengys astudiaethau difyr a chynhwysfawr yr Athro Hywel Teifi Edwards, Cymreictod amwys oedd Cymreictod Cymry'r bedwaredd ganrif ar bymtheg.[41] Er gwaetha'r 'adfywiad' a gafwyd i raddau yn ystod yr wythdegau, ni chafodd hynny'r effaith gyfatebol er atal enciliad pellach y Gymraeg.

Dechreuodd y nawdegau gyda chynnwys cwestiynau am yr iaith a siaredid yn y cyfrifiad am y tro cyntaf. Sbardunodd hyn ddiddordeb yn sefyllfa'r Gymraeg, yn arbennig yn yr ardaloedd hynny lle yr oedd o dan fygythiad. Ond er mai astudiaeth ystadegol swyddogol a gafwyd yn 1891, bu llawer o feirniadu ar gywirdeb y canlyniadau. Barnai Beriah Gwynfe Evans, ysgrifennydd Cymdeithas yr Iaith Gymraeg, nad oedd 'ymddiried o gwbl i'w roi ar gyfrifiad 1891 mor belled ag y mae a fyno ag iaith trigolion Cymru'.[42] Cwynai nifer o Gymry blaenllaw na ddosbarthwyd digon o'r ffurflenni Cymraeg. Oherwydd hynny, ac am nifer o resymau eraill, dywedwyd fod 'miloedd lawer' o Gymry Cymraeg wedi'u disgrifio'u hunain fel Saeson.

Ar ôl cyhoeddi'r ystadegau yn 1893, aeth Thomas Darlington, un o Arolygwyr Ysgolion ei Mawrhydi, a Sais a ddysgodd Gymraeg, ati i gynnal ei astudiaeth ei hun. Dadleuai fod y dosbarth 'dwyieithog' yn fwy nag a ddangosai'r cyfrifiad. Yn anffodus, nid ymddengys fod y wybodaeth a gasglodd ar gael erbyn hyn, ac ni wyddys a oedd ganddo wybodaeth ar gyfer Sir Fynwy. Ond cytunai Beriah Gwynfe Evans fod ffigurau Darlington yn 'llawer agosach' i'w syniad yntau o gyflwr pethau.[43] Credai rhai fod y cyfrifiad yn gosod nifer y Cymry uniaith yn uwch nag a ddylai fod. Cytunai Darlington, ond gan fod asesiad y cyfrifiad o'r boblogaeth ddwyieithog yn rhy isel yn ei farn ef, credai fod gwerth i'r cyfanswm.[44] Yn ogystal â'r amheuon a oedd yn berthnasol i ganlyniad y cyfrifiad yng Nghymru gyfan, yr oedd nifer o ffactorau penodol yn effeithio ar ystadegau Sir Fynwy. Defnyddiwyd y Sir Gofrestru fel uned, a golygai hyn na chofnodwyd iaith trigolion chwe phlwyf yn yr hen Sir Ddaearyddol lle'r amcangyfrifid fod tua 4,000 o bobl yn siarad Cymraeg. Cynhwysai'r Sir Gofrestru hefyd ddeuddeg plwyf sifil yn Swydd Gaerloyw, a saith yn Swydd Henffordd. Trigai 24,000 o bobl yn y plwyfi hyn, a'r rheini bron yn gyfan gwbl Saesneg eu hiaith. Ni chafwyd gwybodaeth am 2,475 o bobl yn y sir. Dylid cadw'r cefndir hwn mewn cof wrth ymdrin â'r ffigurau ar gyfer Sir Fynwy a welir yn Atodiad 15.

Astudiwyd a dehonglwyd ffigurau Cyfrifiad Iaith 1891 gan yr addysgwr a'r cyhoeddwr o Gasnewydd, J. E. Southall.[45] Daeth i'r casgliad mai 16.5 y cant yn hytrach na 15.2 y cant fyddai canran y boblogaeth Gymraeg pe defnyddid y Sir Ddaearyddol yn hytrach na'r Sir Gofrestru fel uned ar gyfer y cyfrif. Yr oedd ef eisoes wedi cyhoeddi map ieithyddol yn 1892, flwyddyn cyn cyhoeddi canlyniadau'r Cyfrifiad. Credai fod y map hwn, a oedd yn seiliedig ar ymchwil bersonol, yn gywirach na hwnnw a luniodd ar sail ystadegau swyddogol 1891.[46] (Gweler Mapiau 4 a 5.) Amcangyfrifodd Southall fod o leiaf 60 y cant o boblogaeth gorllewin eithaf y sir, gan gynnwys Glynebwy, Dyffryn Sirhywi a Chwm Rhymni (ynghyd â Llanofer ymhellach i'r dwyrain), yn siarad Cymraeg. Er bod hyn yn cynrychioli enciliad sylweddol o ffin Ravenstein yn 1871, yr oedd yn ganran uchel o'i gymharu â chyfartaledd Cymry Cymraeg Ardal Gofrestru Bedwellte (a gynhwysai gyfran sylweddol o'r un ardal) yng Nghyfrifiad Swyddogol 1891, sef 35.9 y cant. Y mae'n bosib fod Southall, fel cenedlgarwr, yn awyddus i bwysleisio cryfder y Gymraeg, a hwyrach fod 60 y cant ar gyfartaledd yn amcangyfrif rhy uchel. Eto, os ystyrir mai 38.4 y cant o'r boblogaeth a oedd yn siarad Cymraeg yn y pedair Ardal Drefol, Rhymni, Tredegar, Bedwellte a Glynebwy (sef yn fras yr un ardal, yn ôl Cyfrifiad Iaith 1901), gellid meddwl bod Southall yn iawn i amau fod ffigurau Cyfrifiad swyddogol 1891 yn rhy isel.

Yr oedd Southall, wrth geisio bod yn obeithiol ynglyn â dyfodol y Gymraeg yng Ngwent yn y nawdegau, yn gosod ei ffydd yn y gyfundrefn

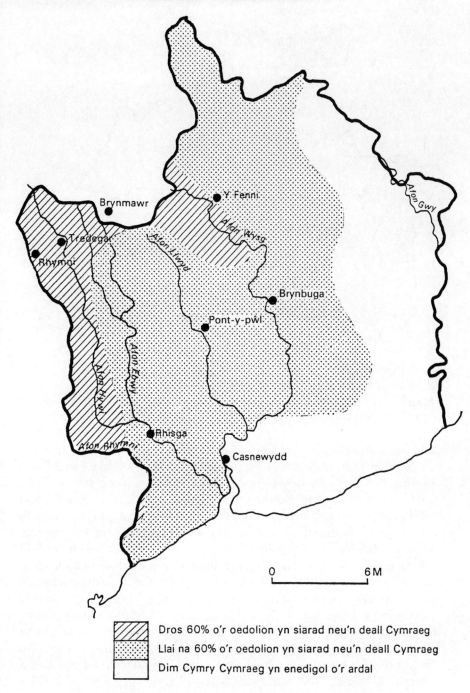

Dros 60% o'r oedolion yn siarad neu'n deall Cymraeg
Llai na 60% o'r oedolion yn siarad neu'n deall Cymraeg
Dim Cymry Cymraeg yn enedigol o'r ardal

Map 4: Map ieithyddol Southall yn seiliedig ar ymchwil bersonol (1893)

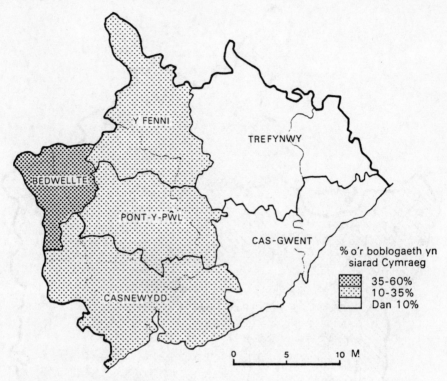

Map 5: Map ieithyddol Southall yn seiliedig ar Gyfrifiad 1891 (cyhoeddwyd 1894)

addysg. Gweithiai'n ddiflino i gynhyrchu deunydd Cymraeg a dwyieithog addas ar gyfer yr Ysgolion Bwrdd, ac yr oedd yn ffyddiog y byddai dulliau dysgu ddwyieithog, o'u mabwysiadu'n gyffredinol, yn adfer yr iaith.[47] Ond fel y dangoswyd yn y bumed bennod, er gwaethaf ewyllys da ar ran rhieni a rhai Byrddau Ysgol lleol, cyfyng iawn fu effaith yr ymdrechion i gyflwyno'r Gymraeg i faes llafur yr ysgolion. Wrth i ddylanwad yr ysgolion ledu, ac wrth i gyfran uwch o blant dderbyn addysg ddyddiol, Seisnigeiddio'r gymdeithas ymhellach a wnaeth yr ysgolion yn hytrach na'i Chymreigio. Gellir dadlau ei bod hi eisoes yn rhy hwyr i adfer y sefyllfa drwy gyfrwng y cynlluniau cyfyngedig a gynigiwyd gan y Byrddau Ysgol yn ystod y nawdegau, ag eithrio efallai ym mhen uchaf Cwm Rhymni ac ardal Sirhywi lle'r oedd cyfran uchel o blant o aelwydydd Cymraeg. Gwnaeth datblygiadau diwydiannol y nawdegau a throad y ganrif, a'r mewnlifiad Saesneg a ddaeth yn eu sgil, ymdrechion o'r fath yn llai tebygol o lwyddo. Fel y dangoswyd eisoes, Seisnigeiddiwyd rhannau helaeth o'r ardal yn y cyfnod hwn, a dyma hefyd y cyfnod pan gafodd yr iaith Saesneg effaith drawiadol ar iaith y capeli a'r gweithgareddau cymdeithasol a oedd ynghlwm wrthynt.

I raddau helaeth, yr oedd y capeli a'u hysgolion Sul a'u corau yn parhau'n boblogaidd yn ystod degawd gyntaf y ganrif newydd, hyd yn oed ymhlith yr ieuenctid. Ond eironi'r sefyllfa ieithyddol oedd mai effaith Diwygiad 1904–5; y Diwygiad a adferodd y tân crefyddol Cymreig am gyfnod, oedd Seisnigeiddio llawer o gapeli'r sir. Teimlid y dylid darparu ar gyfer yr aelodau newydd di-Gymraeg, ac o ganlyniad, trowyd llawer o'r gwasanaethau a'r gweithgareddau i'r Saesneg ar eu cyfer. Wedi i frwdfrydedd y Diwygiad bylu, daeth yn amlwg fod y bywyd cymdeithasol a gynigiai'r capeli yn annigonol i lawer o'r to ifanc. Denwyd llawer gan y dulliau newydd o adloniant, a chan y rhyddid i fynd ar wibdaith ar y Sul, neu i yfed diodydd meddwol. Wrth droi eu cefn ar sefydliad y capel a'r gwerthoedd a oedd yn gysylltiedig ag ef, yn aml, collai'r genhedlaeth ifanc eu hunig gysylltiad â'r iaith Gymraeg.

Eto, mae'n bwysig peidio â gorbwysleisio hyn. Yn yr ardal orllewinol yr oedd y Gymraeg yn parhau i fod yn rhan o'r bywyd cymdeithasol y tu allan i'r capeli. Yn Rhymni, er enghraifft, yr oedd y Gymraeg i'w chlywed yn y tafarndai yn ogystal ag yn y capeli. Ond cyfyd nifer o broblemau wrth ystyried dirywiad poblogrwydd y capeli mewn perthynas ag enciliad yr iaith Cymraeg. Oherwydd y cysylltiad clòs rhwng y Gymraeg ac Ymneilltuaeth yn hanesyddiaeth y bedwaredd ganrif ar bymtheg, anodd ydyw cyrraedd y Cymry Cymraeg hynny nad oeddynt yn rhan o ddiwylliant y capeli. Hwyrach y gellir dadlau nad oedd traddodiad seciwlar Cymraeg yn bodoli yng Nghymru yn y cyfnod, a bod hynny, yn y pen draw, wedi bod yn anfanteisiol i'r Gymraeg. Yn sicr, bydd yn rhaid i unrhyw astudiaeth newydd o hanes y Gymraeg fynd i'r afael â'r Gymru arall honno a oedd y tu hwnt i ddrysau'r capeli. Nid oedd o angenrheidrwydd bob amser yn fyd Seisnigaidd.

Daw cwestiynau tebyg i'r amlwg pan sonnir am ddirywiad y Gymraeg mewn perthynas â thwf dylanwad syniadau Sosialaidd yn ystod degawdau cyntaf yr ugeinfed ganrif. Fel arfer, dehonglir y gwrthdaro rhwng Rhyddfrydiaeth a Sosialaeth fel gwrthdaro rhwng yr hen werthoedd crefyddol a chymodlon 'Cymreig' a gwerthoedd milwriaethus a seciwlar 'Seisnig', a gwelir y modd y cefnodd y gweithwyr ar yr iaith Gymraeg fel rhan o'r un broses ymwybodol o ymwrthod â'r hen ddaliadau. Gan fod trwch y boblogaeth weithfaol wedi ei Seisnigeiddio cyn i Sosialaeth ddod yn rym effeithiol yn yr undebau llafur ac mewn gwleidyddiaeth yn gyffredinol, anodd ydyw derbyn y ddadl honno yn ei chrynswth yn achos Sir Fynwy. Er hynny, am fod y Gymraeg wedi'i huniaethu mor agos ag Ymneilltuaeth a Rhyddfrydiaeth yn ystod ail hanner y bedwaredd ganrif ar bymtheg, y mae'n wir fod Cymry'r cyfnod yn ystyried twf Sosialaeth yn fygythiad i'r 'hen ffordd Gymreig o fyw'. Fel y dangoswyd eisoes, dehonglwyd y gefnogaeth i Mabon a'r agwedd gymodlon oddi mewn i'r Undebau mewn termau cenedlaethol i raddau helaeth. Yn yr un modd, yr oedd unrhyw wrthwynebiad i'w athroniaeth yn cynrychioli ymosodiad gan bŵer yr Anghrist Seisnig. I 'Owain Glyndwr', Rhyddfrydwr a gohebydd lleol Rhymni i *Tarian y Gweithiwr*, 'dynion gwael' oedd Sosialwyr fel rheol, 'yn wrth-grefyddol, yn ceisio sathru ar y Beibl ac ar Ryddfrydiaeth'. Ond dengys ei adroddiad ym mis Awst 1897 iddynt hwy a'u hefengyl newydd gael croeso brwd gan weithwyr y lle:

> Pregethir efengyl Sosialaeth gan ddau ddyn a dwy ddynes yn y cyfnos, a chan fod hyn yn newydd-beth yn y lle, cant luaws o wrandawyr gwresog.

Yr oedd un 'haner prydydd' yn 'gorfoleddu' oherwydd credai mai'r Sosialydd o'r gogledd, Dr Pan Jones, a oedd yn dod:

> Dyma'r nef yn dod i Rymni
> Wrth gwt ceffyl yn y Van
> Dyma ddynion a menywod,
> Ond pa le mae Doctor Pan?[48]

Gwyddys mai Cymry Cymraeg oedd mwyafrif mawr gweithwyr Rhymni ar droad y ganrif, ac fe ymddengys i'r pynciau hyn gael eu trafod yn Gymraeg yn ogystal ag yn Saesneg yno.

Eto, yr oedd y Rhyddfrydwyr yn dehongli'r gwahaniaeth barn fel rhaniad rhwng Cymry 'go-iawn' a Chymry Seisnig neu Saeson. Polareiddiwyd agweddau ymhellach yn sgil Cload Allan 1898, a daeth y rhaniad rhwng y carfanau milwriaethus a'r rheini a oedd o blaid cymod yn fwy amlwg. I 'Aeron' o Dredegar Newydd, er enghraifft, yr oedd streic yn rhywbeth Seisnig, gwrthun i'r Cymry; rhywbeth nad oedd yn haeddu enw Cymraeg. Yn dilyn gwrthdaro rhwng heddlu a streicwyr lleol ym mis Medi 1898, ysgrifennodd:

> Y mae New Tredegar wedi ei daflu i amryfusedd drwy'r hon y mae y Sais yn ei alw'n '*strike*'. Nid wyf yn gwybod am air Cymraeg arni, ac nid wyf yn credu y byddai gwahaniaeth pe byddai dim gair Saesneg.[49]

Y mae'n anodd osgoi'r casgliad fod llawer o Gymry, wrth ddod o dan ddylanwad syniadaeth mwy milwriaethus Undebaeth Lafur yr ugeinfed ganrif a gwleidyddiaeth Sosialaeth ryngwladol, wedi ymwrthod â'r hen werthoedd a gyfunai Ryddfrydiaeth, Anghyd-ffurfiaeth a'r iaith Gymraeg. Eto, rhaid cofio nad oedd Sosialaeth o angenrheidrwydd yn rym gwrth-Gymreig na gwrth-grefyddol. Daeth rhai at Sosialaeth o dan ddylanwad Diwygiad 1904, tra y coleddai eraill syniadau Sosialaeth Gristnogol y diwinydd, R. J. Campbell. Mater o amser yn unig oedd hi cyn bod trwch y dosbarth gweithiol (llawer yng ngorllewin eithaf yr ardal yn para i fod yn Gymry

Cymraeg), yn mabwysiadu gwleidyddiaeth Sosialaidd. Er nad oedd
Cymreictod yn rhan annatod o'u hathroniaeth newydd, nid oedd yn
gwbl estron iddi. Yr oedd gwŷr fel S. O. Davies, Merthyr, yn brin mae'n
wir, ond yr oeddynt yn bod.[50] Y mae angen ymchwil bellach cyn medru
dod i gasgliadau ynglŷn â'r Gymraeg mewn perthynas â syniadaeth
wleidyddol dosbarth gweithiol y de-ddwyrain yn ystod degawdau
cyntaf yr ugeinfed ganrif, ac y mae hynny y tu hwnt i gwmpas y gyfrol
hon. Fel y dywedwyd, yr oedd dylanwad yr iaith Saesneg wedi lledu i
bob cwr o orllewin Mynwy erbyn troad y ganrif, a'r genhedlaeth iau
eisoes wedi colli'r iaith i bob pwrpas, ac eithrio ym mhen uchaf Cwm
Rhymni.

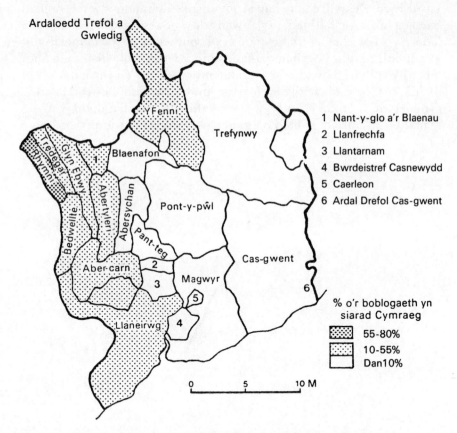

MAP 6: Map ieithyddol Southall yn seiliedig ar Gyfrifiad 1901

Erbyn Cyfrifiad 1901, chwe Ardal Drefol ac un Ardal Wledig yn unig
oedd â chyfartaledd y Cymry Cymraeg dros 20 y cant o'r boblogaeth, ac
Ardal Drefol Rhymni oedd yr unig ardal â thros hanner ei phoblogaeth
yn medru'r Gymraeg (sef 69 y cant). (Gweler Map 6.) Byddai Cyfrifiad

1911 yn dangos dirywiad pellach wrth i'r Gymraeg fethu â'i chynnal ei hun. (Disgynnodd cyfartaledd y Cymry Cymraeg dros dair oed yn y Sir Weinyddol o 13.6 y cant yn 1901 i 9.6 y cant yn 1911). Erbyn hynny, Rhymni, lle yr oedd 56 y cant o boblogaeth yr Ardal Drefol yn medru'r Gymraeg, oedd ffin olaf yr iaith. Ond oddi mewn i'r Ardal Drefol yr oedd tref Rhymni ei hun, ac yn arbennig y rhan uchaf, Twyncarno, yn fwy Cymreigaidd.[51]

Cyfuniad o ffactorau – daearyddol, economaidd, crefyddol a chymdeithasol – a barodd mai Rhymni, yn anad unrhyw fan arall, a lwyddodd i gynnal y Gymraeg hyd at ganol yr ugeinfed ganrif. Yn yr un modd, nid yw'n bosib priodoli dirywiad y Gymraeg yn y ganrif o'r blaen yn Sir Fynwy'n gyffredinol i un achos unigol. Cyfrannodd y mewnlifiad Saesneg (a'i sgil-effeithiau), dylanwad addysg Saesneg a'r ddeuoliaeth a fodolai yn agwedd Cymry'r cyfnod at y Gymraeg yn eu gwahanol ffyrdd at ddisodli'r iaith. Gwahaniaethai effaith y gwahanol elfennau o fan i fan, o flwyddyn i flwyddyn ac i raddau mwy neu lai. Yn y pen draw, nid dyddio'r dirywiad ieithyddol sydd bwysicaf, eithr gwerthfawrogi cymhlethdod profiad unigryw cymdeithas ddiwydiannol Gymraeg gyntaf Cymru mewn cyfnod o newid hanesyddol allweddol.

Atodiadau

Atodiad 1

Newid poblogaeth pob degawd yn Is-ardaloedd Cofrestru gorllewin Sir Fynwy 1801–91

	1801	1811	1821	1831	1841	1851	1861	1871	1881	1891
Y FENNI										
Llanarth	1443	1647	1705	1824	1861	1909	1884	1891	1717	1639
		+ 204	+ 58	+ 119	+ 37	+ 48	− 25	+ 7	− 174	− 78
		+ 14.1%	+ 3.5%	+ 6.9%	+ 2.0%	+ 2.5%	− 1.3%	+ 0.3%	− 9.2%	− 4.5%
Llanfihangel	1520	1610	1625	1562	1688	1837	1750	1747*	1586*	1619*
		+ 90	+ 15	− 63	+ 126	+ 149	− 87	− 3	− 161	+ 33
		+ 5.9%	+ 0.9%	− 3.8%	+ 8.0%	+ 8.8%	− 4.7%	− 0.1%	− 9.2%	+ 2.0%
Y Fenni	3746	4618	5386	6351	7256	7942	8669	9131	10730	11686*
		+ 872	+ 768	+ 965	+ 905	+ 686	+ 727	+ 462	+ 1599	+ 956
		+ 23.2%	+ 16.6%	+ 17.9%	+ 14.2%	+ 9.4%	+ 9.15%	+ 5.3%	+ 17.5%	+ 8.9%
Blaenafon	1469	2619	4066	4382	6223	5855	7114	9993	9449	11041*
		+ 1150	+ 1447	+ 316	+ 1841	− 368	+ 1259	+ 2879	− 544	+ 1592
		+ 78.2%	+ 55.2%	+ 7.7%	+ 42.0%	− 5.9%	+ 21.5%	+ 40.4%	− 5.4%	+ 16.8%
Aberystruth	805	1626	4059	5992	11272	14383	16055	15468	18672	25913
		+ 821	+ 2433	+ 1933	+ 5280	+ 3111	+ 1672	− 587	+ 3204	+ 7241
		+ 101.9%	+ 149.6%	+ 47.6%	+ 88.1%	+ 27.5%	+ 11.6%	− 3.6%	+ 20.7%	+ 38.7%
Tredegar	1132	3958	5404	8567	19929	24544	28548	33697	34685	35628
		+ 2826	+ 1446	+ 3163	+ 11362	+ 4615	+ 4054	+ 5099	+ 988	+ 943
		+ 249.6%	+ 36.5%	+ 58.5%	+ 132.6%	+ 23.1%	+ 16.5%	+ 17.8%	+ 2.9%	+ 2.7%
Rock Bedwellte	302	632	978	2070	2484	2639	2962	2598	2483	3325
		+ 330	+ 346	+ 1092	+ 414	+ 155	+ 323	− 364	− 115	+ 842
		+ 109.2%	+ 54.7%	+ 111.6%	+ 20.0%	+ 6.2%	+ 12.2%	− 12.2%	− 4.4%	+ 33.9%
Cyfanswm	10417	16710	23223	30748	50713	59109	67032	74522	79322	90851
		+ 8493	+ 6513	+ 7525	+ 19965	+ 8396	+ 7923	+ 7493	+ 4797	+ 11529
		+ 60.4%	+ 38.9%	+ 32.4%	+ 64.9%	+ 16.5%	+ 13.4%	+ 11.1%	+ 16.4%	+ 14.5%

PONT-Y-PŴL Pont-y-pŵl	2570	4252 +1682 +65.4%	6242 +1990 +46.8%	12835 +6593 +105.6%	18280 +5445 +42.4%	20614 +2334 +12.7%	22633 +2019 +9.7%	25287 +2654 +11.7%	25297 +10 0%	29228 +3931 +15.4%
Llangybi	1248	1648 +400 32.0%	1966 +318 19.4%	2147 +181 +9.2%	2632 +485 +22.5%	3599 +967 +36.7%	3620 +21 +0.5%	4683 +1063 +29.3%	6310 +1627 +34.7%	7024 +714 +11.3%
Brynbuga	2528	2849 +321 +12.6%	3229 +380 +13.3%	3567 +338 +10.4%	4126 +559 +15.6%	3780 −346 −8.3%	4035 +255 +6.7%	3922 −113 −2.8%	3731 −191 −4.8%	3519 −212 −5.6%
Cyfanswm	6346	8749 +2403 +37.8%	11437 +2688 +30.7%	18549 +7112 +62.1%	25038 +6489 +34.9%	27993 +2955 +11.8%	30288 +2295 +8.1%	33892 +3604 +11.8%	35338 +1446 +4.2%	39771 +4433 +12.5%
CASNEWYDD Caerllion	3382	4307 +925 +27.3%	4939 +632 +14.6%	5098 +159 +3.2%	5822 +724 +14.2%	6368 +546 +9.3%	7615 +1247 +19.5%	8630 +1015 +13.3%	10709 +2079 +24.0%	18486 +7777 +72.6%
Casnewydd	1423	3025 +1602 +112.5%	4951 +1926 +63.6%	7062 +2111 +42.6%	13766 +6704 +94.9%	20279 +6513 +47.3%	24756 +4477 +22.0%	29877 +5121 +20.6%	33932 +4055 +13.5	41903 +7971 +23.4%
St. Woollos	3309	4046 +737 +22.2%	4144 +98 +2.4%	4963 +819 +19.7%	5765 +802 +16.1%	7759 +1994 +34.5%	8445 +686 +8.8%	11254 +2809 +33.2%	12811 +1557 +13.8%	16880 +4069 +31.7%
Mynyddislwyn*	2782	4802 +2020 +72.6%	4961 +159 +3.3%	7089 +2128 +42.8%	7704 +615 +8.6	9066 +1362 +17.6%	10596 +1530 +16.8%	11491 +895 +8.4%	13090 +1599 +13.9%	19527 +6437 +49.1%
Cyfanswm	10896	16180 +5284 +67.3%	18995 +2815 +17.3%	24212 +5217 +27.4%	33057 +8845 +36.5%	43472 +10415 +31.5%	51412 +7940 +18.2%	61252 +9840 +19.1%	70542 +9290 +15.1%	96526 +25984 +36.8%

*Mae'r ffigurau'n cynnwys pentrefi Llanfedw a Rhyd-y-gwern (Sir Forgannwg) ond gan fod y niferoedd yn fychan teimlwyd nad oedd hyn yn amharu ar y patrwm cyffredinol.

Atodiad 2

Atodiad 2.1: Newid poblogaeth (mewn miloedd) Sir Fynwy (Sir Gofrestru) 1801–91

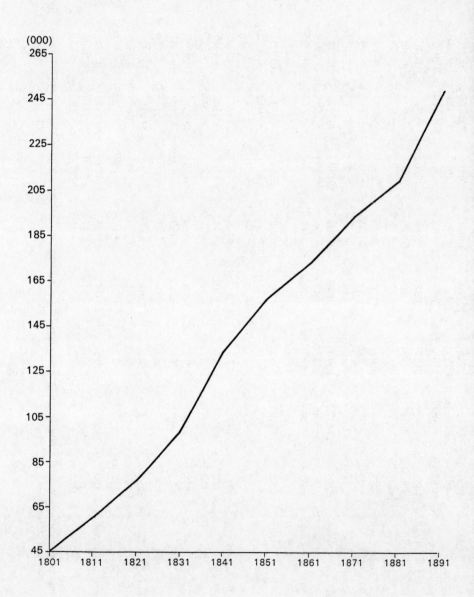

Atodiad 2.2: Newid poblogaeth (mewn miloedd) Ardaloedd
Cofrestru Sir Fynwy 1801–91

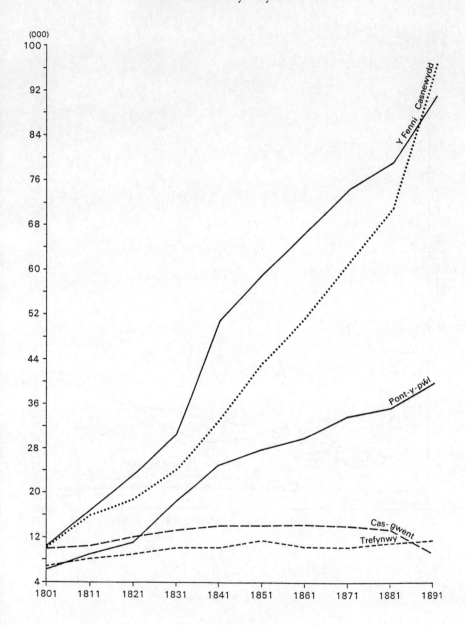

Atodiad 2.3: Newid poblogaeth (mewn miloedd) Is-ardaloedd Cofrestru Ardal Gofrestru Y Fenni 1801–91

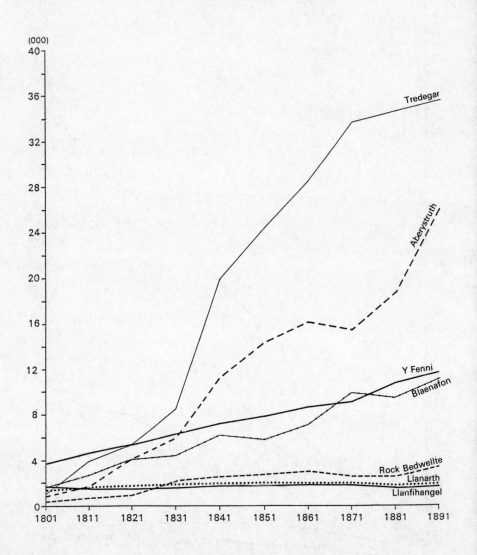

Atodiad 2.4: Newid poblogaeth (mewn miloedd) Is-ardaloedd
Cofrestru Ardal Gofrestru Pont-y-pŵl 1801–91

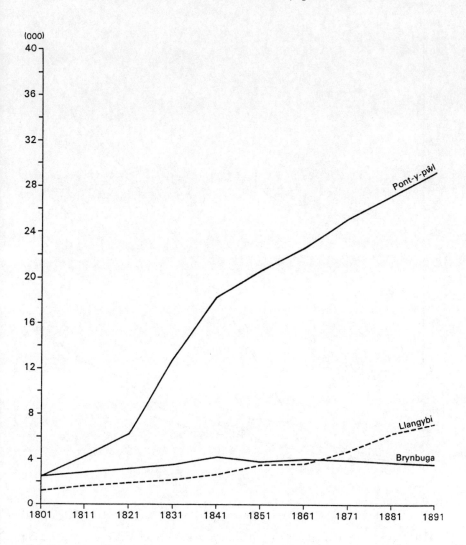

Atodiad 2.5: Newid poblogaeth (mewn miloedd) Is-ardaloedd
Cofrestru Ardal Gofrestru Casnewydd 1801–91

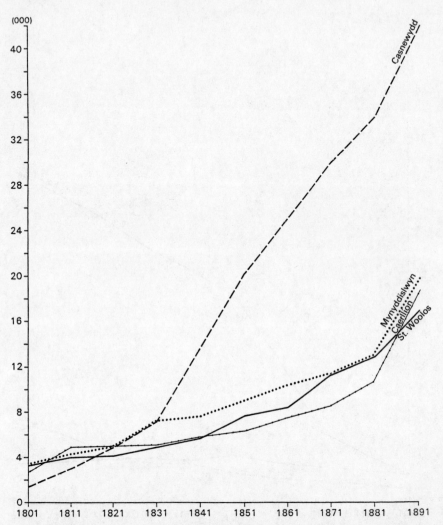

Mae'r graffiau'n seiliedig ar y ffigurau a geir yn y cyfrifiadau ar gyfer Sir
Gofrestru Mynwy 1851–91. Gweler y llyfryddiaeth.

Atodiad 3

Mannau geni poblogaeth rhai o ardaloedd gweinyddol gorllewin Sir Fynwy ynghyd â rhannau diwydiannol ymylol Sir Frycheiniog yn 1841*

	Gwr.	Poblogaeth Ben.	Cyf.	Ganwyd yn Sir Fynwy	Ganwyd mewn mannau eraill Nifer	Canran
BEDWELLTE						
Islaw'r-coed	1334	1150	2484	1490	994	40.0
Man-moel	3827	2962	6789	2999	3790	55.8
Uwchlaw'r-coed	7308	5832	13140	4586	8554	65.0
Aberystruth	6365	4907	11272	5348	5924	52.5
MYNYDDISLWYN						
Clawrplwyf	1114	941	2055	1714	341	16.5
Mynyddmaen	428	428	856	609	247	28.8
Pen-maen	1333	1141	2474	1937	537	21.7
Bedwas Isaf	142	142	281	211	73	25.7
Bedwas Uchaf	236	222	458	337	121	26.4
Machen Isaf	416	387	803	534	269	33.4
Machen Uchaf	276	292	568	382	186	32.7
Trefethin	6429	5648	12077	6951	5126	42.4
Pont-y-pŵl	1445	1420	2865	1818	1047	36.5
Panteg	1134	1037	2171	1714	457	21.0
Casnewydd	5564	5251	10815	7031	6735	48.9
St. Woolos	1473	1478	2951			
Rhisga	553	519	1072	724	348	32.4
Llan-ffwyst	823	677	1500	869	631	42.0
Llanhiledd	376	286	662	489	173	26.1
Llanofer Uchaf	1525	1276	2801	1690	1111	39.6
Llanofer Isaf	180	142	322	262	60	18.6
SIR FRYCHEINIOG						
Llanelli						
Aberbardan	3043	2664	5707	2886	2821	49.4
Maesygwartha	869	790	1659	1109	550	33.1
Llangatog (Prisk & Killey)	2065	1632	3697	1807	1890	51.1
Blaenau Llangynidr	1136	974	2110	953	1157	54.8

* Census of England and Wales, 1841, Population Abstracts, (Monmouthshire), 184–7.

Atodiad 4

Mannau geni poblogaeth y Fenni a Gwynllŵg 1841 — dau gantref yr effeithiwyd arnynt gan y Chwyldro Diwydiannol 1841.

Ganed Yn

Cantref	Sir Fynwy		Siroedd eraill		Yr Alban		Iwerddon		Tramorwyr		Dim gwybodaeth	
	G	B	G	B	G	B	G	B	G	B	G	B
Y Fenni 43,846 o bobl, 40.9% wedi eu geni y tu allan i'r sir.	12,870 29.3%	12,739 29.0%	9662 22.0%	7193 16.4%	57 0.13%	23 0.05%	553 1.26%	390 0.88%	49 0.11%	20 0.04%	164 0.37%	126 0.28%
	58.4%		38.44%		0.18%		2.44%		0.14%		0.65%	
Gwynllŵg 48,638 o bobl, 45.5% wedi eu geni y tu allan i'r sir.	13,096 26.9%	13,168 27.0%	11,848 24.3%	8993 18.4%	145 0.29%	47 0.09%	935 1.92%	67 0.13%	55 0.11%	16 0.04%	154 0.31%	114 0.23%
	53.9%		42.7%		0.39%		2.05%		0.14%		0.54%	

Atodiad 5

Tabl yn dangos canran y boblogaeth dros 20 oed Ardaloedd
Cofrestru Sir Fynwy wedi'i dosbarthu yn ôl mannau geni
1851 a 1861.

Cyfrifwyd yn	Y Fenni*	Pont-y-pŵl	Casnewydd
1851			
Sir Fynwy	33.5	54.5	47.0
Gweddill Cymru	41.5	15.5	15.0
Lloegr	21.0	25.0	29.0
Iwerddon	4.0	5.0	9.0
	Y Fenni a Bedwellte*		
1861			
Sir Fynwy	36.0	55.0	47.0
Gweddill Cymru	35.0	12.5	14.5
Lloegr	22.0	26.5	30.5
Iwerddon	7.0	6.0	8.0

*Yr un yw'r ardal oherwydd cynhwysai ardal Y Fenni ardal Bedwellte yn 1851.

Atodiad 6
Atodiad 6.1: Dosbarthiad poblogaeth Ardaloedd Cofrestru
Y Fenni a Bedwellte yn ôl mannau geni 1851 a 1861

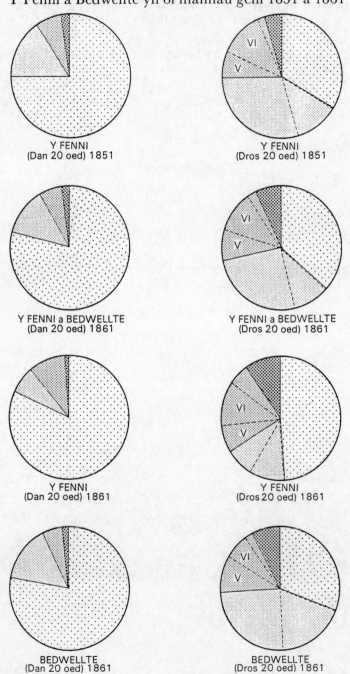

Y FENNI
(Dan 20 oed) 1851

Y FENNI
(Dros 20 oed) 1851

Y FENNI a BEDWELLTE
(Dan 20 oed) 1861

Y FENNI a BEDWELLTE
(Dros 20 oed) 1861

Y FENNI
(Dan 20 oed) 1861

Y FENNI
(Dros 20 oed) 1861

BEDWELLTE
(Dan 20 oed) 1861

BEDWELLTE
(Dros 20 oed) 1861

Atodiad 6

Canran poblogaeth Sir Fynwy a anwyd yn:

Sir Fynwy

Cymru (heblaw Sir Fynwy)[1]

5 sir gorllewin Cymru { Caerfyrddin, Ceredigion, Môn, Meirionnydd, Caernarfon

Lloegr

Rhanbarth V[2] Swyddi yn Lloegr { Wiltshire, Dorset, Cernyw, Gwlad yr Haf, Dyfnaint

Rhanbarth VI[3] Swyddi yn Lloegr { Caerloyw, Stafford, Henfford, Caerwrangon, Amwythig, Warwick

Iwerddon

---

[1] Deuai mwyafrif mewnfudwyr y dosbarth hwn o siroedd Morgannwg a Brycheiniog a chyfran sylweddol o Sir Benfro a Sir Drefaldwyn

[2] Deuai mwyafrif mewnfudwyr y dosbarth hwn o Wlad yr Haf

[3] Deuai mwyafrif mewnfudwyr y dosbarth hwn o swyddi Henffordd a Chaerloyw

D.S. Yr oedd 120 (1851) a 110 (1861) o'r bobl a gyfrifwyd yn Ardal Gofrestru Y Fenni yn byw yn yr hen Sir Henffordd (ardal Fwthog). Yr oedd 513 (1851) a 632 (1861) o'r bobl a gyfrifwyd yn Ardal Gofrestru Casnewydd yn byw yn yr hen Sir Forgannwg (ardaloedd Llanfedw a Rhyd-y-gwern). Crewyd Ardal Gofrestru Bedwellte yn 1861. Perthynai i Ardal Gofrestru Y Fenni yn 1851.

Atodiad 6.2: Dosbarthiad poblogaeth Ardal Gofrestru Pont-y-pŵl yn ôl mannau geni 1851 a 1861

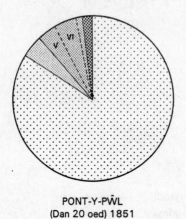

PONT-Y-PŴL
(Dan 20 oed) 1851

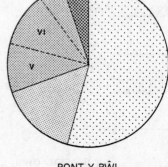

PONT-Y-PŴL
(Dros 20 oed) 1851

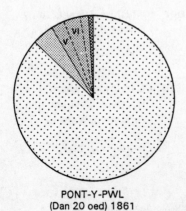

PONT-Y-PŴL
(Dan 20 oed) 1861

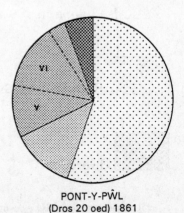

PONT-Y-PŴL
(Dros 20 oed) 1861

Atodiad 6.3: Dosbarthiad poblogaeth Ardal Gofrestru Casnewydd yn ôl mannau geni 1851 a 1861

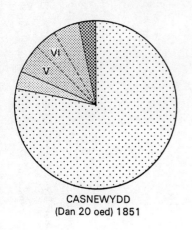

CASNEWYDD
(Dan 20 oed) 1851

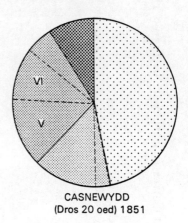

CASNEWYDD
(Dros 20 oed) 1851

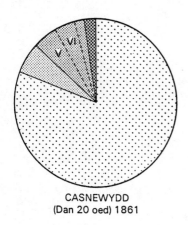

CASNEWYDD
(Dan 20 oed) 1861

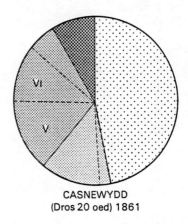

CASNEWYDD
(Dros 20 oed) 1861

Atodiad 7

Tabl yn dangos newid poblogaeth oherwydd mudo yn Is-ardaloedd Cofrestru gorllewin Sir Fynwy rhwng 1861 a 1870*

	Cyfanswm y newid	Newid naturiol	Newid oherwydd mudo	% Cyfanswm y newid	% Newid naturiol	% Newid oherwydd mudo
Y FENNI						
Llanarth	7	240	−233	0.3	12.7	−12.3
Llanfihangel	−3	233	−236	0.1	13.3	−13.4
Y Fenni	462	446	+16	5.3	5.1	0.1
Blaenafon	2879	1639	1240	40.3	23.0	17.2
BEDWELLTE						
Aberystruth	−587	2559	−3146	−3.6	15.9	−19.5
Tredegar	5149	5189	−40	18.0	18.1	−0.1
Rock Bedwellte	−364	422	−786	−12.2	14.2	−2.4
PONT-Y-PWL						
Pont-y-pŵl	2654	4331	−1677	11.7	19.13	−7.4
Llangybi	1063	336	727	29.3	9.2	+20.0
Brynbuga	−113	367	−480	−2.8	9.0	−11.8
CASNEWYDD						
Caerllion	1015	1051	−36	13.3	13.8	−0.5
Casnewydd	5121	3455	1666	20.6	13.9	6.7
St. Woolos**	2809	1475	1334	33.2	17.4	15.8
Mynyddislwyn**	895	1976	−1081	8.4	18.6	−10.2

* Mae Atodiadau 7–9 yn seiliedig ar Gyfrifiadau'r Llywodraeth 1861–81 ac Adroddiadau Blynyddol y Cofrestrydd Cyffredinol 1861–90. (Gweler y Llyfryddiaeth.)
** Mae'r unedau hyn yn cynnwys dau blwyf ym Morgannwg. Nid yw hyn yn effeithio'n ormodol ar y canlyniadau gan mai plwyfi bychain gwledig ydynt.

Atodiad 8

Tabl yn dangos newid poblogaeth oherwydd mudo yn Is-ardaloedd Cofrestru gorllewin Sir Fynwy rhwng 1871 a 1880*

	Cyfanswm y newid	Newid naturiol	Newid oherwydd mudo	% Cyfanswm y newid	% Newid naturiol	% Newid oherwydd mudo
Y FENNI						
Llanarth	−174	132	−306	−9.2	6.9	−16.1
Llanfihangel	−161	170	−331	−9.2	9.7	−18.9
Y Fenni	1599	655	944	17.5	7.17	10.3
Blaenafon	−544	1832	−2376	−5.4	18.3	−23.7
BEDWELLTE						
Aberystruth	3204	3336	−132	20.7	21.5	−0.8
Tredegar	988	5321	−4333	2.9	15.7	−12.8
Rock Bedwellte	−115	471	−586	−4.4	18.1	−22.5
PONT-Y-PŴL						
Pont-y-pŵl	10	5162	−5152	0.03	20.4	−20.3
Llangybi	1627	892	735	34.7	19.0	15.6
Brynbuga	−191	318	−509	−4.8	8.10	−12.9
CASNEWYDD						
Caerllion	2079	1666	413	24.0	19.3	4.7
Casnewydd	4055	4759	−704	13.5	15.9	−2.3
St. Woolos**	1546	2353	−807	14.10	20.9	−6.8
Mynyddislwyn**	1635	2054	−419	14.10	17.8	−3.2

* Mae Atodiadau 7–9 yn seiliedig ar Gyfrifiadau'r Llywodraeth 1861–81 ac Adroddiadau Blynyddol y Cofrestrydd Cyffredinol 1861–90. (Gweler y Llyfryddiaeth.)

** Mae'r unedau hyn yn cynnwys dau blwyf ym Morgannwg. Nid yw hyn yn effeithio'n ormodol ar y canlyniadau gan mai plwyfi bychain gwledig ydynt.

Atodiad 9

Tabl yn dangos newid poblogaeth oherwydd mudo yn Is-ardaloedd Cofrestru gorllewin Sir Fynwy 1881–1890*

	Cyfanswm y newid	Newid naturiol	Newid oherwydd mudo	% Cyfanswm y newid	% Newid naturiol	% Newid oherwydd mudo
Y FENNI						
Llanarth	−78	137	−215	−405	7.9	−12.4
Llanfihangel	33	171	−138	2.0	10.7	−8.7
Y Fenni	956	557	399	8.9	5.1	3.7
Blaenafon	1592	1419	173	16.8	15.0	1.8
BEDWELLTE						
Aberystruth	7241	3764	3477	38.7	20.1	18.5
Tredegar	943	3628	−2685	2.7	10.4	−7.7
Rock Bedwellte	842	335	507	33.9	13.4	20.4
PONT-Y-PŴL						
Pont-y-pŵl	3931	4653	−722	15.5	18.3	−2.8
Llangybi	714	948	−234	11.3	15.0	−3.7
Brynbuga	−212	314	−526	−5.6	8.4	−14.0
CASNEWYDD						
Caerleon	7777	2806	4971	72.6	26.2	46.4
Casnewydd	7971	6436	1535	23.4	18.9	4.4
St. Woolos**	4373	2677	1696	34.9	20.8	14.0
Mynyddislwyn**	6437	3209	3228	49.1	24.5	24.6

* Mae Atodiadau 7–9 yn seiliedig ar Gyfrifiadau'r Llywodraeth 1861–81 ac Adroddiadau Blynyddol y Cofrestrydd Cyffredinol 1861–90. (Gweler y Llyfryddiaeth.)
** Mae'r unedau hyn yn cynnwys dau blwyf ym Morgannwg. Nid yw hyn yn effeithio'n ormodol ar y canlyniadau gan mai plwyfi bychain gwledig ydynt.

Atodiad 10

Nifer y mewnfudwyr (i'r 500 agosaf) a symudodd i Sir Fynwy (Sir Sifil) ywhob degawd 1861–1911*

	1861–71	1871–81	1881–91	1891–1901	1901–11
Cyfanswm a symudodd i'r sir	16500	8000	29500	23500	39000
O rannau eraill o Gymru	4000	3000	7000	9500	11500
O'r tu allan i Gymru	12500	5000	22500	14000	27500
O GYMRU					
Cyfanswm o Gymru	4000	3000	7000	9500	11500
O Sir Forgannwg	2000	2000	4000	6000	7000
O Sir Frycheiniog	1500	1000	1000	2000	2000
O siroedd Penfro, Ceredigion a Chaerfyrddin	300	Dim	600	300	Dim
O weddill Cymru	200	Dim	1400	1200 Sir Gaernarfon 150	2500 Sir Gaernarfon 300
O'R TU ALLAN I GYMRU					
Cyfanswm o'r tu allan i Gymru	12500	5000	22500	14000	27500
O siroedd de-orllewin Lloegr	4000	1500	6000	3300	3000
O siroedd gorllewin canolbarth Lloegr	4500	2200	10500	6400	10000
Gweddill Lloegr, Yr Alban, eraill	2200	1300	6000	4300	14500
Iwerddon	800	Dim	Dim	Dim	

Amcangyfrifwyd drwy ddefnyddio'r graddfeydd marwolaeth canlynol: — 1861 – 13.6 (seiliedig ar y grŵp 35–44 oed), 1871–1911 (seiliedig ar y grŵp 25–34 oed) 9.1, 7.9, 5.5, 4.6 y naill a'r llall.

Atodiad 11

Canran y boblogaeth a anwyd y tuallan i Sir Fynwy ond
a gyfrifwyd yn Sir Fynwy 1861–1911 wedi'u dosbarthu yn
ôl mannau geni

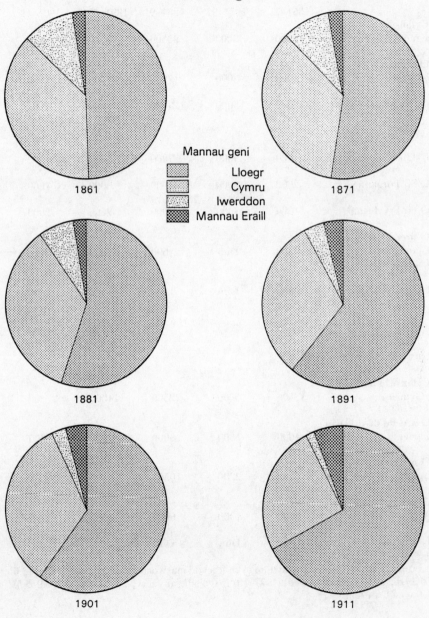

Mannau geni

Lloegr
Cymru
Iwerddon
Mannau Eraill

1861   1871

1881   1891

1901   1911

Atodiad 12

Poblogaeth Sir Weinyddol Mynwy 1911 a anwyd y tu allan i'r sir: dosbarthiad yn ôl mannau geni ac oedran*

Mewnfudwyr i Sir Weinyddol Mynwy o:		Cyfanswm	% Cyfanswm mewnfudwyr yn Sir Fynwy	Cyfrannau y fil i'r ddau ryw yn ôl oedran ac oedran							
				Dan 20	20–25	25–30	35–45	45–55	55–65	65–75	75+
	G	65247	100.0	243	107	227	181	119	73	38	12
	B	50257	100.0	293	86	209	165	114	71	44	18
Morgannwg	G	10167	15.6	413	111	191	139	83	39	18	6
	B	9787	19.5	428	104	182	137	80	42	20	7
Caerloyw	G	9164	14.0	213	119	254	173	116	70	41	14
	B	6558	13.0	259	97	220	169	111	77	46	21
Henffordd	G	5416	8.3	166	103	235	206	146	81	48	15
	B	3886	7.7	210	93	207	193	144	76	55	22
Gwlad yr Haf	G	5036	7.7	118	105	217	221	155	112	55	17
	B	3195	6.4	148	65	220	196	152	110	77	32
Brycheiniog	G	3945	6.0	236	84	185	189	140	103	48	15
	B	3795	7.6	236	76	184	173	135	112	64	20
Bwrdeisdref Casnewydd	G	2598	4.0	419	119	176	131	85	47	19	4
	B	2467	4.9	423	100	206	122	82	42	17	8
Stafford	G	1965	3.0	234	105	241	204	121	62	30	3
	B	1457	2.9	300	102	241	159	103	60	25	10
Llundain	G	1856	2.8	270	118	259	176	96	56	17	8
	B	1362	2.7	298	88	233	184	103	50	32	12

Atodiad 12 (parhad)

Mewnfudwyr i Sir Weinyddol Mynwy o:		Cyfanswm	% Cyfanswm mewnfudwyr yn Sir Fynwy	Cyfrannau y fil i'r ddau ryw yn ôl oedran							
				Dan 20	20–25	25–30	35–45	45–55	55–65	65–75	75+
Caerlŷr	G	1942	3.0	204	159	278	173	91	59	30	6
	B	1216	2.4	284	90	262	160	108	56	30	10
Wiltshire	G	2014	3.1	128	96	230	214	145	115	54	18
	B	1128	2.2	204	70	219	184	135	90	63	35
Dyfnaint	G	1728	2.6	150	111	253	207	127	87	50	15
	B	1092	2.2	181	75	231	218	155	74	48	18
Siroedd Gogledd Lloegr	G	2687	4.1	229	108	282	190	110	49	26	6
	B	2027	4.0	279	86	274	174	105	54	20	8
Siroedd Dwyrain Lloegr	G	1102	1.7	216	127	250	178	110	79	25	15
	B	827	1.6	267	77	220	185	129	65	39	18
Iwerddon	G	1279	2.0	60	88	265	220	150	98	98	21
	B	609	1.2	84	67	236	151	117	107	171	67
Gwledydd Tramor	G	734	1.1	237	166	236	192	102	49	15	3
	B	521	1.0	234	177	252	173	84	46	21	13
Yr Alban	G	520	0.8	137	67	270	198	167	112	37	12
	B	355	0.7	200	85	203	194	155	110	28	25
Trefedig-aethau	G	252	0.4	270	139	190	183	111	75	32	—
	B	198	0.4	328	126	177	187	91	56	35	—

* Census of England and Wales 1911 Vol. IX (Cd. 7017) 1913 Introductory Report, Table XX, p. xxviii.

Atodiad 13

Iaith Capeli Bedyddwyr Sir Fynwy 1820*

Prif eglwys	Canghennau	Sefydlwyd	Gweinidog	Iaith	Aelodau
Llanwenarth	Y Fenni	1652	James Lewis	C	480
	Nant-y-glo		Francis Hiley	C	
Blaenau Gwent		1660	Joseph Price	C	110
			Harry Harries	C	
Pen-y-garn	Biwla	1729	John Evans	C	300
			Jabes Lawrence		
Bethesda	Llysfaen	1746	John Hier	C	
	Y Casbach		James Edmunds	C	570
	Rhisca		Thomas Jenkins	C	
Capel y Ffin		1745	George Watkins	S + C	40
Caerllion		1771	David Phillips	S + C	100
Penuel (Llangwm)		1772	Thomas Harries	S + C	60
Trosnant		1776		C + S	120
Tredegar		1802	Joshua Thomas	C + S	300
			Thomas Davies		
Sion (Ponthir)		1803	Johnes Michael	C + S	120
Y Fenni		1807	Micah Thomas	S	80
Blaenafon		1810		C + S	120
Pontrhydyrun		1815	John James	S + C	60
Pont-y-pŵl	Heb addoldy	1815		S	15
Glascoed	Heb addoldy	1817	Lewis Lewis	C	35
Casnewydd-ar-Wysg		1817	Thomas Morris	C + S	160
			John Harris		
Argoed		1818	Thomas Dafis	C	60
Cas-gwent		1818	Joshua Lewis	S	15
Rhaglan	Heb addoldy		Thomas Harries	S	16
Trefynwy	Heb addoldy	1818	T. Wright	S	60
Magwyr	Bethany	1819	Thomas Leonard	S	40
Penrhos	Heb addoldy	1819	Marmaduke Jones	S	12

C — yn defnyddio'r Gymraeg yn unig
C + S — dwyieithog, a'r Gymraeg yn brif iaith
S + C — dwyieithog, a'r Saesneg yn brif iaith
S — yn defnyddio'r Saesneg yn unig
Seren Gomer (Medi 1, 1820).

Atodiad 14

Llithriad Iaith: Yr iaith a siaredid gan boblogaeth Sir Fynwy yn ôl grwpiau oedran 1901–21*

Oed	1901				1911				1921			
	SU	CU	D	CCC	SU	CU	D	CCC	SU	CU	D	CCC
3–15	94.0	0.5	5.3	5.8	94.7	0.2	4.1	4.3	94.7	0.2	2.6	2.8
15–25	90.0	0.5	9.4	9.7	92.8	0.3	6.2	6.5	93.6	0.1	3.9	4.0
25–45	84.4	0.7	14.5	15.1	89.1	0.4	10.9	11.3	91.2	0.2	6.3	6.5
45–65	76.0	1.2	22.4	23.6	81.0	0.7	18.0	18.7	85.1	0.3	11.6	11.9
65+	72.6	2.3	24.5	26.8	75.6	1.4	22.6	24.1	74.4	0.8	16.2	17.0

*Ni chyfrifid y bobl hynny nad oes gwybodaeth amdanynt.
Allwedd: SU — Saesneg yn unig; CU — Cymraeg yn unig; D — Dwyieithog (C + S); CCC — Cyfanswn y Cymry Cymraeg.

Atodiad 15

Yr iaith a siaredid gan y boblogaeth dros ddwyflwydd oed yn 1891

Y Sir Gofrestru a'r Ardaloedd Cofrestru	Poblogaeth dros 2 oed	Saesneg yn unig	Cymraeg yn unig	Cymraeg a Saesneg	Cyfanswm Cymry Cymraeg	Ieithoedd Eraill	Dim gwybodaeth
Sir Fynwy	260033	83.7	3.8	11.4	15.2	0.1	1.0
Casgwent	18477	97.6	0.2	1.35	1.55	0.01	0.8
Trefynwy	26903	97.0	0.1	1.1	1.2	–	1.8
Y Fenni	24883	88.35	1.45	9.7	11.2	0.1	0.4
Bedwellte	61078	63.6	11.2	24.7	35.9	0.1	0.4
Pont-y-pŵl	37470	89.2	0.9	9.3	10.3	0.1	0.5
Casnewydd	91222	86.9	2.45	8.95	11.4	0.3	1.4

Nodiadau

Pennod I

[1] *Seren Gomer*, (Rhagfyr 1829).

[2] D. Edwards, 'Nodweddion Brodorol Dosbarth Gweithiol Gwent a Morgannwg', *Y Traethodydd*, XII (1856), 456.

[3] Gweler, er enghraifft, A. Clark, *The Story of Monmouthshire*, II (Trefynwy, 1979); W. E. Minchinton (gol.), *Industrial South Wales 1750–1914: Essays in Welsh Economic History* (Llundain, 1969); D. Morris (Eiddil Gwent), *Hanes Tredegar o Ddechreuad y Gwaith Haiarn hyd at yr Amser Presennol, at yr hyn yr ychwanegwyd Braslun o Hanes Pontgwaithyrhaiarn* (Tredegar, 1868), 20–4; J. Lloyd, *The Early History of the Old South Wales Ironworks (1760 to 1840) from Original Documents* (Llundain, 1906).

[4] LLGC 1396 1E (1838–42) 59(a) Einion ap Haiarn, 'Ar Effeithiau Moesawl a Chyneddfawl a gafwyd ar Drigolion Cymru . . .'

[5] W. Coxe, *An Historical Tour in Monmouthshire . . .* (Llundain, 1801).

[6] Ceir gwybodaeth fanylach am sefydlu'r gweithfeydd haearn yn yr ardal yn Sian Rhiannon Williams 'Rhai agweddau cymdeithasol ar hanes yr iaith Gymraeg yn ardal ddiwydiannol Sir Fynwy yn y bedwaredd ganrif ar bymtheg' (Traethawd Ph.D., Prifysgol Cymru, Aberystwyth, 1985). Gweler hefyd y gweithiau a ganlyn: W. E. Minchinton, op.cit; A. H. John, *The Industrial Development of South Wales 1750–1850: An Essay* (Caerdydd, 1950); J. Lloyd, op.cit; C. Wilkins, *The History of the Iron, Steel and Other Trades of Wales* (Merthyr Tudful, 1903); C. M. Vaughan, *Pioneers of Welsh Steel* (Pont-y-pŵl, 1975); T. Mitchell, *The Monmouthshire Iron and Steel Trade* (Casnewydd, 1904); T. E. Jones 'The Industrial Revolution in Monmouthshire'(Traethawd MA, Prifysgol Cymru, Caerdydd 1949); J. Davies 'The Industrial History of the Rhymney Valley with regard to the iron, steel and tinplate industries, coal mining, lead mining and smelting and quarrying' (Traethawd M.Sc., Prifysgol Cymru, Caerdydd, 1926); A. G. Jones 'The Economic, Industrial and Social History of Ebbw Vale during the period 1775–1927, being a study in the origin and development of an industrial district of South Wales in all its aspects' (Traethawd MA, Prifysgol Cymru, Abertawe, 1929); H. R. Schubert *History of the British Iron and Steel Industry from c. 450 B.C. to A.D. 1775* (Llundain, 1957); H. Scrivenor, *A Comprehensive History of the Iron Trade throughout the world from the earliest records to the present period* (Llundain, 1841).

[7] Gweler nifer o'r gweithiau uchod ynghyd â J. H. Morris a L. J. Williams, *The South Wales Coal Industry 1841–1875* (Caerdydd, 1958); G. J. Williams, 'The Industrial Development of the Risca Area in the Early Nineteenth Century', *Presenting Monmouthshire*, 9 (1960), 12–17.

[8] J. G. Davies 'Industrial Society in North-West Monmouthshire 1750–1850' (Traethawd Ph.D., Prifysgol Cymru, Aberystwyth, 1980).

[9] E. Jones, *A Geographical, Historical and Religious Account of the Parish of Aberystruth in the County of Monmouth to which are added Memoirs of Several Persons of Note who Lived in the same Parish* (Trefeca, 1779), 59.

[10] *Census of England and Wales 1841*, Enumeration Abstract I, PP 1843 (496) xxii, i.

[11] J. G. Davies, op.cit., 70.

[12] Ibid, Tabl III, iii B.

[13] D. Friedlander a R.J. Roshier, 'A Study of Internal Migration in England and Wales', *Population Studies*, 19, 3 (1965–6), 264.

[14] *Census of England and Wales, 1841*; *Census of England and Wales 1851*, Population Tables I PP 1852–3 (1631–2) lxxxvi, II 1854 (1691-II) (Troednodiadau).

[15] T. Phillips, *Wales: The Language, Social Condition, Moral Character and Religious Opinions of the People Considered in Relation to Education with Some Account of the Provision Made for Education in Other Parts of the Kingdom* (Llundain, 1849), 30.

[16] *Census of England and Wales, 1841*, (Birthplaces of the People).

[17] LLGC Einion ap Haiarn, 'Ar Effeithiau . . . '

[18] G.S. Kenrick, *The Population of Pontypool and the Parish of Trevethin situated in the So-Called Disturbed Districts* (Pont-y-pŵl, 1840); G. S. Kenrick, 'Statistics of the Population in the Parish of Trevethin (Pontypool) . . . ' *Journal of the Royal Statistical Society*, III (1840), 369–70, 373.

[19] T. Phillips, *Wales*, 30.

[20] *Census of England and Wales, 1851*.

[21] Census Enumeration Returns 1851, PRO, HO 107, 2448 (454–769), District 31, 33–7, (770-END), District 3.

[22] *Y Diwygiwr*, (Mehefin 1838).

[23] LL Gan.C. 2.1033 T. E. Watkins (Eiddil Ifor), 'Hanes Gwent o Llywelyn ap Gruffydd hyd yn bresenol', Traethawd Cylchwyl y Fenni, 1836. Ganed Thomas Evan Watkins (Eiddil Ifor neu Ynyr Gwent) gerllaw Garnddyrys ym mhlwyf Llan-ffwyst yn 1801. Bu'n dafarnwr ym Mlaenafon am y rhan helaethaf o'i oes er iddo dreulio cyfnod yn gweithio yn swyddfa gwaith haearn Levick ym Mlaenau Gwent. Daeth o dan ddylanwad Iolo Morganwg a derbyniwyd ef i Orsedd y Beirdd yn y 1820au. Yn 1833 penodwyd ef yn fardd Cymdeithas Cymreigyddion y Fenni, a'r flwyddyn ganlynol sefydlodd Gymdeithas Gymreigyddol Blaenafon. Bu'n weithgar gyda mudiad yr Iforiaid a phan fu farw yn 1889 yr oedd yn aelod gyda'r Bedyddwyr yn Ebenezer, Blaenafon. Yr oedd yn flaenllaw ymhlith llenorion lleol yr ardal yn hanner cyntaf y bedwaredd ganrif ar bymtheg, ac enillodd deuddeg o'i draethodau wobrau yn Eisteddfodau'r Fenni rhwng 1834 a 1837. Cyhoeddwyd un ohonynt yn llyfryn, *Hanes Llanffwyst* gan y brodyr Owen, y Fenni yn 1922.

[24] J. G. Davies, op.cit., 89–92.

[25] LLGC Einion ap Haiarn 'Ar Effeithiau . . . '.

[26] LLGC CMA 14702–3, Abraham Morris 'The History of Calvinistic Methodism in Monmouthshire'.

[27] D. Young, *The Origin and History of Methodism in Wales and the Borders* (Llundain, 1893); LLGC, Tre'r ddol 44 (C), 'The Rise and Growth of Welsh Wesleyan Methodism to 1858'; Parch Ll. Morgan, *Hanes Wesleyaeth Cymreig yng Nghylchdaith Tredegar* (Rhymni, 1914).

[28] H. B. Kendall, *The Origin and History of the Primitive Methodist Church* (Llundain, 1905) II, 307.

[29] LLGC Einion ap Haiarn, 'Ar Effeithiau . . . '

[30] *Yr Eurgrawn Wesleyaidd*, (Hydref 1863).

[31] LLGC CMA 14 703, Abraham Morris 'Calvinistic Methodism', 119.

[32] Ibid., 14 702, 201.

[33] *Tarian y Gweithiwr*, (28 Hydref 1897).

[34] *Cymru*, 55 (1918), 125.

[35] LLGC CMA 14702, 201.

[36] 'Ignotus' (Captain Russell), *The Last Thirty Years in a Mining District or Scotching and the Candle versus Lamp and Trade Unions* (Llundain, 1867), 14.

[37] D. Myrddin Lloyd (gol.), William Williams (Myfyr Wyn), *Atgofion am Sirhywi a'r Cylch*, (Caerdydd, 1951).

[38] *The Star of Gwent*, (25 Tachwedd 1854); *Tarian y Gweithiwr*, (20 Medi 1878).

[39] *The Star of Gwent*, (19 Ionawr 1861).

[40] *Baner ac Amserau Cymru*, (5 Awst 1885).

[41] *Tarian y Gweithiwr*, (18 Ionawr 1883).

[42] D. T. Williams, *My People's Ways* (Y Bont-faen, 1978), 65–6.

[43] Wren Library Trinity College Cambridge, Munby MS 97, Small Notebook 1869. (Hoffwn ddiolch i'r Athro Angela John am dynnu fy sylw at y dyfyniad a nodwyd.)

[44] J. E. Southall, *Preserving and Teaching the Welsh Language in English Speaking Districts* (Casnewydd, 1897).

[45] Gweler, er enghraifft, Michael Anderson, *Family Structure in Nineteenth-Century Lancashire* (Caergrawnt, 1971), 77.

[46] Er enghraifft, *Y Gymraes*, (1850–1); *Y Frythones*, (1879–90); *Cyfaill yr Aelwyd*.

[47] *Cyfaill yr Aelwyd*, (Gorffennaf 1886).

[48] Thomas Jones, *Rhymney Memories* (Llandysul, 1970), 5.

[49] Census Enumeration Returns PRO 1851, HO 107 Bedwellty 2448, Districts 23–31; 1861 RG 9 Bedwellty 4003–5, District 578; 1871 RG 10 Bedwellty 5329, Districts 41–3.

[50] *The Star of Gwent*, (14 Tachwedd 1857).

[51] Harold Carter a Sandra Wheatley, *Merthyr Tydfil in 1851: A Study of the Spatial Structure of a Welsh Industrial Town* (Caerdydd, 1982).

[52] Census Enumeration Returns, PRO RG 9 1861, Trevethin, Pontypool District.

[53] Dyfynnwyd gan Thomas Phillips, *Wales*, 32.

[54] Census Enumeration Returns, PRO HO 107 1851, Bedwellty 2448, Districts 30–22, Gelligaer 2457 District 3a.

[55] *Reports of the Assistant Commissioners Appointed to Inquire into the State of Popular Education in England* PP (2794), II (1861) 452.

[56] *Y Diwygiwr*, (Ebrill 1846).

[57] *The Star of Gwent*, (6 Mehefin 1863).

Pennod II

[1] LL.Gan.C. 2.1032 (2) T. E. Watkins (Eiddil Ifor), Hanes Gweithiau Haiarn De Cymru.

[2] Cymreigyddion y Fenni 1837–42 LLGC 13960E 46 (a), 46 (b), 13961E 59 (a), 59 (b).

[3] J. E. Southall, *The Welsh Language Census of 1901* (Casnewydd, 1904).

[4] G. S. Kenrick, op.cit.

[5] Gweler Pennod III.

[6] Gweler, er enghraifft, hanes capeli Anghydffurfiol a chyndynrwydd yr hen do, i droi gwasanaethau i'r Saesneg. (Pennod IV.)

[7] *Census of England and Wales 1891*, Population Tables III, PP 1893–4 (C. 7058) cvi, 561 (Language Spoken); *Census of England and Wales 1901* Population Tables (County of Monmouth) 1902 (Cd. 1361) (Language Spoken); J. E. Southall, The *Welsh Language Census of 1891* (Casnewydd, 1893), 18.

[8] W. J. Copleston, *Memoir of Edward Copleston D.D. Bishop of Llandaff* (Llundain, 1851), 253–4.

[9] *The Church in Wales: True Assertions and a Serious Warning addressed to the Members of Both Houses of Parliament on the Subject of the Real Church in Wales* (Llundain, 1849), 14.

[10] *Report of the Commissioners of Inquiry into the State of Education in Wales* PP 1847 xxvii (870), II, 301.

[11] David V. Jones, *Before Rebecca: Popular Protests in Wales 1793–1835* (Llundain, 1973), 99–100, LL.Gan.Cas. fm 160 (342) Chartist Trials.

[12] LL.Gan.C. 2.1055 Eiddil Ifor, 'Effeithiau Moesawl a Chynneddfawl a gafwyd ar drigolion Cymru trwy Dynoethiad o'i Dirfawr Gyfoeth Deliawl'.

[13] *Cyfaill yr Aelwyd*, (Gorffennaf 1886).

[14] *Y Diwygiwr*, (Chwefror 1840).

[15] *Report . . . into the State of Education in Wales 1847*. Dyfynnwyd gan Thomas Phillips, *Wales*, 54.

[16] Myfyr Wyn, *Atgofion am Sirhywi a'r Cylch*, 29.

[17] *Y Diwygiwr*, (Chwefror, Ebrill 1852, Mawrth 1857).

[18] *Seren Gomer*, (Tachwedd 1849).

[19] Thomas Phillips, *Wales*, 58.

[20] *Yr Eurgrawn Wesleyaidd*, (Ionawr 1834).

[21] Gwyn A. Williams, *The Merthyr Rising* (Llundain, 1978), 86.

[22] *Cymdeithas y Dynolwyr yn Nantyglo, Talaith Gwent yr hon sydd yn arferol o gyfarfod ynghyd yn nhy Mr. Charles Rogers, Arwydd Tywysog Cymru, ar y bryn, Waenhelygen i'r dyben o gefnogi Dysg a Chelfyddyd ymhlith y Cymry* (Merthyr Tudful, 1829), 3.

[23] *Seren Gomer*, (Tachwedd 1829).

[24] *Cymdeithas y Dynolwyr*, 9.

[25] Ibid., 23.

[26] *Seren Gomer*, (Tachwedd 1829).

[27] Ibid., (Mawrth 1830).

[28] Gweler, er enghraifft, W. Jones, *Traethawd Gobrwyol ar Nodweddiad y Cymry yn yr Oes Hon* (Llundain, 1841); D. Edwards, 'Nodweddion Brodorol Dosbarth Gweithiol Gwent a Morgannwg', *Y Traethodydd*, XII (1856).

[29] LLGC 16157B E. I. Williams, 'Notes for a History of Nantyglo and Blaina'; *Monmouthshire Merlin*, (27 Tachwedd 1841), (hysbyseb).

[30] W. J. Copleston, op. cit., 255.

[31] LL.Gan.C. 3.512 Cofiaduron John Davies (Brychan); LLGC Nefydd 7073–6. Am fanylion pellach ynglŷn â John Davies a William Roberts gweler *Bywgraffiadur Cymreig* (Llundain 1953), 122–3, 830.

[32] Er enghraifft, 'Register of Moriah Independent Chapel Rhymney', (benthyciwyd drwy garedigrwydd y cyn-ysgrifennydd); 'Llyfr Cofnodion Penuel, Capel y Trefnyddion Calfinaidd, Glynebwy' (darllenwyd drwy garedigrwydd y swyddogion).

33 *Tarian y Gweithiwr*, (2 Gorffennaf 1885).

34 *Cardiff and Merthyr Guardian*, (21 April 1849, 9 March 1850).

35 *Report of the Royal Commission Appointed to Inquire into the Employment of Children. Report by Robert Hugh Franks Esq. on Employment of Children and Young Persons in the Collieries and Ironworks of South Wales* PP (382) (Llundain, 1982) xvii, 534.

36 *Tarian y Gweithiwr*, (28 Rhagfyr 1882, 13 Ionawr 1883).

37 Cymreigyddion y Fenni LLGC 13960E 46(b).

38 J. Davies (Brychan) (gol.), *Newyddion Da o Wlad Bell sef Crynodeb o Lythyrau oddi wrth T. W. a J. Williams* (Merthyr Tudful, 1830); *Seren Gomer*, (Awst 1842).

39 Cofiaduron Brychan.

40 *Seren Gomer*, (Awst 1849, Ebrill 1850); Cofiaduron Brychan; *Y Diwygiwr*, (Ionawr 1852).

41 *Y Diwygiwr*, (Hydref 1846).

42 Am fanylion gweler, er enghraifft, W. E. Minchinton, op.cit.

43 Sian Rhiannon Williams op. cit., 22. Gweler hefyd Friedlander a Roshier, 'Internal Migration in England and Wales', *Population Studies*, 19, 3, (1965–6), 264; G. Lewis, 'Migration and the Decline of the Welsh Language', yn J. A. Fishman (gol.), *Advances in Societal Multilingualism* (Efrog Newydd, 1978), 265–303.

44 Gweler, er enghraifft, *The Star of Gwent*, (11 Mai 1860, 13 Gorffennaf 1861, 10 Mai 1862, 18 Ebrill, 22 Awst, 10 Hydref, 21, 28 Tachwedd 1863, 30 Ionawr 1864, 14 Ionawr 1865, 4 Mai 1867, 12 Mehefin 1869; *The Merthyr Express*, (28 Ebrill 1865); *Y Diwygiwr*, (Rhagfyr 1861, Tachwedd 1865); *Seren Cymru* (8 Mai 1863, 22 Ionawr 1864).

45 *The Star of Gwent*, (24 Mawrth 1866).

46 *Y Tyst Cymreig*, (13 Awst 1869).

47 Archifdy Gwent CE A 1671, 'Blaina British Infants School Log Book'; *Gobaith Calvinistic Methodist Church Blaina Centenary Celebrations 1837–1937* (Abertyleri 1937); LLGC E. I. Williams.

48 LLGC Nefydd 7159A (1873) 7073–6, 7107C misc; LLGC Adnau 1210B, Gobaith . . . Blaina.

49 E. Powell, *A History of Carmel Baptist Chapel Sirhowy* (Caerdydd, 1933); *Yr Eurgrawn Wesleyaidd*, (Medi 1873, Tachwedd 1876); Llyfr Cofnodion Eglwys Penuel Glynebwy; *Tarian y Gweithiwr*, (22 Mehefin, 18 Gorffennaf, 1 Awst 1879, 11 Mehefin 1880, 28 Rhagfyr 1882).

50 *Tarian y Gweithiwr*, (13 Awst 1869).

51 *Y Diwygiwr*, (Ebrill 1864).

52 Ibid, (Mawrth 1864).

53 Dyfed (gol.), Twynog: *Cyfrol Goffa y Diweddar T. Twynog Jeffreys Rhymni* (Gwrecsam, 1912), 72.

54 *Tarian y Gweithiwr*, (11 Ionawr 1878).

55 Ibid., (11 Mehefin 1880).

56 D. Williams (Myfyr Ddu) (gol.), *Can, Llen a Gwerin, sef cynhyrchion y diweddar Myfyr Wyn* . . . (Aberdâr, 1908), 87.

57 *Y Diwygiwr*, (Mawrth 1865).

58 *Y Tyst Cymreig*, (30 Ebrill, 1869).

59 *Baner ac Amserau Cymru*, (Gorffennaf 1885).

60 LLGC Adnau 1210B; *Gobaith . . . Blaina*, op.cit.; LL.Gan.Cas. q M330 274.2 R. Williams Hughes, 'Some Early Days of Nonconformity in the Eastern Valleys of Monmouthshire'.

[61] 'Brynmawr and Crickhowell District Social Survey: Report of Industrial Group, September 1931'. (Teipysgrif heb ei gyhoeddi, benthyciwyd drwy garedigrwydd Mr R. Smith 'Gresford', Usk Drive, Gilwern, Gwent.)

[62] LLGC CMA 14703 Abraham Morris, 18; *Berea Congregational Church Blaina 1842–1942: A Souvenir* (Abertyleri, 1936), 14; *The Star of Gwent*, (1 Ebrill 1871, 21 Mawrth 1884).

[63] Efelychwyd y dull a ddefnyddir gan Brinley Thomas, 'The Migration of Labour into the Glamorganshire Colafield, 1861–1911' yn *Economica*, X (1930), 278.

[64] Yn seiliedig ar gyfrifiadau cyhoeddedig 1861, 1871, 1881, tablau 'Birthplaces of the People'.

[65] Census Enumeration Returns 1871 PRO RG10 5324–6 (Briery Hill), 5330, District 3.

[66] *Y Diwygiwr*, (Gorffennaf 1868, Chwefror 1871).

[67] Ibid., (Chwefror 1864); *Seren Cymru*, (18 Medi, 1863); *Y Tyst Cymreig*, (29 Mehefin, 1867); A. J. Pritchard, *Griffithstown: The development of its social organizations with the expansion of the railway and the steel industry* (Pont-y-pŵl, 1957); T. Rees, 'Congregational Churches and the English Population of Wales', *Miscellaneous Papers* (Llundain, 1867).

[68] A. Llywelyn a D. M. Bailey, *Bethesda, Tydu* (Rhisca, 1942).

[69] LLGC CMA 14702 Abraham Morris, 31.

[70] Pritchard, *Griffithstown*.

[71] E. G. Ravenstein, 'On the Celtic Languages in the British Isles: A Statistical Survey', *Journal of the Royal Statistical Society*, 42 (1879), 614.

[72] LLGC CMA 14702 Abraham Morris, 198.

[73] Ibid., 14703, 199; LLGC Adnau 1219B.

[74] Er enghraifft, Bethel (B) 1901, Salem (MC) 1912.

[75] J. E. Southall, *Welsh Language Census of 1901*, (1904).

Pennod III

[1] Mair Gregory 'Cymdeithas Cymreigyddion y Fenni a'u cynhyrchion pwysicaf gyda sylw manylach i waith Thomas Stephens, Merthyr' (Traethawd MA, Prifysgol Cymru, Caerdydd, 1949), 25.

[2] Gweler, er enghraifft, R. T. Jenkins a H. M. Ramage, *A History of the Honourable Society of Cymmrodorion and of the Gwyneddigion and Cymreigyddion Societies 1751–1951* (Llundain, 1951); Idris Foster (gol.), *Twf yr Eisteddfod Genedlaethol: Tair darlith gan Helen Ramage, Melville Richards a Frank Price Jones* (Llys yr Eisteddfod Genedlaethol, 1968); Sir Thomas Parry, *Hanes yr Eisteddfod: The Story of the Eisteddfod* (Gwasg y Brython ar ran Llys yr Eisteddfod, 1963).

[3] Glanmor Williams, 'Gomer: Sylfaenydd ein Llenyddiaeth Gyfnodol', yn Glanmor Williams, *Grym Tafodau Tân: Ysgrifau Hanesyddol ar Grefydd a Diwylliant* (Llandysul, 1984).

[4] *Seren Gomer*, (Awst 1824).

[5] Ibid.

[6] Mair Elvet Thomas, *Afiaith yng Ngwent* (Caerdydd, 1978), 122.

[7] *Seren Gomer*, (Mai 1831).

[8] Ibid., (Mai 1835).

[9] Mair Elvet Thomas, op. cit, 1.

[10] Ibid., 3; LLGC 13958B, (22 Tachwedd, 1834).

[11] *Seren Gomer*, (Ionawr 1834).

[12] LLGC 13958B, (22 Ionawr 1834).

[13] LL.Gan.C. 3512, Cofiaduron Brychan, (Mawrth 1834).

[14] *Seren Gomer*, (Medi 1834); *Eisteddfod Gwent a Dyfed 1834. Y Traethawd Buddugol ar y Buddioldeb a Ddeillia oddi wrth Gadwedigaeth yr Iaith Gymraeg a Dullwisgoedd Cymru gan Gwenynen Gwent* (Caerdydd, 1836).

[15] E. I. Williams, 'Notes for a History of Blaina and Nantyglo; Cofiaduron Brychan, (Rhagfyr 1838); *Seren Gomer*, (Chwefror, Mai, Awst, Hydref, Rhagfyr 1838, Mawrth 1843).

[16] Ibid., (Tachwedd 1835).

[17] Ibid., (Mai 1835).

[18] Ibid., (Chwefror 1835).

[19] Ibid., (Mehefin 1836).

[20] Ibid., (Awst 1835).

[21] *The Monmouthshire Merlin*, (25 Gorffennaf 1829).

[22] Ibid., (20 Mawrth 1830).

[23] *Y Gwron Odyddol*, (Chwefror 1840). Gweler hefyd *Yr Odydd Cymreig*.

[24] *Seren Gomer*, (Tachwedd 1839); *Seren Cymru*, (24 Gorffennaf 1858); *Y Diwygiwr*, (Medi 1840). Gweler hefyd *Y Gwir Iforydd, Ifor Hael*.

[25] *Y Gwir Iforydd*, (Ionawr, Gorffennaf 1842).

[26] *Y Diwygiwr*, (Medi 1840); *Seren Gomer*, (Tachwedd 1841); *Yr Iforydd*, (Ionawr 1842); *Seren Cymru* (24 Gorffennaf 1858); Elfyn Scourfield, 'Rhai o Gyfrinfeydd Iforaidd ac Odyddol sir Gaerfyrddin yn y Bedwaredd Ganrif ar Bymtheg', yn *Carmarthenshire Antiquary*, VII (1971), 102.

[27] *Y Gwir Iforydd*, (Ebrill 1842).

[28] Ibid., (Gorffennaf 1842).

[29] *Y Diwygiwr*, (Mai 1839); *Seren Gomer* (Medi 1839); *Ifor Hael*, (Awst 1850).

[30] *Ifor Hael*, (Awst 1850).

[31] *The Star of Gwent*, (21 Gorffennaf 1855).

[32] Rhai enghreifftiau yw: 'Dyletswydd Cymro i'w wlad' (Cymreigyddion Glynebwy 1838), 'Achosion yr Iaith Gymraeg' (Cymreigyddion Trecastell 1839), 'Ar y Moddion Gorau i Luosogi Cymdeithasau Cymroaidd' (Cymreigyddion Nant-y-glo 1841), 'Priodoldeb ac Angenrheidrwydd i'r Cymry Addysgu eu Plant yn yr Iaith Gymraeg cyn dysgu Iaith Arall' (Iforiaid Trecastell 1847), 'Cadwedigaeth y Gymraeg' (Eisteddfod Gelli-gaer 1847).

[33] Mair Elvet Thomas, op.cit., 4.

[34] LLGC 13183 EI, Cymreigyddion y Fenni.

[35] *Udgorn Cymru*, (Ebrill 1841).

[36] Mair Elvet Thomas, op.cit. Hefyd, *Seren Gomer*, (Ionawr, Ebrill, Mai 1838).

[37] LLGC 13958E, (6 Rhagfyr 1837).

[38] Dywed Mair Elvet Thomas nad ymgymerodd Brychan â'r swydd rhwng Ionawr a Medi 1844, ond fe ymddengys o'i ddyddiaduron iddo weithredu fel ysgrifennydd yn ystod y cyfnod hwn. Hwyrach iddo wneud hynny yn answyddogol. (Gweler Cofiaduron Brychan.)

[39] Cofiaduron Brychan, (11 Medi 1844).

[40] Ibid., (21 Tachwedd 1844).

[41] Ibid., (5 Medi 1844).

[42] *Seren Gomer*, (Rhagfyr 1836).

[43] Ibid., (Mehefin 1836).

[44] R. T. Jenkins a H. M. Ramage, op.cit.; Gwyn A. Williams, *When Was Wales?* (Llundain, 1985), 162–6; idem., *The Search for Beulah Land* (Llundain, 1980), 27–34.

[45] Cofiaduron Brychan, (Ionawr 1834).

[46] *Yr Odydd Cymreig*, (Ebrill 1842).

[47] *Y Bywgraffiadur Cymreig hyd 1940* (Llundain, 1953), 122–3.

[48] Oliver Jones, *The Early Days of Sirhowy and Tredegar* (Casnewydd, 1969), 82–9.

[49] Am fanylion bywgraffiadol gweler *Y Bywgraffiadur* op.cit., hefyd Sian Rhiannon Williams, op.cit., Atodiad II, 421–3.

[50] Ivor G. Hughes Wilks, 'Insurrections in Texas and Wales: The Careers of John Rees', *Cylchgrawn Hanes Cymru*, 11 (1982), 67–91.

[51] Gwyn A. Williams, *The Merthyr Rising*, 75.

[52] *Reports of the Royal Commission Appointed to Inquire into the Employment of Children. Report by Robert Hugh Franks Esq. on Employment of Children and Young Persons in the Collieries and Ironworks of South Wales* PP (382) (Llundain, 1842) xvii, 534.

[53] Oliver Jones, op.cit., 87; *Y Gwladgarwr*, (Chwefror 1840).

[54] R. I. Parry 'The Attitude of the Welsh Independents Towards Working Class Movements 1815–70 (Traethawd MA, Prifysgol Cymru, Bangor, 1931); R. D. Wallace 'Political Reform Societies in Wales 1840–86' (Traethawd Ph.D., Prifysgol Cymru, Aberystwyth, 1978), 70.

[55] E. I. Williams op.cit.; *Seren Gomer*, (Mai 1835).

[56] Gweler, er enghraifft, *The Monmouthshire Merlin*, (31 Mawrth 1832), (19 Mehefin 1841); *Cardiff and Merthyr Guardian*, (29 Ionawr 1848), (11 Awst 1849); *The Star of Gwent*, (17 Mawrth 1866).

[57] *Seren Gomer*, (Chwefror 1836); *Y Diwygiwr*, (Ebrill 1837).

[58] T. E. Watkins (Eiddil Ifor) 'Ar Effeithiau Moesawl . . . '.

[59] Cofiaduron Brychan, (Ionawr 1838).

[60] *Seren Gomer*, (Chwefror 1848).

[61] *The Monmouthshire Merlin*, (11 Tachwedd 1834); David J. V. Jones op.cit., 112.

[62] Ibid., (9 Tachwedd 1839).

[63] David J. V. Jones, op.cit., 106; PRO HO 52/55, 40/23, 19.

[64] PRO HO 40/23 folio 1–185, Moggridge to Peel, (Ionawr 1829).

[65] *Y Gwladgarwr*, (Rhagfyr 1839).

[66] Gwyn A. Williams, *Gweriniaeth y Silwriaid: The Silurian Republic*, Darlith Pwyllgor Llên Eisteddfod Genedlaethol Casnewydd, (2 Awst 1988); Ivor Wilks, *South Wales and the Rising of 1839* (Llundain, 1984).

[67] *The Monmouthshire Merlin*, (25 May 1839).

[68] *Report of the Commissioners of Inquiry into the State of Education . . . 1847*, II, I, 302.

[69] PRO HO 52/25, Bruce to Melbourne, (5 Mai 1834).

[70] PRO HO 40/57 folio 718, Marquis of Bute to Home Secretary, (28 Tachwedd 1840).

[71] *Minutes of Council on Education* 1840 Tremenheere, op.cit., 209.

[72] Carnhuanawc (Thomas Price), *Hanes Cymru a Chenedl y Cymry o'r Cynoesoedd hyd at farwolaeth Llywelyn ap Gruffudd . . .* (Crughywel, 1842), 793.

[73] *Seren Gomer*, (Chwefror 1846).

[74] H. Richard, *Letters on the Social and Political Condition of the Principality of Wales* (Llundain, 1884), 81.

[75] William Rhys Lambert, 'Drink and Sobriety in Wales 1835–1895' (Traethawd Ph.D, Prifysgol Cymru, Abertawe, 1969) hefyd *Drink and Sobriety in Victorian Wales, c. 1820-c.1895* (Caerdydd, 1983); E. T. Davies, *Religion in the Industrial Revolution in South Wales* (Caerdydd, 1965); C. B. Turner 'Revivals and Popular Religion in Victorian and Edwardian Wales' (Traethawd Ph.D., Prifysgol Cymru, Aberystwyth, 1979).

[76] Cofiaduron Brychan.

[77] *Seren Gomer*, (Ebrill, Mehefin 1849), (Chwefror, Gorffennaf 1850), (Gorffennaf 1852).

[78] *Y Gwir Iforydd*, (Ebrill 1842).

[79] *Seren Gomer*, (Hydref 1850); *The Star of Gwent*, (18 Tachwedd 1853), (6 Ionawr 1855).

[80] *Seren Gomer*, Ionawr 1851. Ceir y poster yng nghasgliad Nefydd, LLGC Nefydd 7165D.

[81] *Ifor Hael*, (Mehefin 1850).

[82] *The Star of Gwent*, (4 Chwefror 1854), (2 Mehefin 1855), (5 Ionawr 1856), (24 Gorffennaf 1858), (1 Ionawr 1859); *Seren Cymru*, (18 Ionawr 1861); *Brynmawr fel yr oedd, fel y mae, ac fel y dylai fod: Traethawd buddugol Eisteddfod Brynmawr 1882* (Brynmawr, 1882).

[83] *The Star of Gwent*, (16 Ionawr 1858).

[84] Cofiaduron Brychan, (26 Rhagfyr 1859).

[85] C. B. Turner, op.cit., 229; *Seren Cymru*, (20 Mawrth, 24 Gorffennaf 1858); *The Star of Gwent* (5 Tachwedd 1859).

[86] *Seren Gomer*, (Hydref 1854), (Ebrill-Medi 1855); *The Star of Gwent*, (16 Ionawr 1858), (8 Ionawr 1859); *Seren Cymru*, (20 Awst 1859).

[87] Hywel Teifi Edwards, *Yr Eisteddfod: Cyfrol dathlu wythganmlwyddiant yr Eisteddfod 1176–1976* (Llys yr Eisteddfod Genedlaethol, 1976), 67. Gweler hefyd ei gyfrol, *Gŵyl Gwalia: Yr Eisteddfod Genedlaethol yn oes Aur Victoria 1858–1868* (Llandysul, 1980).

[88] Cofiaduron Brychan, (2 Medi, 1863).

[89] Dyfynnwyd yn *Y Geninen*, I (1883) 19.

[90] *The Star of Gwent*, (4 Tachwedd 1876). Gweler *Y Bywgraffiadur*, 830; Sian Rhiannon Williams, op.cit., Atodiad II, 483–4.

[91] LLGC Nefydd, 7166D, (24 Hydref 1857).

[92] *The Star of Gwent*, (4 Hydref 1862).

[93] Ibid., (1 Mehefin 1861).

[94] Ibid., (13 Tachwedd 1869).

[95] Evan Powell, *A History of Tredegar* (Casnewydd, 1902); *Tarian y Gweithiwr*, (20 Medi 1883).

[96] *The Star of Gwent*, (7 Mawrth 1868), (4 Mawrth 1876), (3 Mawrth 1877).

[97] Ibid., (21 Gorffennaf 1855).

[98] Ibid., (27 Gorffennaf 1861).

[99] *Seren Cymru*, (20 Mawrth 1863).

[100] *Report by E. Lynch Daniell Esq., Assistant Commissioner on Friendly Societies in Wales, Monmouth and Herefordshire* (c.995) 1874, XXIII, Part II, 2.

[101] *The Star of Gwent*, (2 Ionawr 1885).

[102] Walter Haydn Davies, 'The Penny Readings Resound in Rhymney, Fochriw and Pontlotyn', *Gelligaer*, VII (1970) 18–44.

[103] *Y Tyst Cymreig*, (23 Tachwedd 1867).

[104]   *Y Glorian,* (20 Gorffennaf 1867).
[105]   *Tarian y Gweithiwr,* (25 Chwefror 1876).
[106]   *The Star of Gwent,* (23 Gorffennaf 1870).
[107]   *Tarian y Gweithiwr,* (5 Mai 1887).
[108]   *Y Tyst Cymreig,* (12 Ionawr 1872).
[109]   *Tarian y Gweithiwr,* (6 Medi 1883).
[110]   *Y Tyst Cymreig,* (17 Awst 1867).

Pennod IV

[1]   R. W. Morgan, *Amddiffyniad yr Iaith Gymraeg, cyfeiriedig at bob dosbarth o genedl y Cymru* (Caernarfon, 1858), iii.
[2]   LL.Gan.C. Eiddil Ifor (1838).
[3]   LLGC CMA 14702 Abraham Morris, 63.
[4]   *Census of England and Wales 1851, Religious Worship 1852–3,* PP [1690] lxxxix; E. T. Davies, 'The Census of Religion in Monmouthshire in 1851', *Gwent Local History,* 42 (1977).
[5]   W. J. Copleston, *A Memoir of Edward Copleston D.D., Bishop of Llandaff* (Llundain, 1851).
[6]   Gweler er enghraifft, A. J. Johnes, *An Essay on the Causes which have produced Dissent from the Established Church in the Principality of Wales* (Llundain, 1832); *Diwygiad yr Eglwys Sefydliedig yng Nghymru, neu, hanes cywir o'r cyfarfodydd lliosog a gynhaliwyd gan y Cymry yn Lle'r pwll a Chaerddyn* (Lle'r pwll, 1837); *The Church in Wales: True Assertions and a Serious Warning addressed to the Members of Both Houses of Parliament on the Subject of the Real Church in Wales* (Llundain, 1849), 10.
[7]   W. D. Wills 'Ecclesiastical Reorganisation and Church Extension in the Diocese of Llandaff 1830–1870' (Traethawd MA, Prifysgol Cymru, Abertawe, 1965); *Monmouthshire Merlin,* (28 Mawrth 1835).
[8]   Copleston, op.cit., 252–67.
[9]   LLGC 13961E 1838–42 59 (a).
[10]   *Seren Gomer,* (Mehefin 1844).
[11]   J. Williams (Ysgafell), *The Literary Remains of the Reverend Thomas Price* (Carnhuanawc), II (Llanymddyfri, 1855), 319–20.
[12]   Copleston, op.cit., 225; T. Phillips, *Wales,* 243.
[13]   Copleston, op.cit., 235, 249–50; Wills, op.cit.
[14]   Wills, op.cit., 54.
[15]   *Substance of Speeches delivered at Bridgend and Newport, 29–31 October 1851 at Meetings called by the Lord Bishop of Llandaff,* 10.
[16]   T. Phillips, *Wales,* 229.
[17]   W. J. Conybeare, *Essays Ecclesiastical and Social* (Llundain, 1855), 36.
[18]   *Return of the Number of Services Performed in English and in Welsh in each Church or Chapel for the Welsh Dioceses* PP 1850 (4) xlii, 22.
[19]   *Yr Haul,* (Ionawr, Rhagfyr 1849).
[20]   *Substance of Speeches . . .,* 7.
[21]   A. Ollivant, *A Charge to the Clergy in the Diocese of Llandaff at his Primary Visitation in September 1851* (Llundain, 1851), 54.
[22]   Wills, op.cit.; Conybeare, op.cit., 43; *Yr Haul,* (Ionawr 1849).
[23]   *The Star of Gwent,* (6 Ionawr 1854).
[24]   Ibid., (29 Tachwedd 1856), (22 Awst 1857).

[25] Ibid., (18 Chwefror 1854).

[26] Ibid., (13 Mai 1854), (14, 28 Ebrill, 5 Mai 1855).

[27] Ibid., (11, 18 Chwefror, 16 Rhagfyr 1854); *Report of the Proceedings of the Association of Welsh Clergy in the West Riding of Yorkshire (1854)* in *Association of Welsh Clergy in the West Riding of the County of York; Reports of the Proceedings, 1852–6* (Caernarfon, 1854, 1856).

[28] Ibid., (1852), 34, (1854), 20–3; T. E. Watkins (Eiddil Ifor), *Hanes Llanffwyst* (1834: Y Fenni, 1922); *The Star of Gwent*, (18 Chwefror 1854).

[29] *The Star of Gwent*, (11 Gorffennaf 1863).

[30] Ibid., (23 Medi, 7, 14 Hydref 1871); J. A. Bradney, *A History of Monmouthshire from the Coming of the Normans down to the Present Time*, I (Llundain, 1904), 421.

[31] D. Parry Jones, 'The Use of Abercarn', *Province*, XVIII, 2, 58–62, 3, 97–105, 4, 131–8, XIX, 1, 30–5; LLGC CMA Abraham Morris 14702; M. Fraser, 'Lord and Lady Llanofer 1862–3', *Cylchgrawn Llyfrgell Genedlaethol Cymru*, VI, 2 (1979), 108–9; T. J. Jones, *Un o Gymry Duw sef Cofeb fechan am William Evans, Canon Llandaf a ficer Rhymni* (Llanbedr Pont Steffan, 1905), 49–51.

[32] Copleston, op.cit., 189, 249; I. Jenkins, 'The Church in Industrial Rhymney', *Journal of the Historical Society of the Church in Wales*, 16 (1966), 77–8; *Yr Haul*, (Ionawr, Hydref 1846, Mawrth, Mai 1857); *Seren Gomer*, (Tachwedd 1846); J. S. Jones, *Hanes Rhymni a Phontlottyn* (Dinbych, 1904), 129; J. Thomas, *Marwnad Goffaduriaethol am y Parch Lodwick Edwards Offeiriad Rumni* (Merthyr Tudful, 1856); T. J. Jones, op.cit.; *Y Cyfaill Eglwysig*, (Medi 1863), (Medi 1865), (Ionawr 1866), (Ionawr 1867).

[33] *Substance of Speeches* . . . , 5.

[34] A. Ollivant, *A Charge Delivered to the Clergy of the Diocese of Llandaff at his Fourth Visitation, September 1860* (Llundain, 1860), 13.

[35] *Report of the Commission of Inquiry* . . . , 1847, II, 297, 301–2.

[36] Ibid., 302.

[37] R. W. Morgan, op.cit., 24–5.

[38] *Royal Commission on the Church of England and Other Religious Bodies in Wales*, PP, (Cd. 5432–9) 1908–10, XIV-XIX, I, 368–77, II Minutes of Evidence, 394. Ceir hanes yr Eglwys mewn perthynas â'r iaith Gymraeg yn ystod ail hanner y ganrif yn Sir Fynwy yn Sian Rhiannon Williams, op.cit., 219–225.

[39] *Census of England and Wales 1851, Religious Worship*, Tables (Monmouthshire, Table D, p. ccxliv).

[40] C. B. Turner 'Revivals and Popular Religion in Victorian and Edwardian Wales' (Traethawd Ph.D., Prifysgol Cymru, Aberystwyth, 1979).

[41] *The Principality*, (14 Gorffennaf 1848).

[42] R. Tudur Jones, 'Agweddau ar Ddiwylliant yr Ymneilltuwyr', *Trafodion Cymdeithas Anrhydeddus y Cymmrodorion* (1963), 180–1.

[43] Rufus, *Hanes Athrofeydd Bedyddwyr Sir Fynwy* (Aberdâr, 1863); *Seren Gomer*, (Tachwedd 1818).

[44] LLGC Adnau 1207B, Box 1; R. Tudur Jones, op.cit.

[45] *Seren Gomer*, (Mehefin 1828).

[46] Ibid., (Awst 1828).

[47] Ibid., (Mai 1835).

[48] D. J. Thomas, *A History of Monmouthshire English Baptist Association* (Casnewydd, 1956). Gweler hefyd *The Star of Gwent*, (9 Ebrill 1870).

[49] *Y Bywgraffiadur*, 866.

[50] Er enghraifft, defnyddiwyd y Saesneg wrth agor capel y Bedyddwyr yn Nant-y-glo (1829), capel yr Annibynwyr, Victoria (1838), capel yr Annibynwyr, Rhymni (1838), ac wrth ordeinio gweinidogion mewn capeli Cymraeg. Un enghraifft o lawer yw cyfarfodydd ordeinio'r Parch Daniel Morgan yn Horeb, Blaenafon, yn 1849.

[51] T. Rees a J. Thomas, *Hanes Eglwysi Annibynnol Cymru* I, (Lerpwl, 1871), 147.

[52] *Seren Gomer*, (Mai 1859).

[53] Ibid., (Rhagfyr 1830).

[54] LLGC Adnau 1207B, Box 1; Abel Edmunds, *Crybwyllion am Ddechreuad y Bedyddwyr ym Mlaencwm Rumni, ynghyd a'u cynnydd oddi yno i waered i'r Brithdir a Thirpil* (Aberdâr, 1862).

[55] LLGC Llawysgrifau Ychwanegol 372B, 574 'Ebenezer Chapel Bassaleg Monmouthshire'; T. Rees a J. Thomas, op.cit., 184.

[56] 'A History of Elim United Reformed Church Cwmbran', teipysgrif heb ei gyhoeddi.

[57] J. Thomas, *Cofiant y Parch Thomas Rees D.D.* (Dolgellau, 1888).

[58] P. Williams, *The Story of Carmel Baptisit Church Beaufort 1815–1965* (d.d.).

[59] J. Thomas, op.cit., 191.

[60] P. Williams, op.cit.; T. Rees a J. Thomas, op.cit., I, 224.

[61] *Y Diwygiwr*, (Ebrill 1854).

[62] Ibid., (Mai 1854).

[63] *Tarian y Gweithiwr*, (2 Rhagfyr 1884).

[64] *Seren Cymru*, (4 Mawrth 1864).

[65] *Royal Commission on the Church of England*, I, Pt. III, 23.

[66] *Seren Cymru*, (30 Awst 1861).

[67] *Y Diwygiwr*, (Ionawr 1848).

[68] W. Williams (Myfyr Wyn) 'Llythyra Newydd gan Fachan Ifanc' (Llith V) yn D. Williams (Myfyr Ddu), *Can, Llen a Gwerin* (Aberdâr, 1908), 118.

[69] T. Rees a J. Thomas, op.cit., 228.

[70] T. Richards, *Monmouthshire Baptist Association Circular Letters, 1832–1945* (Casnewydd, 1947), 21.

[71] Am hanesion y capeli unigol, gweler y Llyfryddiaeth.

[72] LLGC CMA Abraham Morris 14702 (1), 189–203.

[73] LLGC 71078E 'Nefydd' Notes by Rev. Thomas Phillips; LLGC Adnau 1212, Box 6; T. Richards, op.cit.

[74] *Y Diwygiwr*, (Chwefror 1864).

[75] T. Rees, op.cit., 87.

[76] LLGC Adnau 1216B, Box 10; LL.Gan.Cas. p fm 160286 'Papers Connected with the history of y Deml Baptist Church, Newport'.

[77] LLGC CMA Abraham Morris 14703 (3), 68.

[78] T. Rees a J. Thomas, op.cit., 227–32.

[79] *Seren Gomer*, (Hydref 1859).

[80] *The Star of Gwent*, (9 Tachwedd 1861); *Seren Cymru*, (13 Medi 1861).

[81] *Y Diwygiwr*, (Medi 1867), (Chwefror 1868); D. Hughes, *Yr Achosion Saesneg yng Nghymru: Papur a gyfansoddwyd yn unol a phenderfyniad Cyfarfod Chwarterol Undeb Cymraeg Sir Fynwy, ac a ddarllenwyd yn Sardis, Farteg, Rhagfyr 31, 1867* (Tredegar, 1868).

[82] Ibid.

[83] *Y Diwygiwr*, (Chwefror 1869).

[84] LL.Gan.Cas. p 9 M000 287–3 CAL 'Ystadegau Cyfarfod Misol Methodistiaid Calfinaidd Mynwy 1869–99'.

[85] Ibid., (Anerchiad i'r Eglwysi 1895).

[86] Ibid., (1897).

[87] Am fanylion, gweler Sian Rhiannon Williams, op.cit., 149–61. Ceir tabl yn crynhoi'r newidiadau yn Atodiad I, a seiliwyd ar holiadur a anfonwyd at ysgrifenyddion holl gapeli Sir Fynwy a fu unwaith yn Gymraeg.

[88] Cofnodion Capel y Bedyddwyr, Pisgah, Tal-y-waun, ger Pont-y-pŵl. Darllenwyd y llawysgrif drwy ganiatâd swyddogion y capel.

[89] W. C. Williams (Crwys), *Pedair Pennod* (Llandysul, 1950), 59–60.

[90] LLGC CMA Abraham Morris 14702 (1), 31, 38; *Y Drysorfa*, (Tachwedd 1862).

[91] LLGC CMA Abraham Morris 14702 (1), 39.

[92] R. H. Pugh, *A History of the Baptist Church at Abercarn* (Casnewydd, 1938).

[93] LLGC Adnau 1211, Box 7; M. Alden, 'The History of Salem, Trelyn', llawysgrif heb ei gyhoeddi.

[94] *Seren Gomer*, (Ebrill 1852), (Chwefror 1855).

[95] *Minutes of the Committee of Council on Education ... Report of Mr. S. Tremenheere*, Appendix II, 169; *Report of the Commission of Inquiry ...* , 1847, II, 289.

[96] *Y Tyst Cymreig*, (23 Tachwedd 1867).

[97] Ibid., (Ebrill 21, 28 1871).

[98] J. Davies (Gwentwyson), *A History of Ebenezer Church Pontnewynydd, 1740–1891* (Casnewydd, 1908), 55.

[99] *Tarian y Gweithiwr*, (17 Ebrill 1890).

[100] W. C. Williams (Crwys) op.cit., 59.

[101] *The Star of Gwent*, (30 Hydref 1869).

[102] J. Glyn Davies, 'Yr Eglwysi Saesneg yng Nghymru', yn T. Stephens (gol.), *Cymru Heddiw ac Yforu* (Caerdydd, 1908), 54.

[103] *The Star of Gwent*, (9 Tachwedd 1867); J. Davies (Gwentwyson), op.cit., 61.

[104] LLGC CMA Abraham Morris 14703 (3), 125.

[105] Ibid., 220, 228.

[106] *The Star of Gwent*, (14 Hydref 1865).

[107] *Tarian y Gweithiwr*, (2 Medi 1886).

[108] *Y Diwygiwr*, (Gorffennaf 1868).

[109] *Y Tyst Cymreig*, (18 Rhagfyr 1868).

[110] Ibid., (Hydref 1861).

[111] W. C. Williams (Crwys), op.cit., 59.

[112] T. Glanville Jones, *Tabernacle Calvinistic Methodist Church Abertillery* (Caerdydd, 1954), 20.

[113] *Tarian y Gweithiwr*, (3 Ionawr 1889); tystiolaeth lafar Miss Sarah Ann Jones, Brynteg Glynebwy gynt a recordiwyd Ebrill 1979.

[114] *Royal Commission on the Church of England ...* , 98; *Y Tyst Cymreig*, (25 Ionawr 1905).

[115] *Cymru*, 62 (1922), 212. Cerdd gan 'Cwynfan Gwent'. Yr oedd 'Mae'r hen Gymraeg yn marw a'i Beibl yn ei llaw' hefyd yn deitl i ddarlith Miss Ellen Evans, Coleg y Barri, a draddodwyd gerbron sawl Cymdeithas Gymraeg yn Sir Fynwy rhwng 1918 a 1922. Ceir dyfynnu helaethach o'r gerdd yn Sian Rhiannon Williams, 'Iaith y Nefoedd mewn Cymdeithas Ddiwydiannol: y

Gymraeg a Chrefydd yng Ngorllewin Sir Fynwy yn y Bedwaredd Ganrif ar Bymtheg', Geraint H. Jenkins a J. Beverley Smith (goln.) *Politics and Society in Wales 1840–1922: Essays in Honour of Ieuan Gwynedd Jones* (Caerdydd, 1988).

Pennod V

[1] LLGC Cymreigyddion y Fenni 1838

[2] T. E. Watkins (Eiddil Ifor), 'Ar Effeithiau Moesawl . . . '.

[3] *Minutes of the Committee of Council on Education with Appendices, Report of Mr. S. Tremenheere on the State of Elementary Education in the Mining Districts of South Wales.* PP [182] x1, 1839–40 Appendix II, 210–6.

[4] Ibid., 211.

[5] E. T. Davies, *Monmouthshire Schools and Education to 1870* (Casnewydd, 1957), 40; Report of the Commission of Inquiry into the State of Education in Wales, PP (871) xxll, 1847, Vol II, 273.

[6] Leslie Wynne Evans 'The Works Schools of the Industrial Revolution in Wales' (Traethawd Ph.D., Prifysgol Cymru, Caerdydd, 1953), 7; Leslie Wynne Evans, *Education in Industrial Wales 1700–1900: A Study of the Works School System* (Caerdydd, 1971), 9.

[7] *Minutes of the Committee of Council on Education*, 1839–40, Tremenheere, 209; G. S. Kenrick, 'Statistics of the Population of Trevethin . . . ', *Journal of the Royal Statistical Society*, III (1840–1), 367.

[8] *Report into the State of Education . . . 1847*, 271.

[9] Ceir astudiaeth fanylach yn Sian Rhiannon Williams, 'Y Brad yn y Tir Du: ardal ddiwydiannol Sir Fynwy a'r Llyfrau Gleision', yn Prys Morgan (gol.), *Brad y Llyfrau Gleision* (Gwasg Gomer, 1991).

[10] *Reports of the Commissioner appointed to Inquire into the State of the Population in the Mining Districts, Report of Mr. H. Seymor Tremenheere* (South Wales) PP (737) xxiv, 1846, 480.

[11] *Seren Gomer*, (Ionawr 1834).

[12] Ibid., (Mehefin 1837); *The Monmouthshire Merlin*, (28 November 1837).

[13] *Report into the State of Education . . . 1847*, 282.

[14] Ibid., 308.

[15] *The Principality*, (2 Mehefin 1848); *The Star of Gwent*, (10 Mehefin 1854), LLGC 7106E (Nefydd 96), (26 Hydref 1854).

[16] Gellir nodi, er enghraifft, Eisteddfod Iforaidd Trecastell Gwentllwg (1847), ac Eisteddfod Capel Rehoboth, Brynmawr (1862).

[17] *Seren Gomer*, (Mehefin 1854).

[18] Ibid., (Chwefror 1848).

[19] Ibid., (Rhagfyr 1846).

[20] *Y Diwygiwr*, (Chwefror, Hydref 1846).

[21] *The Cardiff and Merthyr Guardian*, (4 Ebrill 1846).

[22] *The Principality*, (Mai 5 1848).

[23] Dyfynnwyd yn E. D. Jones, 'The Journal of William Roberts, Nefydd', *Cylchgrawn Llyfrgell Genedlaethol Cymru*, VIII (1953–4), 208.

[24] Ibid., 315.

[25] Ibid., 211.

[26] Ibid., 205.

[27] *The Star of Gwent*, (8 Medi 1855).

[28] *Seren Gomer*, (Ebrill 1845).

[29] LLGC CMA Abraham Morris 14703, 9–10; E. D. Jones, op.cit., 209; *The Star of Gwent*, (13 Rhagfyr 1856).

[30] *Y Tyst Cymreig*, (29 Rhagfyr 1871).

[31] Thomas Jones CH, *Rhymney Memories* (Llandysul, 1970), 51.

[32] *Y Diwygiwr*, (Mawrth 1865).

[33] Thomas Jones, op.cit., 52.

[34] *Y Diwygiwr*, (Gorffennaf 1868).

[35] *Tarian y Gweithiwr*, (17 Medi 1885).

[36] *Baner ac Amserau Cymru*, (1 Gorffennaf 1885).

[37] J. E. Southall (Galar Gwent), *Preserving and Teaching the Welsh Language in the English Speaking Districts* (Casnewydd, 1899), 9.

[38] Archifdy Gwent MSS CE SB5M.S, 'Bedwellty School Board Minute Books', (12 Ionawr 1888); *Tarian y Gweithiwr*, (26 Ebrill 1888).

[39] Bedwellty Minute Books, (6 Mehefin 1893).

[40] Er enghraifft, *Tarian y Gweithiwr*, (16 Ebrill, 7 Mai 1885), (7 Ebrill 1898).

[41] Bedwellty Minute Books, (28 Medi, 28 Hydref 1898).

[42] J. E. Southall, *The Welsh Language Census of 1901* (Casnewydd, 1904), 53.

[43] Tystiolaeth lafar Mrs Mary Jones (gynt Lewis) a holwyd yn Ysbyty'r Henoed, Llantrisant, 15 Medi 1979. Mae'r tâp ym meddiant yr awdur, ond mae'r recordiad o safon annerbyniol.

[44] Archifdy Gwent MSS CESB2 9M–7, 'Mynyddislwyn School Board Minute Books', (20 Rhagfyr 1898).

[45] J. E. Southall, op.cit., (1904), 5.

[46] 'Mynyddislwyn Minute Books', (25 Gorffennaf 1899).

[47] J. E. Southall, op.cit., (1904), 52.

[48] *Y Gymraeg Mewn Addysg a Bywyd. Adroddiad y Pwyllgor Adrannol a Benodwyd gan lywydd y Bwrdd Addysg i Chwilio i Safle yr Iaith Gymraeg yng Nghyfundrefn Addysg Cymru* (HMSO, 1927), 196.

[49] T. Phillips, *Wales*, 14.

[50] *Reports of the Assistant Commissioners Appointed to Inquire into the State of Popular Education in England* PP (2794) Vol II 1861, *Report of the Commissioner John Jenkins Esq* . . . , 455.

[51] J. Parry Lewis, 'The Anglicization of Glamorgan', *Morgannwg*, IV (1960), 39.

[52] LLGC 7132E Nefydd; *Tarian y Gweithiwr*, (11 Ionawr 1878); *The Principality*, (14 Gorffennaf 1848).

[53] *The Morning Chronicle*, (13 Mai 1850).

[54] *Seren Gomer*, (Ionawr 1855).

[55] Evan A. Price, *History of Penuel Calvinistic Methodist Church Ebbw Vale* (Wrecsam, 1925).

[56] Ceir hanes y wasg Gymraeg yn yr ardal yn llawn yn Sian Rhiannon Williams, op.cit., 1985, hefyd mewn darlith o eiddo'r awdur a gyhoeddwyd yn *Y Casglwr*, (Hydref-Gaeaf 1988). Y brif ffynhonnell ar gyfer hanes y wasg yn y sir yw, J. Ifano Jones, *Printing and Printers in Wales and Monmouthshire*, II *A History of Printing and Printers in Monmouthshire* (Caerdydd, 1925). Gweler hefyd y Llyfryddiaeth.

[57] T. E. Watkins (Eiddil Ifor), 'Ar Effeithiau Moesawl . . . '

[58] *Minutes of the Committee of Council 1839–40, Tremenheere*, 211.

[59] *Y Diwygiwr*, (Ionawr 1842).

[60] Ibid., (Mehefin 1849).

[61] J. Thomas a T. Rees, op.cit., 231.

[62] Cofiaduron Brychan, (6 Awst 1838), (22 Ionawr 1839), (11 Chwefror 1845).

[63] *Seren Gomer*, (Mawrth, Ebrill 1857).

[64] LLGC 7163–6D Nefydd, (3 Mawrth 1844).

[65] *The Star of Gwent*, (30 Medi, 25 Tachwedd 1853), (13 Medi, 27 Rhagfyr 1856), (3 Ionawr 1857).

[66] *Y Diwygiwr*, (Mehefin 1849).

[67] *Seren Gomer*, (Gorffennaf 1852).

[68] *Y Diwygiwr*, (Ebrill 1846).

[69] *Seren Gomer*, (Gorffennaf 1847).

[70] *Y Drysorfa*, (Awst 1852). Gwneir yr un pwynt yn *Y Diwygiwr*, (Rhagfyr 1861, Ebrill 1862).

[71] *Seren Gomer*, (Mehefin 1859).

[72] *Y Diwygiwr*, (Ionawr 1852). Gweler hefyd, er enghraifft, y cyflwyniad yn *Y Gwladgarwr*, (Ionawr 1833).

[73] T. E. Watkins (Eiddil Ifor), 'Ar Effeithiau Moesawl . . . '

[74] *Y Diwygiwr*, (Ionawr 1841).

[75] *Seren Gomer*, (Gorffennaf 1847).

[76] H. A. Bruce, *The Present Position and Future Prospects of the Working Classes in the Manufacturing Districts of South Wales* (Caerdydd 1851), 12.

[77] Thomas Stephens, *The Literature of the Kymry* (Llanymddyfri, 1849), Introduction, vii.

[78] LLGC 927C Thomas Stephens, 'Cyflwr Moesol a Llenyddol Cenedl y Cymry yn y Deheubarth ynghyd a Sylwadau ar y Cyfnewidiadau a gymerasant le yn y ganrif ddiweddaf', (1858).

[79] Henry Richard, *Letters on the Social and Political Condition of the Principality of Wales* (Llundain, 1884), 42.

[80] T. Rees, 'Welsh Literature', yn T. Rees, *Miscellaneous Papers . . .* , 48.

[81] *The Star of Gwent*, (3, 31 Ionawr 1857), (19 Chwefror 1859).

[82] Ibid., (2 Gorffennaf 1871).

[83] *Tarian y Gweithiwr*, (6 Mehefin 1879); *Tredegar Workmen's Libraries: Catalogue of Books*, 1911, 1914, 1922, ar gael yn Llyfrgell Gwent, Cangen Tredegar.

[84] LLGC 10812D Idris Davies, Diary 1939–40, Tachwedd 30, 1939.

[85] J. Ifano Jones, op.cit., 254; *Y Glorian*, (1 Mawrth, 20 Gorffennaf 1867).

[86] *Tarian y Gweithiwr*, (14 Mawrth 1879).

[87] Brinley Roberts, 'Argraffu yn Aberdâr', *Journal of the Welsh Bibliographical Society*, Xl (1973), 1–53.

[88] Er enghraifft, J. P. Williams, *Cofgolofn Jiwbili Eglwys Soar, yn cynnwys Hanes Bedyddwyr Glanau Rhymni am y dau can mlynedd diweddaf* (Rhymni, 1888); *Llên Gwerin Blaenau Rhymni* (Rhymni, 1912); W. Thomas, *Geiriau Gwirionedd a Sobrwydd: Pregethau W. Thomas Whitland* (Rhymni, 1902); *Tannau Twynog, Gwaith Barddonol T. Twynog Jeffreys* (Rhymni, 1904); Evan Davies, *Holwyddoreg ar fywyd Iesu Grist* (Casnewydd, 1887); Edward Jones, *Yr Ysgol Sabothol, Addysgaeth a Chyneddfau y Meddwl* (Casnewydd, 1888). Gweler hefyd *Catalogue of Educational and Other Works published by John E. Southall* (Casnewydd, d.d.).

[89] J. Ifano Jones, op.cit., 33, 233–4.

[90] J. E. Southall, *The Future of Welsh Education* (Casnewydd, 1900), 32.

[91] G. J. Williams, 'Cyhoeddi Llyfrau Cymraeg yn y Bedwaredd Ganrif ar Bymtheg', *Journal of the Welsh Bibliographical Society*, lX (1965), 151–61.

Pennod VI

[1] T. Rees a J. Thomas, op.cit., 66.

[2] E. G. Ravenstein, 'On the Celtic Languages in the British Isles: A Statistical Survey', *Journal of the Royal Statistical Society*, 42 (1879), 579–622.

[3] *Y Geninen*, (Ionawr 1887), 59.

[4] Dan Isaac Davies, *Yr Iaith Gymraeg 1785, 1885, 1985 neu Tair Miliwn o Gymry Dwy-ieithog mewn Can Mlynedd* (Dinbych, 1886), 27.

[5] J. A. Bradney, op. cit., I, 2, 421.

[6] *The Star of Gwent*, (17 Mawrth 1866); *Tarian y Gweithiwr*, (9 Ebrill 1875).

[7] *Tarian y Gweithiwr*, (22 Mawrth 1886), (18 Chwefror 1892).

[8] Ibid., (7 Medi 1877; 1 Tachwedd 1878; 26 Rhagfyr 1879).

[9] Ibid., (25 Gorffennaf 1879), (23 Hydref 1884), (24 Rhagfyr 1885), (28 Ionawr, 18 Mawrth 1886), (24 Chwefror 1887), (6 Ionawr 1890).

[10] *The Star of Gwent*, (30 Rhagfyr 1876), (7 Hydref 1881); ceir cyfeiriadau cyson ac adroddiadau am yr Eisteddfodau amrywiol yn *Nharian y Gweithiwr*, (1979–1898).

[11] *Tarian y Gweithiwr*, (6, 27 Hydref 1887).

[12] Ibid., (22 Mai, 7 Awst 1884), (10, 24 Rhagfyr 1885), (5 Mawrth 1891) (11 Mai 1893).

[13] *The Star of Gwent*, (28 Rhagfyr 1883), (18 Ebrill 1884).

[14] W. Crwys Williams, op. cit., 63; *Tarian y Gweithiwr*, (6 Chwefror 1890), (26 Hydref 1893), (26 Mai 1898).

[15] *Tarian y Gweithiwr*, (8 Ebrill 1886), (24 Tachwedd 1887), (26 Hydref 1893); E. Price, *A History of Penuel Calvinistic Methodist Church . . .*

[16] *The Star of Gwent*, (7 Mawrth 1884); *Tarian y Gweithiwr*, (17 Mawrth 1898).

[17] W. Williams (Myfyr Wyn) op. cit.; *Tarian y Gweithiwr*, (21 Chwefror, 7 Mawrth 1879), (11 Mai, 7 Medi, 12 Hydref 1882), (1 Tachwedd 1883), (25 Mai, 1 Hydref 1885), (12 Chwefror 1891).

[18] Ibid., (3 Tachwedd 1887).

[19] Ibid., (1 Gorffennaf 1886).

[20] Evan Rees (Dyfed), *Twynog: Cyfrol Goffa T. Twynog Jeffreys dan Olygyddiaeth Dyfed* (Gwrecsam, 1912). Gweler hefyd *Tarian y Gweithiwr*, (1879–1898).

[21] Peter Stead, 'Amateurs and Professionals in the Cultures of Wales', yn Geraint H. Jenkins a J. Beverley Smith (goln.), *Politics and Society in Wales 1840–1922: Essays in Honour of Ieuan Gwynedd Jones* (Caerdydd, 1988), 113–34.

[22] Er enghraifft, *Baner ac Amserau Cymru*, (7 Awst 1867).

[23] Ibid., 16, (30 Medi 1868).

[24] Ibid., (22 Ebrill 1868).

[25] E. I. Williams, 'Notes for a History of Blaenafon . . . '.

[26] *Baner ac Amserau Cymru*, (30 Medi 1868).

[27] *Report of the Commission Appointed to Inquire into Trade Unions* (Cd. 3980–1) xxxix, 1867–8, 82.

[28] Aled Jones, 'Trade Unions and the Press: Journalism and the Red Dragon Revolt of 1874', *Cylchgrawn Hanes Cymru*, 12 (1984), 214.

[29] Ibid., 197–224.

[30] *Tarian y Gweithiwr*, (7 Gorffennaf, 4 Awst 1892).

[31] D. Williams (Myfyr Ddu), *Can, Llen a Gwerin*; John Thomas (ap Noah), *Arch Noah yn cynnwys llythyrau caru buddugol ac amryw englynion a phenillion ar wahanol destuanu* (Caerfyrddin, 1896); *Tarian y Gweithiwr*, (18 Gorffennaf 1879), (7 Gorffennaf 1884).

[32] *Tarian y Gweithiwr*, (25 Mai 1885).

[33] LL.Gan.C. Ballads and Fugitive Pieces, 88.

[34] *Tarian y Gweithiwr*, (11 Mehefin 1880).

[35] Ibid., (30 Gorffennaf 1885).

[36] Ibid., (19, 26 Tachwedd, 10 Rhagfyr 1885).

[37] K. O. Morgan, *Wales in British Politics 1868–1922* (Caerdydd, 1970), 100–1.

[38] Alan Roderick, 'A History of the Welsh Language in Gwent', *Gwent Local History*, 50 (1981), 13–36, 51 (1981), 2–32; W. T. R. Pryce, 'Language Shift in Gwent, c. 1770–1981' yn N. Coupland a A. R. Thomas (goln.), *English in Wales: Diversity, Conflict and Change* (Clevedon, 1989), 59.

[39] E. G. Ravenstein, op. cit.

[40] Alexander J. Ellis, 'On the Delimitation of the English and Welsh Languages', *Y Cymmrodor*, V (1909), 34–6.

[41] Hywel Teifi Edwards, 'Y Gymraeg yn y Bedwaredd Ganrif ar Bymtheg', yn Geraint Jenkins (gol.), *Cof Cenedl II: Ysgrifau ar Hanes Cymru* (Llandysul, 1987), 119–51; Gweler hefyd Hywel Teifi Edwards, op. cit., (1980), 1989).

[42] LLGC MS 1058C T. Darlington Miscellanea (Llythyr gan Beriah Gwynfe Evans, 14 Awst 1893).

[43] Ibid.

[44] T. Darlington Miscellanea, (Llythyr i'r *Manchester Guardian* gan y Parch T. Ll. L. Williams); T. Darlington, 'Iaith Cymru Fydd', *Y Geninen*, (4 Hydref 1893).

[45] J. E. Southall, op. cit., (1895)

[46] J. E. Southall, op. cit., (1892).

[47] J. E. Southall, op. cit., (1895); J. E. Southall, *Preserving and Teaching the Welsh Language in English Speaking Districts: Prize Essay in the national Eisteddfod at Newport, 1897* (Casnewydd, 1899); J. E. Southall, *An Educational Need in Monmouthshire: Welsh Teaching: Testimony of Headmaster at Llanover School* (Casnewydd, 1905); J. E. Southall, *The Future of Welsh Education* (Casnewydd 1900); *Catalogue of Educational and Other Works published by John E. Southall*, Newport (Casnewydd, d.d.).

[48] *Tarian y Gweithiwr*, (26 Awst 1897).

[49] Ibid., (30 Medi 1898).

[50] Robert Griffiths, *S. O. Davies: A Socialist Faith* (Llandysul, 1983).

[51] *Royal Commission on the Church . . .* (1907); *Census of England and Wales . . . Population Tables (Monmouthshire)* (1901), (1911).

Llyfryddiaeth

Llawysgrifau

(a) Archifdy Gwent

CE 5B2 qM–7 Mynyddislwyn School Board Minute Book, 1896–9

CE 5B3 M–4 Aberystruth School Board Minute Book, 1889–95

CE 5B5 M–3–5 Bedwellty School Board Minute Books, 1886–98.

CE 5B6 M–1 Bedwellty and Mynyddislwyn School Boards Minute Book, 1887–1900.

CEA 70–1 Victoria (Boys and Girls)School Log Books, 1862–73.

CEA 162.1 Blaina British Infant School Log Book, 1862–83.

Bythway Collection:
    140, 197, 214, 332, 477, 505.
    Rule Books of various Monmouthshire Friendly Societies.

Newport Collection:
    4303 (M4665), 1756 (M340), 1050 (M380).
    Rule Books of various Monmouthshire Friendly Societies.
    QSP&R (Sub Friendly Societies) Return of Friendly Benefit Societies, 1840, 1849–50.

MISC MSS 1045   Cwrt y Bella National School, 1862–1902.
           1428   Letter to Lady Coffin Greenly, Hereford, 1850.

(b) Llyfrgell Ganolog Caerdydd

Casgliad y llawysgrifau:

    767.14 Ballads and Fugitive Pieces. (Pedair Cyfrol.)

    John Davies (Brychan), 3.512 Cofiaduron Brychan, 1827–63.

    Daniel Lewis (Ifor Gwent), 2.1024 Hanes Plwyf Aberystruth. (Traethawd Buddugol Eisteddfod y Fenni, 1838.)

    T. E. Watkins (Eiddil Ifor), 2.1032 (2) Hanes Gweithiau Haiarn De Cymru. 2.1033 Hanes Gwent o Llywelyn ap Gruffudd hyd yr Oes Bresennol. (Cylchwyl y Fenni, 1836.)

    Idem, 2.1055 Effeithiau Moesawl a Chynneddfawl a gafwyd ar drigolion Cymru trwy Dynoethiad o'u Dirfawr Gyfoeth Diledawl. (1838.)

(c) Llyfrgell Ganolog Casnewydd

Casgliad y llawysgrifau:

    fm 1600 (342) Chartist Trials 1839–40: Documents used in Connection with the Queen against John Frost.

Teipysgrifau ac Amrywion:

    pfm 160 286 Papers in Connection with the History of Deml Baptist Church, Newport.

qm 230 900 History of the Parish of Llanhilleth by H. W. Bailey.

pM000 286.1 Monmouthshire Baptist Association Circular Letters: Llythyrau oddi wrth weinidogion a chenadau eglwysi Cymanfa Bedyddwyr Mynwy.

pqM000 287.3 CAL Ystadegau yr eglwysi perthynol i Gyfarfod Misol y Methodistiaid Calfinaidd yn Sir Fynwy, 1869–99. Anerchiadau at yr Eglwysi, 1883–99.

qm 330 274.2 Pages from the Past: Some early days of Nonconformity in the Eastern and Western Districts of Monmouthshire, by Rae Williams-Hughes (1958).

qm 340 285.8 History of New Inn Congregational Church, by the Rev. E. Mathias. (1940?)

qm 380 910 Trefil: A Monmouthshire Quarry Village, by Idris Williams.

qm 380 920 Henry Hughes, Emigrant to the U.S.A. by A. B. Hughes, Attorney at Law, Worthing, Minnesota, 1897. Translated by Albert Barnes Hughes.

qm 417.8 900 Life among the Ironworkers of Garnddyrys and Blaenavon, by G. A. Graber. (Alexander Cordell.)

(ch) Llyfrgell Genedlaethol Cymru

(i) Casgliad y llawysgrifau:

927C ('Stephens' 24). 'Cyflwr Moesol a Llenyddol Cenedl y Cymry yn y Deheubarth'.

1058C Miscellanea of Thomas Darlington.

2725B ('Edward Griffith' 25). Ieuan Gwynedd Papers.

2726C ('Edward Griffith' 36). Ieuan Gwynedd Papers.

7019D ('Nefydd' 9). Barddoniaeth.

7020E ('Nefydd' 10). Barddoniaeth.

7045D ('Nefydd' 35). 'Beirdd a Llenorion Gwent a Morgannwg'.

7073–6 ('Nefydd' 63–6). Diaries kept by Nefydd.

7077–8A ('Nefydd' 67–8). *Seren Gomer* Account Books.

7079B ('Nefydd' 69). *Seren Gomer* Account Books.

7108E ('Nefydd' 98). Nefydd Miscellanea.

7128C ('Nefydd' 118). Salem (Blaenau) Baptist Church.

7129B ('Nefydd' 119). Salem (Blaenau) Baptist Church.

7132E ('Nefydd' 122). Eisteddfod Essays etc.

7133C ('Nefydd' 123). Eisteddfod Essays etc.

7159A ('Nefydd' 149). Salem (Blaenau) Sunday School.

7163–6D ('Nefydd' 153–6). Autograph Letters etc.

7176–7D ('Nefydd' 166–7). Autograph Letters etc.

7541–3E ('Haines' 1–3). A Bibliography of Monmouthshire.

7544–50E ('Haines' 4–10). A Bibliography of Monmouthshire.

7704D ('Bradney' 144). An Autobiography of Lewis Edmunds, Llanellen.

7713E ('Bradney' 153). Monmouthshire Miscellanea.

7714E ('Bradney' 154). Monmouthshire Miscellanea.

10219A ('Cynddelw' 4). Dyddiaduron. (Robert Ellis.)

10290A ('Solva' 16). Dyddiaduron. (Hugh Jones) (Cromwell o Went.)

10292 ('Solva' 18). Miscellanea. (Hugh Jones) (Cromwell o Went.)

10293D ('Solva' 19). Fragments. (Saron Independent Church, Tredegar).

10812D (Idris Davies). Diary 1939–40.

11356–84 ('Pandy' 1–29). Sermons etc. (John Davies.)

11365A 'On the History of Llanfapley Church'.

11385–402A ('Pandy' 30–47). Diaries (John Davies).

11421C ('Pandy' 66). Enwogion Gwent.

11424D ('Pandy' 69). Letters etc.

13182–3E Cymreigyddion y Fenni Correspondence etc.

13958–62E ('Cymreigyddion y Fenni' 1–5). Cofnodion y Gymdeithas a Chyfansoddiadau Eisteddfodol.

16155–8B ('E. I. Williams' 4–7). Notes for a History of Nantyglo and Blaina.

18624A Churchbook of Mr. James Michael, Sion, Ponthir.

(ii) Llawysgrifau Ychwanegol:

372B. Ebenezer Welsh Independent Chapel, Rogerstone, Basaleg, Mon. 1832–4. (Miscellaneous papers of the Reverend Thomas Rees.)

(iii) Adnau/Adneuon:

Calvinistic Methodist Archive (CMA)

5791–3 Letters to H. W. Evans 1893.

6775–846 William Thomas (Islwyn) Manuscripts.

6792 A few Miscellaneous Notes Relating to Islwyn by Daniel Davies, Ton and others.

6796–825 Letters from Islwyn to Daniel Davies, Ton, 1869–78. Letters from M. Jenkyns, sister of Islwyn to Daniel Davies, Ton, 1895–9.

8668 Hanes Cychwyn yr Ysgol Sabothol yn Nhyddyn Beili Glas Mawr, Llanofer, Mynwy, ynghyd â llythyrau at Mr. David Jones (1936).

10588–9 Letters from Evan Jones, Bedwellte 1858.

10849–50 Letters from W. Morgan, Brynmawr, 1875–7.

10857–8 Letters from W. Morgan, Brynmawr, 1875.

11564 Letters from T. E. Jones, Rhymney, 1892.

11634 Letters from D. W. Davies, Rhymney, 1914.

11729 Letters from W. Crwys Williams, Brynmawr, 1912.

13549–51 Enoch Jones, Rhymney Manuscripts.

14702–3 History of Calvinistic Methodism in Monmouthshire, Vols. 1 and 2 by Abraham Morris.

Church in Wales Records

Queries and Answers/Visitation Abstracts:

LL/QA 20, 23, 26, 36–7 (1802, 1809, 1813, 1848).

LL/VC 27–8, 33–4, 38, 42 (1802, 1805, 1809, 1813, 1817).

Welsh Methodist (Wesleyan) Archives (Casgliad Tre'r ddol)

44C The Rise and Growth of Welsh Wesleyan Methodism to 1858.

357C Minute Book of the District Committees of the Welsh Methodist Second South Wales District, 1829–51.

358D Minute Book of the District Committees of the Welsh Methodist Second South Wales District, 1852–68.

365B A Sunday School Attendance Book of Sardis Chapel, Cendl.

369D Miscellaneous Papers Relating to Bethcar Welsh Wesleyan Methodist Chapel Ebbw Vale, 1908–56.

666B A Minute Book of the Quarterly Meetings of the Brynmawr Wesleyan Methodist Circuit, 1914–21, and of Brynmawr and Tredegar Circuit, 1925–35.

704R Minutes of the Local Preachers' Meetings of the Tredegar Wesleyan Circuit, 1914–18.

705C A Minute Book of the Quarterly Meetings of the Brynmawr Wesleyan Methodist Circuit, 1896–1902, and of the Circuit's Local Preachers' Meetings, 1897–1902.

883A A Card Index of the Wesleyan Methodists Meeting Houses, extracted from H.D. Emanuel, 'Dissent in the Counties of Glamorgan and Monmouth, *Cylchgrawn Llyfrgell Genedloethol Cymru.*, VIII, ix.

1053E Welsh Wesleyan Memorandum to the Departmental Committee on the Teaching of Welsh. (1925.)

(iv) Mân Adneuon:

1102–7B Records of Castle Street Baptist Church, Caerleon.

1207–21B A History of One Hundred and Thirty Churches of the Welsh Baptist Association of Monmouthshire.

(d) Public Record Office

Home Office Papers: Disturbances:

HO 40/21 Letters: William Powell to HO 1826.

HO 40/23 Moggridge to Peel, 1827–9.

HO 52/9 William Powell to HO concerning disturbances at Blaina and Garnddyrys, 1832.

HO 52/25 Letters by Samuel Homfray and William Powell to HO June 1834.

J. B. Bruce to Marquis of Bute concerning disturbances at Blaencarno, 1834.

Census Enumerator's Returns (Land Record Office):

Parishes of Bedwellty, Aberystruth, Mynyddislwyn, Trefethin in the Country of Monmouth.

1851 HO 107 2248–2490.

1861 RG 9 3997–4009, 4026–7.

1871 RG 10 5315–50, 5584.

(dd) Casgliadau Preifat, a dogfennau a ddarllenwyd trwy ganiatâd y canlynol:

Mrs M. Alden, 7 High Street, Pengam:

Hanes Salem, Capel yr Annibynwyr, Trelyn, gan Marion Alden.

Cyfundeb Annibynwyr Mynwy: Llyfr Cofnodion 1930–77.

Y diweddar Mr D. Carey:

Register of Moriah Independent Chapel, Rhymney, 1841–63.

Mr Elliot, Talywain:

Llyfr Cofnodion Pisgah, Talywain, ynghyd â dogfennau amrywiol yn ymwneud â hanes yr achos.

Mrs N. Grant, 1, Conway Court, Grove Park, y Coed-duon:

Sardis, Capel yr Annibynwyr, Ynys-ddu:

Llyfrau Cofnodion 1906–22, 1922–35, 1935–49.

Llyfrau'r Trysorydd 1907–35, 1930–4.

Mrs E. A. Hughes, 62, Garn Road, Nant-y-glo:
Cofnodion Capel y Bedyddwyr, Hermon, Nant-y-glo.

Mrs P. A. Lewis, 'Torfaen', 263, Llantarnam Road, Cwmbrân:
The church at Ebenezer, Llantarnam.
Elim Congregational Church, Cwmbran: A History.

Mr Penny, 26, Waungoch District, Beaufort:
History of Soar Baptist Church, Beaufort, 1851–1951, by Joseph Jones, Headmaster at Rassau School.

Miss G. Richards, Rock Villa, Tredegar Road, Glynebwy:
Llyfr Cofnodion Penuel, Capel y Methodistiaid Calfinaidd, Glynebwy.

Mr R. Smith, Gresford, Usk Drive, Gilwern:
Brynmawr and Crickhowell District Social Survey: Report of Industrial Group, September 1931.

Mr. A. V. Williams, 31, Fairfield, Penperllenni. Goetre:
Llyfr Cofnodion Sharon, Capel y Bedyddwyr, Goetre. A History of Saron Baptist Church, Goetre, by Glyn Prosser.

Darllenwyd trwy ganiatâd swyddogion yr eglwysi canlynol:

Bethel, Cwmbrân:
Bethel Congregational Church, Upper Cwmbran, 1837–1937, by A. T. Chivers

Bethel, Tredegar Newydd:
Bethel Calvinistic Methodist Church, New Tredegar, 1860–1960, by George E. Evans.

Bethel, Tredegar:
Bethel Baptist Church Tredegar, Mon. 1868–1968: One Hundred Years of Baptist Witness.

Tirzah, Cwm:
Tirzah Memoirs, 1878–1978.

Darllenwyd trwy ganiatâd yr awduron:

Mr Brian Davies, Blaenafon:
Who were the Chartists? The Newport Rising of 1839.

Yr Athro Ieuan Gwynedd Jones, Aberystwyth:
Religion and Society in the first half of the Nineteenth Century.

Y diweddar Mr Orthin Thomas, Trethomas:
Hanes yr Achos yn Salem, Eglwys Bresbyteraidd Cymru, Trethomas: Traddodwyd ar achlysur dathlu hanner canmlwyddiant yr eglwys yn 1963, gan Orthin Thomas.

Y Parch Ifor Llwyd Williams, Bangor:
Hanes Ffyniant ac Edwiniad y Gymraeg mewn unrhyw ardal yng Nghymru (Blaeneudir Sir Fynwy).

Cyhoeddiaddau Swyddogol

(a) Addysg

Minutes of the Committee of Council on Education with Appendices.

Report of Mr. Seymour Tremenheere on the State of Elementary Education in the Mining District of South Wales: 1839–40 (182) xi.

Report of the Commissioners of Inquiry into the State of Education in Wales; 1847 (870) xxvvii (Monmouthshire).

Report of the Commissioners Appointed to Inquire into the State of Popular Education in England. . . Reports of the Assistant Commissioners: 1861 (279–II) xxi.

Y Gymraeg mewn Addysg a Bywyd: Adroddiad y Pwyllgor Adrannol a benodwyd gan lywydd y Bwrdd Addysg i chwilio i safle yr Iaith Gymraeg yng Nghyfundrefn Addysg Cymru: The Welsh Language in Education and Life. (HMSO, 1927.)

(b) Diwydiant/Llafur

Report of the Royal Commission Appointed to Inquire into the Employment of Children, 1842 (380) xw; 1842 (382) xvii.

Reports of the Commissioner Appointed to Inquire into the State of the Population in the Mining Districts;

1846 (737) xxiv 1853 (1679) x
1847 (844) xvi 1856 (2125) xviii
1850 (1248) xxiii 1857 (2275) xvi

Report of the Commissioner Appointed to Inquire into Trade Unions; 1867–8 (3980–1–11) xxxix.

Report of the Commissioners Appointed to Inquire into the Truck System: 1871 (C. 327) xxxvi.

Royal Commission of Labour; 1893–4 (C. 6894–XIV) Vol. II (Wales).

(c) Crefydd

Return for the number of services performed in each church or chapel in the Diocese of Llandaff, 1850 (4) xlii.

Census of Great Britain 1851: Religious Worship. Report and Tables; (1690) 1852–3 lxxxix-i. (London: 1853).

Royal Commission on the Church of England and Other Religious Bodies in Wales and Monmouthshire: 1908–10 (Cd. 5432–91) xiv–xix.

(ch) Y Cyfrifiad

Census of England and Wales:

1841 Enumeration Abstract I, 1843 (496) xxii, i.

1851 Population Tables I 1852–3 (1631–2) lxxxvi; II 1854(1691–II)

1861 Population Tables I 1862 (3056) li; II 1863 (3221) liii.

1871 Population Tables I 1872 (C. 676) lxvi; 1873 (C. 872)

1881 Population Tables I 1883 (C. 3562–3) (C. 3722) lxxviii.

1891 Population Tables I 1893 (C. 6948) II 1893 (C. 6948;) III 1893 (C.7058)

1901 Population Tables (Country of Monmouth) 1902 Cd. 1361

1911 General Report with Appendices 1917 (Cd. 8491) xxxv; 1912–3 (Cd. 6258-I) (Cd. 6259-II) 1914 (County of Monmouth Table 33, Language Spoken.

1921 Preliminary Report 1921 (Cmd. 1485 (Cmd. 1485) 1923 (County of Monmouth) Table 25, English and Welsh Languages.

(d) Adroddiadau'r Cofrestrydd Cyffredinol

Annual Reports of the Registrar General of Births, Deaths and Marriages in
England.
First Report 1839 (187) xvi.i; through to Fifty-third Report 1890–1 (C. 6478)
xxiii.i.

(dd) Amrywiol

Report by E. Lynch Daniell Esq., Assistant Commissioner on Friendly Societies
in Wales, Monmouth and Herefordshire; 1874 (C. 995) xxiii, Pt. II.
House of Commons Parliamentary Debates (Hansard) 3, CCIV; June 15, 1881,
Col. 614–6; Discussion of Sale of Intoxicating Liquors on Sunday (Wales)
bill.
Report of the Royal Commission on Land in Wales and Monmouthshire; 1894
(C. 7439) xxxvi; 1896 (C. 8221) xxxiii-xxxv.

Papurau Newydd a Chyfnodolion

(a) Papurau Newydd

Amddiffynydd y Gweithiwr/The Workman's Advocate (1874–5).
Baner ac Amserau Cymru
The Cardiff and Merthyr Guardian
Y Glorian
The Monmouthshire Merlin
Morning Chronicle (1850).
The Principality
The Silurian
The Star of Gwent
Tarian y Gweithiwr
Udgorn Cymru

(b) Cyfnodolion

Cyfaill yr Aelwyd
Y Cyfaill Eglwysig
Y Cylchgrawn (1862–3).
Y Cymmrodor
Cymru
Y Cronicl (1865).
Y Diwygiwr
Y Drysorfa
Yr Eglwysydd (1847).
Yr Eurgrawn Wesleyaidd
Y Frythones
Y Geninen
Y Gwladgarwr
Y Gwir Iforydd
Y Gwron Odyddol
Y Gymraes
Yr Haul

Ifor Hael
Yr Iforydd
The Monmouthshire Baptist (1886).
The Monmouthshire Portfolio (1843).
Yr Odydd Cymreig
Seren Gomer
Seren Cymru
Y Tyst Cymreig
Wales
The Usk Gleaner (1875–8).
Yr Ymgeisydd 1861

Cyfeirlyfrau

A Bibliography of the History of Wales (Cardiff, 1962).
Y Bywgraffiadur Cymreig hyd 1940 (Llundain, 1953).
Alun Eirug Davies, (gol.), *Traethodau Ymchwil Cymraeg a Chymreig a dderbyniwyd gan brifysgolion Prydeinig, Americanaidd ac Almaenaidd: Welsh Dissertations . . .* (Caerdydd, 1973).
Elwyn Davies, (gol.), *Rhestr o Enwau Lleoedd: A Gazetteer of Welsh Place Names* (Caerdydd, 1957).
P. G. Ford, *Select List of British Parliamentary Papers, 1833–1899* (Shannon, 1969).
Ieuan Gwynedd Jones, (gol.), *The Religious Census of 1851: A Calendar of the Returns Relating to Wales.* Vol. I; South Wales (Caerdydd, 1976).
Isaac Slater, *Slater's (late Pigot and Co.) Royal, National and Commercial Directory and Topography of the Counties . . .* Monmouthshire Section (Llundain, 1858–1859.

Gweithiau a gyhoeddwyd hyd at 1914

(a) Llyfrau

Llên Gwerin Blaenau Rhymni, o gasgliad bechgyn Ysgol Lewis, Pengam (Pengam, 1912).
Anhysbys, *Hengoediana: Hanes Eglwys y Bedyddwyr Neillduol yn Hengoed, Gelligaer, Morganwg, hyd y flwyddyn 1860 yn nghyd a phedair o Anerchiadau Hanesyddol* (Caerdydd, 1861).
Ioan Arfon, (gol.), *Barddoniaeth Cynddelw yn cynnwys Awdlau, Cywyddau, Englynion, Pryddestau, Caneuon, ac Emynau ar Destunau Gwladgarol, Crefyddol, Marwnadol ac Amrywiol; hefyd Traethawd ar Fywyd ac Athrylith Cynddelw gan y Parch. J. Spinther James* (Caernarfon, 1877).
Charles Ashton, *Hanes Llenyddiaeth Gymraeg o 1651 i 1850* (Abertawe, 1891).
John Beddoe, *The Races of Britain: A contribution to the anthropology of Western Europe* (Briste, 1885).
A. G. Bradley, *In the March and Borderland of Wales* (Llundain, 1905).
J. A. Bradney, *A History of Monmouthshire from the Coming of the Normans down to the Present time*; Vols. I–IV (Llundain, 1904–33).
Lewis Browning, *Blaenafon: A Brief Historical Sketch* (Y Fenni, 1906).
James Henry Clark, *Hand book to Monmouthshire and South Wales* (Llundain, 1861). *History of Monmouthshire* (Brynbuga, 1869).

W. J. Conybeare, *Essays Ecclesiastical and Social* (Llundain, 1855).

William James Copleston, *Memoir of Edward Copleston D.D. Bishop of Llandaff; with selections from his diary and correspondence* (Llundain, 1851).

W. Coxe, *An Historical Tour in Monmouthshire, Illustrated with Views by Sir R. C. Hoare Bt., a New Map of the County and Other Engravings* (Llundain, 1801).

J. Davies (Brychan Bach) (gol.), *Blwch i'r Cantorion yn llawn o ganiadau detholedig ar amryw o destunau diddus a difyr . . . wedi eu cymeryd allan yn ofalus o Ysgrifeniadau y Beirdd Godidocaf yng Ngwent a Morgannwg yn yr Oes Bresennol er Diddanwch Ieuengctyd Cymru* (Abertawe, 1816).

J. Davies, (Brychan) (gol.), *Llais Awen Gwent a Morgannwg ar destunau Moesol a Difyr* (Merthyr Tudful, 1829). *Y Llinos: sef casgliad o ganiadau newyddion ar destunau moesawl a diddan . . . o gronfa Brychan, Tredegar* (Merthyr Tudful, 1827).

Idem., *Y Gog: neu difyrrwch i'r cantorion, yr hwn a gynnwys bigion o ganiadau etholedig addas i'w datganu ym mhob cymdeithas lawen . . . o gasgliad Brychan* (Merthyr Tudful, 1832).

Idem., *Newyddion Da o Wlad Bell, sef Crynodeb o Lythyrau oddiwrth T. W. a J. Williams* (Merthyr Tudful, 1830).

John Davies, (Gwentwyson) *Ebenezer Congregational Church Pontnewynydd: A sketch of its history from its formation in 1740 up to 1891, by a member of the church* (Casnewydd, 1908).

John Davies (Ossian Gwent), *Caniadau Ossian Gwent* (Wrecsam, *c.* 1873).

Idem., *Blodau Gwent, sef casgliad o waith anghyhoeddiedig . . . Ossian Gwent* (Casnewydd-ar-Wysg, 1898).

Abel Edmunds, *Crybwyllion am Ddechreuad y Bedyddwyr ym Mlaencwm Rumni yn nghyd a'u cynnydd oddi yno i waered i'r Brithdir a Thirphil* (Aberdâr, 1862).

Henry T. Edwards, *Wales and the Welsh Church* (Llundain, 1889).

T. Downing Evans (Leon) (gol.), *The Gwyddonwyson Wreath* . . . (Llundain, 1853).

T. Evans, *Cofiant . . . Evan Jones, Blaenor gyda'r Methodistiaid Calfinaidd yn y Rock, yn nghyd a llythyrau . . .* (Brynmawr, 1868).

Edward Griffiths, *The Presbyterian Church of Wales Historical Hand-book, 1735–1905* (Wrecsam, 1905).

Charles Harwick, *The History, Present Position, and Social Importance of Friendly Societies* (Llundain, 1859).

Charles Hassall, *General View of the Agriculture of the County of Monmouth* (Llundain, 1812).

John Hughes, *Methodistiaeth Cymru: sef hanes blaenorol a gwedd bresenol y Methodistiaid Calfinaidd yng Nghymru o ddechreuad y cyfundeb hyd y flwyddyn 1850* (Wrecsam, 1851–6).

Ignotus (Captain Russell), *The Last Thirty Years in a Mining District: Or Scotching and the Candle Versus Lamp and Trades Unions* (Llundain, 1867).

T. Twynog Jeffreys, *Tannau Twynog: Gwaith Barddonol T. Twynog Jeffreys, Rhymni* (Rhymni a Thredegar Newydd, 1904).

Edmund Jones, *A Geographical, Historical and Religious Account of the Parish of Aberystruth in the County of Monmouth, to which are added Memoirs of Several Persons of Note who Lived in the Same Parish* (Trefeca, 1779).

H. Jones (Cromwell o Went), *Eglwys Loegr fel y Mae ac fel y Dylai Fod, neu Saith o Lythyrau mewn Hunan Amddiffyniad* (Caerfyrddin, 1851).

Evan Jones (Gwrwst), *Gwentwyson: sef ymdrechfa y beirdd, neu awdlau galarnadol am . . . Thomas Price (Carnhuanawc) at yr hyn yr ychwanegwyd dwy awdl ar yr Adgyfodiad . . .* (Caerfyrddin, 1849).

J. Jones, *Llawlyfr Etholiadaeth Cymru* (Llangollen, 1867).

J. S. Jones (Bran ap Llyr), *Hanes Rhymni a Phontlottyn* (Dinbych, 1904).

T. Jesse Jones, *Un o Gymry Duw : sef Cofeb Fechan am William Evans, Canon Llandaf a Ficer Rhymni* (Llanbedr Pont Steffan, 1905).

H. B. Kendall, *The Origin and History of the Primitive Methodist Church Vol. II* (Llundain, 1905).

Thomas Lewis, *My Life's History: The autobiography of the Rev. Thomas Lewis, Baptist Minister, Newport, Mon, together with short notices from a few friends* (Casnewydd, 1902).

John Lloyd, *The Early History of the Old South Wales Ironworks (1760–1840) from Original Documents* (Llundain, 1906).

James Llywelyn, *Hanes Eglwys Penuel, Methodistiaid Calfinaidd, Tredegar* (Rhymni, Tredegar a Bargod, 1913).

Benjamin Malkin *The Scenery, Antiquities, and Biography of South Wales, from material collected during two excursions in the year 1803* (Llundain, 1807).

George William Manby, *An Historic and Picturesque Guide through Monmouth, Glamorgan and Brecknock, with representations of ruins, interesting antiquities, etc* (Llundain, 1802).

William Fordyce Mavor, *A Tour in Wales, and through several counties of England including both the Universities, performed in the Summer of 1805* (Llundain, 1806).

Llywelyn Morgan, *Hanes Wesleyaeth Cymreig yng Nghylchdaith Tredegar* (Trefynwy, 1914).

R. W. Morgan, *Amddiffyniad yr Iaith Gymraeg, cyfeiriedig at bob dosbarth o genedl y Cymru* (Caernarfon, 1858).

Sir Thomas Phillips, *Wales: The Language, Social Condition, Moral Character and Religious Opinions of the People Considered in their Relation to Education, with Some Account of the Provision made for Education in Other Parts of the Kingdom* (Llundain, 1849).

Edwin Poole, *The Illustrated History and Biography of Brecknockshire from the earliest times to the present day* (Brecknock, 1886).

Evan Powell, *History of Tredegar: Subject of Competition at Tredegar 'Chair Eisteddfod'*, February 25th, 1884 (Casnewydd, 1902).

Evan Rees (Dyfed) (gol.), *Cyfrol Goffa T. Twynog Jeffreys, Rhymni* (Wrecsam, 1912).

Thomas Rees a John Thomas, *Hanes Eglwysi Annibynol Cymru*, Cyfrol I; (Lerpwl, 1871).

T. Rees a D. M. Phillips, *Cofiant a Phregethau y Parch David James, Llaneirwg* (Caerdydd, 1896).

T. Rees, *Miscellaneous Papers on Subjects Relating to Wales* (Llundain, 1867).

Henry Richard, *Letters on the Social and Political Condition of the Principality of Wales* (Llundain, 1884).

Rufus (ffugenw), *Hanes Athrofeydd y Bedyddwyr yn Sir Fynwy.* (Aberdâr, 1863).

H. Scrivenor, *A Comprehensive History of the Iron Trade* (Llundain, 1841).

J. E. Southall, *Wales and her Language* (Casnewydd, 1892).

Idem., *The Welsh Language Census of 1891* (Casnewydd, 1895).

Idem., *The Welsh Language Census of 1901* (Casnewydd, 1904).

T. Stephens (gol.), *Cymru Heddyw ac Yforu* (Caerdydd, 1908).

G. H. Sumner, *Life of Charles Richard Sumner, D.D., Bishop of Winchester* . . . (Llundain, 1876).

Tawelfryn a E. Bush (goln.), *Pebyll Seion: Hanes Ymdaith Cynnulleidfaoliaeth yn Y Watford, Croes Wen, Tonyfelin, Rhydri, Caerffili, Glandwr Taf, Senghenydd, Llanbradach, Abertridwr, gyda Darluniau o Leoedd Nodedig a Phersonau Enwog* (Caerdydd, 1904).

E. Thomas, *Crybwyllion hanesiol am Eglwys Silo, Tredegar* (Tredegar, 1858).

John Thomas, *Cofiant y Parchedig Thomas Rees, D.D.* (Dolgellau, 1888).

C. Tawelfryn Thomas, *Cofiant Darluniadol mewn Rhyddiaeth a Chan, i'r Diweddar Barch. Evan Jones (Ieuan Gwynedd)* (Dolgellau, 1909)

John Thomas (Ap Noah), *Telyn Cymru, sef detholiad o ddarnau cerddorol ac adroddiadol o natur foesol a difyrus . . . gan J. Thomas.* (Tredegar, 1860).

Idem, *Cydymaith yr Adroddwr a Llawlyfr y Darlleniadau Ceiniog.* (Tredegar, d.d.).

Idem., *Arch Noah, yn cynnwys Llythyrau Caru Buddugol ynghyd ag amryw englynion a phenillion ar wahanol destunau* (Caerfyrddin, 1896).

W. Thomas (Islwyn), *Gwaith Barddonol Islwyn, 1832–1878* (Wrecsam, 1897).

T. E. Watkins (Eiddil Ifor), *Hanes Llanffwyst 1834* yn J. A. Bradney a E. Price (goln.), (Y Fenni, 1922).

Charles Wilkins, *The History of the Iron, Steel, Tinplate, and other Trades of Wales* (Merthyr Tudful, 1903).

D. Williams, (Myfyr Ddu) (gol.), *Can, Llen a Gwerin, sef cynyrchion y diweddar Myfyr Wyn . . .* (Aberdâr, 1908).

Jane Williams, (Ysgafell), *The Literary Remains of Thomas Price, Carnhuanawc . . . with a memoir of his life by Jane Williams* (Ysgafell), (Llanymddyfri, 1854–5).

J. P. Williams, *Cofgolofn Jiwbili Eglwys Soar, yn cynnwys hanes Bedyddwyr glanau Rhymni am y dau can mlynedd diweddaf. Yn nghyd ag anerchiad a phregethau . . .* (Rhymni, 1880).

W. Williams, (Myfyr Wyn), *Atgofion am Sirhywi a'r Cylch* 1897–8 yn D. Myrddin Lloyd (gol.), (Caerdydd, 1951).

David Young, *The Origin and History of Methodism in Wales and the Borders* (Llundain, 1893).

(b) Pamffledi a Dogfennau Printiedig Eraill

A Few Words on Behalf of Teaching Welsh Children such thing as Belonging to their Souls' Health in their Own Language by a Welsh Churchwoman. (Rhydychen, 1853).

Association of Welsh Clergy in the West Riding of the County of York, Reports of the Proceedings, 1852–6 (Caernarfon, 1854), *1852–4* (Caernarfon, 1856), *1854–6*.

Cofnodion o Hanes Eglwys Annibynol Saron, Tredegar (Tredegar, 1897).

Cymdeithas y Dynolwyr yn Nantyglo, talaith Gwent, yr hon sydd yn arferol o gyfarfod yn nghyd yn nhy Mr. Charles Rogers, Arwydd Tywysog Cymru, ar y bryn, Waenhelygen i'r dyben o gefnogi Dysg a Chelfyddyd ymhlith y Cymry (Merthyr Tudful, 1829).

Cymdeithas yr Iaith Gymraeg: Amcanion y gymdeithas a rhestr swyddogol yr aelodau. The Society for Utilizing the Welsh Language: Summary of objects and official list of members (Casnewydd, 1885).

Diwygiad yr Eglwys Sefydliedig yng Nghymru neu, hanes cywir o'r cyfarfodydd lliosog a gynhaliwyd gan y Cymry yn Lle'rpwll, Ionawr 24, 1837, a Chaerddyn . . . (Lerpwl, 1837).

Eisteddfod Iforaidd Rhymni 1868: Pryddest am danchwa Ferndale gan Gwilym Teilo (d.d).

Eisteddfod Rhymni 1899: Y Cyfansoddiadau Buddugol . . .(Rhymni, 1899).

Llythyr yn rhoddi hanes yr ymraniad a gymerodd le yn ddiweddar yn Eglwys yr Annibynwyr a arferai ymgynull yn Ebenezer, Sirhowi o dan ofal y Parchedig R. Jones (Crughywel, 1841).

Marwnad Goffadwriaethol i'r Diweddar Barch. Lodwick Edwards Offeiriad Rumni: Eisteddfod Flynyddol Ysgolion Sabbathol Rumni (Merthyr Tudful, 1856).

Report of the Church Congress held at Swansea, October 1909 (Llundain, 1909).

Report of the Llandaff Diocesean Conference held at Cardiff under the presidency of the Lord Bishop of the Diocese, October 22, 23, 1884 (Caerdydd, 1885).

Rules etc. of Firemen and Tradesmen Amicable Benefit Society, Kings Arms Inn Ebbw Vale: Rheolau a Threfniadau i'w cadw gan Gymdeithas o weithwyr tan a chelfyddydwyr a sefydlwyd dan yr enwad o Les-Gymdeithas Garedigol, Gwesty Arfau y Brenin, Glyn Ebbw, plwyf Aberystruth, Sir Fynwy . . . (Merthyr Tudful, 1840).

Rules etc. of Firemen and Tradesmen Amicable Benefit Society, White Hart Inn, Ebbw Vale: Rheolau a threfniadau i'w cadw gan Gymdeithas o weithwyr tan a chelfyddydwyr . . . Gwesty Bwchadaness Wyn, Glyn Ebbw, plwyf Aberystruth . . .(Tredegar, 1850).

Substance of Speeches delivered at Bridgend and Newport 29/31 October 1850 at meetings called by the Lord Bishop of Llandaff and in support of Resolutions for establishing a Society for providing Additional Superintendence and Church Accommodation within the Diocese of Llandaff (Llundain, 1851).

Anhysbys, *The Church in Wales: True Assertions and a Serious Warning addressed to the Members of Both Houses of Parliament on the subject of the Real Church in Wales* (Llundain, 1849).

Anhysbys, *The Plain Facts: History of the Victoria Iron Works from its Commencement, being No. 1 of the Bubbles of South Wales* (Llundain, 1846).

Anhysbys, *The Two Colliers: Or, a Dialogue between George Nelson of Coalpit Heath, Glamorganshire and William Clark, of Blackwood, Monmouthshire* (Mynwy, 1840).

Y Parchedig Ganon W. L. Bevan, *The Linguistic Condition of Wales: A paper read at the Cardiff Church Congress 1889* (Llundain, 1889).

Idem., *Is the Church in Wales an Alien Institution Reply to Mr. Stuart Rendel, M.P. by Rev. W. L. Bevan, Canon of St. Davids and Vicar of Hay* (Llundain, d.d.).

J. A. Bradney, *A Memorandum, being an attempt to give a Chronology of the decay of the Welsh language in the Eastern part of the County of Monmouth* (Y Fenni, 1926).

H. A. Bruce, *The Present Position and Future Prospects of the Working Classes in the Manufacturing Districts of South Wales* (Caerdydd, 1851).

Idem., *On Amusements as a means of Educating the Working Classes* (Merthyr Tudful, 1850).

Edward Copleston (Esgob Llandaf), *A Charge Delivered to the Clergy of the Diocese of Llandaff at his Primary Visitation in September 1830* (Llundain, 1830).

Idem., *A Charge Delivered to the Clergy of the Diocese of Llandaff in September 1836* (Llundain, 1836).

Idem., *A Charge Delivered to the Clergy of the Diocese of Llandaff, at the triennial visitation in October 1842* (Llundain, 1842).

William Coslett, (Gwilym Eilian), *Odlau y Delyn: sef awdl goffadwriaethol am y telynor penigamp Mr. Llewellyn Williams (Pencerdd y De). Buddugol yn Eisteddfod Blaenau Gwent Medi 9, 1872* (Blaenau Gwent, 1872).

Dan Isaac Davies, *Yr Iaith Gymraeg 1785, 1885, 1985, neu Tair Miliwn o Gymry Dwy-ieithawg mewn Can Mlynedd* (Dinbych, 1886).

W. Davies (Guto'r Crydd), *Traethawd Buddugol Eisteddfod Brynmawr: Brynmawr fel yr oedd, fel y mae, ac fel y dylai fod* (Brynmawr, 1882).

Henry T. Edwards, *Why are the Welsh People Alienated from the Church, A Sermon by Rev. Henry T. Edwards, Dean of Bangor at St. David's Welsh Church, Liverpool, May 25, 1879* (Lerpwl, 1879).

Beriah Gwynfe Evans, *Cymro, Cymru a Chymraeg yn eu Cysylltiad ag Addysg: Papur a ddarllenwyd o flaen Cymdeithas Genedlaeth Gymraeg Liverpool, Ionawr 29, 1889* (Lerpwl, d.d.).

Augusta Hall (Gwenynen Gwent), *Eisteddfod Gwent a Dyfed 1834: Y Traethawd Buddugol ar Y Buddioldeb a Ddeillia oddi wrth gadwedigaeth yr Iaith Gymraeg a Dullwisgoedd Cymru gan Gwenynen Gwent* (Caerdydd, 1836).

D. Hughes, *Achosion Saesneg yn Nghymru: Papur a gyfansoddwyd yn unol a phenderfyniad cynhadledd Cyfarfod Chwarterol Undeb Cymreig Sir Fynwy yn Saron, Penycae, Medi 24, 1867, ac a ddarllenwyd yn y Cyfarfod Chwarterol, Sardis, Farteg, Rhagfyr 31, 1867 gan y Parchedig D. Hughes, Tredegar* (Tredegar, 1868).

John Hughes, *An Essay on the Ancient and Present State of the Welsh Language (Cambrian Society 1822)*, (Aberhonddu, 1823).

Alfred Jones *Libanus Congregational Church Ebbw Vale: A Short History, 1854–1908*.

Arthur Jones Johnes, *An Essay on the Causes which have produced Dissent from the Established Church in the Principality of Wales: prize medal of London Cambrian Institution Eisteddfod, May 1831* (Llundain, 1832).

Evan Jones (Ieuan Gwynedd), *Facts, Figures and Statements in Illustration of the Dissent and Morality of Wales: 'The Truth against the World'* (Llundain, 1849).

T. Jesse Jones, *The Position of our Church in Wales: A Lecture given at Peckham, January 29, 1890* (Llundain?, 1890).

Idem., *The Church in Wales not Alien: A Reply to Mr. J. W. Willis Bund* (Caerdydd, 1906).

Y Parch William Jones (Moesolydd), *Traethawd Gwobrwyol ar Nodweddiad y Cymry fel Cenedl yn yr Oes Hon* (Llundain, 1841).

G. S. Kenrick *The Population of Pontypool and the Parish of Trevethin, Situated in the So-Called Disturbed Districts: Its Moral, Social and Intellectual Character* (Pont-y-pŵl, 1840).

David Morris (Eiddil Gwent), *Hanes Tredegar o Ddechreuad y Gwaith Haiarn hyd yr Amser Presenol . . . at yr hyn yr ychwanegwyd Braslun o Hanes Pontgwaithyrhaiarn ynghyd a Chan o Glod i Glyn Sirhowy etc* (Tredegar, 1868).

Thomas Morris, *Cyngor Da Mewn Amserau Drwg, sef pregeth a achlysurwyd trwy ddigwyddiad gresynol ac ofnadwy Tachwedd 4, 1839 yng Nghasnewydd ar Wysg* (Caerdydd, 1840).

D. Mushet, *Report on the Victoria Iron Works and Mining Ground, Belonging to the Monmouthsire Iron and Coal Company situated in the Parish of Bedwellty and Country of Monmouth* (Caerfaddon, 1841).

Alfred Ollivant Esgob Llandaf, *A Charge to the Clergy of the Diocese of Llandaff at his primary visitation in September, 1851* (Llundain, 1851).

Idem., *A Charge delivered to the Clergy of the Diocese of Llandaff at his Second Visitation, August 1854 by Alfred Ollivant* (Llundain, 1854).

Idem., *A Charge Delivered to the Clergy of the Diocese of Llandaff at his Fourth Visitation, September 1860, by Alfred Ollivant, Bishop of Llandaff* (Llundain, 1860).

Idem., *A Charge to the Clergy of the Diocese of Llandaff at his Sixth Visitation in July, 1866* (Llundain, 1866).

Idem., *A Charge to the Clergy of the Diocese of Llandaff at his eleventh Visitation, August, 1881, in three addresses* (Llundain, 1881).

Thomas Rees, *Welsh Dissent: A letter to the Lord Bishop of Llandaf* (Y Fenni, 1857).

J. E. Southall, *Catalogue of Educational and Other Works published by John E. Southall Newport* (Casnewydd, 1904).

Idem., *Bilingual Teaching in Welsh Elementary Schools: Minutes of Evidence before Royal Commission on Education 1886–7* (Casnewydd, 1888).

Idem., *An Educational Need in Monmouthshire: Welsh Teaching: Testimony of Headmaster at Llanover School* (Casnewydd, 1905).

Idem., *Preserving and Teaching the Welsh Language in English Speaking Districts: Prize essay in the National Eisteddfod at Newport, 1897* (Casnewydd, 1899).

Idem., *The Future of Welsh Education* (Casnewydd, 1900).

Charles R. Sumner, *A Charge Delivered to the Clergy of the Diocese of Llandaff, September 1827 at the Primary Visitation by Charles R. Sumner, Late Bishop of Llandaff, now Bishop of Winchester* (Llundain, 1828).

John Thomas (Glyn Nedd) (Galarwr), *Marwnad Goffadwriaethol i'r Diweddar Barch. Lodwick Edwards, Offeiriad Rumni* (Merthyr Tudful, 1856).

William Van Mildert, *A Charge Delivered to the Clergy of Llandaff at the Primary Visitation, August 1821 by William, Lord Bishop of Llandaff* (Llundain, 1821).

Thomas Williams (Archddiacon Llandaf), *A Charge Delivered to the Clergy of the Archdeaconry of Llandaff at his Primary Visitation, May 1844* (Llundain, 1844).

Idem., *A Letter to the Lord Bishop of Llandaff on the Peculiar Condition and Wants of his Diocese* (Llundain, 1850).

(c) Erthyglau

'Blodau Gwent, sef Caniadau Ossian Gwent', *Cymru*, 15, 85 (1898), 66.

Edward Annwyl, 'The Welsh Language in Relation to Welsh National Life', *Wales*, 1 (1911), 162–4.

T. Darlington, 'Iaith Cymru Fydd', *Y Geninen*, XI, 4 (1893), 224–31.

Idem., 'The English Speaking Population of Wales', *Wales*, 1 (1894), 11–16.

Ben Davies, 'Clod i Bentref Mwyaf Cymreig Sir Fynwy', *Y Ford Gron*, IV, 7 (1934), 167–8.

D. Tyler Davies, 'A yw Siarad Cymraeg yn Darfod' yn T. Stephens (gol.), *Cymru Heddyw ac Yforu* (Caerdydd, 1908), 273–7.

D. W. Davies, 'Beirdd a Llenorion Rhymni', *Cymru*, 55 (1918), 67–70, 121–6, 155–8.

Idem., 'Ysgol Gymraeg Twyn Carno, Mynwy', *Cymru*, 217 (1909), 76–8.

J. Glyn Davies 'Yr Eglwysi Seisnig yng Nghymru' yn T. Stephens (gol.), (Caerdydd, 1908), 53–6.

D. Edwards, 'Nodweddion Brodorol Dosbarth Gweithiol Gwent a Morgannwg', *Y Traethodydd*, XII (1856), 456–63.

Idem., 'Methodistiaeth yn Sir Fynwy', *Y Drysorfa*, 651 (1885), 1–4.

Alexander J. Ellis, 'On the Delimitation of the English and Welsh Languages', *Y Cymmrodor*, V (1882), 173–207.

D. Arthen Evans, 'Y Gymraeg a'r Llanw Seisnig', *Cymru*, 37, 216 (1909), 34–6.

H. M. Hughes, 'Yr Anhawsder Dwyieithog' yn T. Stephens (gol.), *Cymru Heddyw ac Yforu*, (Caerdydd, 1908), 264–70.

T. Lewis, 'Trem ar Sir Fynwy', *Y Geninen*, IV (1886), 27–32.

Evan Price, 'Un o Feirdd y Werin, a'i Dreigl o Fôn i Fynwy', *Cymru*, 51 (1916), 43–7.

E. G. Ravenstein, 'On the Celtic Languages in the British Isles: A Statistical Survey', *Journal of the Royal Statistical Society*, 42 (1879), 579–622.

J. A. Rees, 'Yr Eglwys Sefydliedig a'r Bobl, yn T. Stephens (gol.), *Cymru Heddyw ac Yforu* (Caerdydd, 1908), 135–42.

L. F. Taylor, 'Welsh v. English: The position in Industrial South Wales as revealed by the Census of 1911', *Wales*, V (1913–14), 161–3.

Gweithiau a gyhoeddwyd er 1914

(a) Llyfrau

Hanes ac Egwyddorion Annibynwyr Cymru: Cyfrol Dathlu Tri Chanmlwyddiant Annibynwyr Cymru, 1639–1939 (Llandysul, 1939).

Michael Anderson, *Family Structure in Nineteenth Century Lancashire* (Caergrawnt, 1971).

D. S. Barrie a C. E. Lee, *The Sirhowy Valley and its Railway* (Llundain, 1940).

T. M. Bassett, *Bedyddwyr Cymru* (Abertawe, 1977).

Graham Beeston, *Bedwas and Machen Past and Present* (B & M.U.D.C., 1953).

R. T. Berthoff, *British Immigrants in Industrial America* (Caergrawnt, 1953).

Harold Carter a Sandra Wheatley, *Merthyr Tydfil in 1851: A Study of the Spatial Structure of a Welsh Industrial Town* (Caerdydd, 1982).

E. G. Bowen, *Wales: A Physical, Historical and Regional Geography* (Llundain, 1957).

Arthur Clark, *The Story of Pontypool* (Pont-y-pŵl, 1958).

Idem., *The Story of Monmouthshire: From the Civil War to Present Times* (Mynwy, 1979).

L. J. Townsend Collins, *Monmouthshire Writers* (Casnewydd, 1945).

Alan Conway, *The Welsh in America: Letters from the Immigrants* (Caerdydd, 1961).

E. J. Davies, *The Blaenafon Story* (Casnewydd, 1975).

E. T. Davies, *Monmouthshire Schools and Education to 1870* (Casnewydd, 1957).

Idem., *Religion in the Industrial Revolution in South Wales* (Caerdydd, 1965).

L. Twiston Davies *Men of Monmouthshire* (Caerdydd, 1933).

Hywel Teifi Edwards, *Gŵyl Gwalia: Yr Eisteddfod Genedlaethol yn Oes Aur Victoria, 1858–1868* (Llandysul, 1980).

Idem., *Yr Eisteddfod: Cyfrol dathlu wythganmlwyddiant yr Eisteddfod 1176–1976* (Llys yr Eisteddfod Genedlaethol, 1976).

E. W. Evans, *The Miners of South Wales* (Caerdydd, 1961).

C. J. O. Evans, *Monmouthshire, its History and Topography* (Caerdydd, 1953).

Hilda Evans, *New Tredegar in Focus* (Rhisga, 1977).

Idris Foster (gol.), *Twf yr Eisteddfod Genedlaethol: Tair Darlith gan Helen Ramage, Melville Richards a Frank Price Jones* (Llys yr Eisteddfod Genedlaethol, 1968).

J. A. Fishman, (gol.), *Language Loyalty in the United States: The maintenance and perpetuation of non-English mother tongues by American ethnic and religious groups* (Yr Hâg, 1966).

Idem., *Readings in the Sociology of Language* (Yr Hâg, 1968).

J. A. Fishman, *Sociolinguistics: A Brief Introduction* (Newbury House, 1970).

Idem., *Language in Sociocultural Change: Essays* (Gwasg Prifysgol Stanford, 1972).

Idem., *Advances in the Sociology of Language* (Yr Hâg, 1978).

Maxwell Fraser, *West of Offa's Dyke, South Wales* (Llundain, 1958).

A. D. Gilbert, *Religion and Society in Industrial England, 1740–1914* (Llundain, 1976).

H. Giles (gol.), *Language, Ethnicity and Intergroup Relations* (Llundain ac Efrog Newydd, 1977).

D. V. Glass a D. E. C. Eversley, *Population in History : Essays in Historical Demography* (Llundain, 1965).

Robert Griffiths, *S. O. Davies: A Socialist Faith* (Llandysul, 1983).

F. J. Hando, *Rambles in Gwent* (Casnewydd, 1924).

Idem., *The Pleasant Land of Gwent* (Casnewydd, 1944).

Idem., *Journeys in Gwent* (Casnewydd, 1951).

Idem., *Monmouthshire Sketch Book* (Casnewydd, 1954).

Idem., *Here and there in Monmouthshire* (Casnewydd, 1964).

Royden Harrison, *Before the Socialists : Studies in Labour and Politics, 1861–81* (Llundain, 1965).

Patricia Hollis, *Class and Conflict in Nineteenth Century England, 1815–1850* (Llundain, 1973).

W. E. Houghton, *The Victorian Frame of Mind 1830–70* (Iâl, 1957).

David W. Howell, *Land and People in Nineteenth Century Wales* (Llundain, 1978).

Geraint H. Jenkins (gol.), *Cof Cenedl II: Ysgrifau ar Hanes Cymru* (Llandysul, 1987).

Geraint H. Jenkins a J. Beverley Smith (gol.) *Politics and Society in Wales 1840–1922: Essays in Honour of Ieuan Gwynedd Jones* (Caerdydd, 1988).

R. T. Jenkins a H. M. Ramage, *A History of the Honourable Society of the Gwyneddigion and Cymreigyddion Societies 1751–1951* (Llundain, 1951).

T. J. Jenkins (Ebbw), *A History of Tabernacle Baptist Church, Newbridge* (Newbridge, 1959).

A. H. John, *The Industrial Development of South Wales* (Caerdydd, 1950).

David Gwenallt Jones, *Bywyd a Gwaith Islwyn* (Lerpwl, 1948).

D. V. Jones, *Before Rebecca : Popular Protests in Wales 1793–1835* (Lerpwl, 1973).

Hugh Jones, *Hanes Wesleyaeth Gymreig* (Bangor, 1913).

Ieuan Gwynedd Jones, *Explorations and Explanations : Essays in the Social History of Victorian Wales* (Llandysul, 1981).

J. Ifano Jones, *Printing and Printers in Wales and Monmouthshire* (Caerdydd, 1925).

Oliver Jones, *The Early Days of Sirhowy and Tredegar* (Rhisga, 1969).

R. Tudur Jones, *Hanes Annibynwyr Cymru* (Abertawe, 1966).

Idem., *Ffydd ac Argyfwng Cenedl : Cristnogaeth a diwylliant yng Nghymru, 1890–1940* (Abertawe, 1981/2).

Thomas Jones, *Rhymney Memories* (Llandysul, 1970).

Watcyn Jones, *Hanes Eglwys Ebeneser, Sirhywi, 1836–1936* (Merthyr Tudful, 1936).

David C. Marsh, *The Changing Social Structure of England and Wales, 1871–1961* (Llundain, 1958).

David (Alfred) Martin, *A Sociology of English Religion* (Llundain, 1967).

W. E. Minchinton (gol.), *Industrial South Wales 1750–1914 : Essays in Welsh Economic History* (Llundain, 1969).

T. Mitchell, *The Monmouthshire Iron and Steel Trade* (Casnewydd, 1904).

John Vyrnwy Morgan, *The Church in Wales in the Light of History : A historical and philosophical study* (Llundain, 1918).

David Morgans (Cerddwyson), *Music and Musicians of Merthyr and District* (Merthyr Tudful, 1922).

Abraham Morris, *The Story of Ebenezer Calvinistic Methodist Church Newport* (Casnewydd, 1916).

J. H. Morris a L. J. Williams, *The South Wales Coal Industry, 1841–75* (Caerdydd, 1958).

Islwyn ap Nicholas, *A Welsh Heretic : Dr. William Price, Llantrisant* (Llundain, 1940).

Thomas Parry, *Hanes Llenyddiaeth Gymraeg hyd 1900* (Caerdydd, 1953).

Sir Thomas Parry, *Hanes yr Eisteddfod : The Story of the Eisteddfod* (Gwasg y Brython ar ran Llys yr Eisteddfod 1963?).

Evan Powell, *A History of Carmel Baptist Chapel, Sirhowy* (Caerdydd, 1933).

Evan Price, *A History of Penuel Calvinistic Methodist Church Ebbw Vale with a sketch of the origin of Methodism in the valley.* (Wrecsam, 1925).

Arthur J. Pritchard, *Griffithstown : the development of its social organizations with the expansion of the railway and the steel industry* (Pont-y-pŵl, 1957).

Idem., *Historical Notes on the Railways of South East Monmouthshire* (Lingfield, 1962).

Rex. H. Pugh, *A History of the Baptist Church at Abercarn* (Casnewydd, 1932).

Idem., *Glimpses of West Gwent : An historical survey of Abercarn and District.* (Casnewydd, 1934).

A. Redford, *Labour Migration in England 1800–50* (Llundain, 1926).

D. Ben Rees, *Chapels in the Valley* (Wirral, 1975).

Y Parchedig Ganon V. W. T. Rees, *Trefethin, Pontypool : A Short History of the Parish and its Churches* (Pont-y-pŵl), 1934).

Brinley Richards, *Cofiant Trefin* (Abertawe, 1963).

Thomas Richards, *Monmouthshire Baptist Association Circular Letters*, 1832–1954 (Casnewydd, 1947).

David Smith (gol.), *A People and a Proletariat : Essays in the History of Wales, 1780–1980* (Llundain 1980).

Brinley Thomas, *The Welsh Economy: Studies in Expansion* (Caerdydd, 1962).

Brinley Thomas, *Migration and Economic Growth: A Study of Great Britain and the Atlantic Economy* (Caergrawnt, 1973).

Daniel John Thomas, *A Short History of the Monmouthshire English Baptist Association, written for its centenary in 1957* (Casnewydd, 1956).

Mair Elvet Thomas, *Afiaith yng Ngwent: Hanes Cymdeithas Cymreigyddion y Fenni, 1833–1854* (Caerdydd, 1978).

C. Maxwell Vaughn, *Pioneers of Welsh Steel* (Rhisga, 1975).

Herbert M. Vaughn, *The South Wales Squires: a Welsh picture of social life* (Llundain, 1926).

David Walker (gol.), *A History of the Church in Wales* (Cyhoeddiadau yr Eglwys yng Nghymru, 1976).

David Williams, *John Frost: A Study in Chartism* (Caerdydd, 1939).

Idem., *A History of Modern Wales* (Llundain, 1977).

D. T. Williams, *My People's Ways* (Y Bont-faen, 1978).

Glanmor Williams, *Grym Tafodau Tân: Ysgrifau Hanesyddol ar Grefydd a Diwylliant* (Llandysul, 1984).

Idem., *Religion, Language and Nationality in Wales: Historical Essays* (Caerdydd, 1979).

Gwyn A. Williams, *Modog: The Making of a Myth* (Llundain, 1979).

Idem., *The Merthyr Rising* (Llundain, 1980).

Idem., *The Search for Beulah Land* (Llundain, 1980).

W. Williams (Crwys), *A Brief History of Rehoboth Congregational Church, Brynmawr from 1643 to 1927* (Abertyleri, 1927).

Idem., *Mynd a Dod* (Llandysul, 1941).

Idem., *Pedair Pennod* (Llandysul, 1950).

E. A. Wrigley (gol.), *Nineteenth Century Society: Essays in the use of quantative methods for the study of social data* (Caergrawnt, 1972).

(b) Pamffledi a dogfennau printiedig eraill.

Abertillery Official Guide (Abertyleri, 1936).

1842–1942: Berea Congregational Church Blaina: A Souvenir (Abertyleri, 1942).

Garn Congregational Church Abercarn: The Centenary, 1841–1941 (Newbridge, d.d.).

Glyn Congregational Church, Risca, Mon: Centenary 1841–1941: A Brief History (Rhisga, 1942?).

Gobaith Calvinistic Methodist Church Blaina: Centenary Celebrations, 1837–1937 (Abertyleri, d.d.).

Gwerth Cristnogol yr Iaith Gymraeg: The Christian Value of the Welsh Language(Abertawe, d.d.).

Opening Services, and History of Brynhyfryd Baptist Church Ebbw Vale, 1853–1930 (Glynebwy, 1930).

Saron 1860–1960 (Tredegar Newydd, d.d.).

Tabernacle Calvinistic Methodist Church Garndiffaith: Centenary Celebrations, 1828–1928 (Pont-y-pŵl, 1928).

E. G. Bowen, *Daearyddiaeth Cymru fel Cefndir i'w Hanes* (Darlith Radio BBC, 1964).

Y Parch Rhys Bowen, *Moreia Rhymni: Braslun o'r Hanes ac Atgofion, 1841–1941* (Caerdydd, d.d.).

Arthur Clark, *The Story of Pontypool* (Pont-y-pŵl, 1958).

Cynog Dafis, *Cymdeithaseg Iaith a'r Gymraeg* (Cymdeithas yr Iaith Gymraeg, 1978).

E. J. Davies, *A Short History of Blaenavon: Blaenavon, its People and its Iron* (Casnewydd, 1967).

Gwyn Davies, *Islwyn: Y Dyn Bach Mawr* (Llyfrgell Efengylaidd Cymru, 1979).

Gareth Griffiths a John L. Lambert, *Set on a Hill: A Story of 200 Years: New Bethel Congregational Church, Mynyddislwyn, 1758–1958* (Newbridge, 1958).

R. Hoey, *A Short History of the Bedwellty District and the Vicinity* (Pont-y-pŵl, 1951).

Abdiel Llywelyn a Dorothy M. Bailey, *Bethesda, Tydu* (Rhisga, 1942).

D. J. Meredith, *Bethel Congregational Church, Victoria: A Brief history given at the final meeting of the church, May 24, 1963* (Glynebwy, d.d.).

T. G. James, *Gwilym Gwent: Centenary Celebrations 1834–1934, 'Môr o gân yw Cymru i gyd'* (Monmouthshire Education Committee, 1934).

Ieuan Gwynedd Jones, *Health, Wealth and Politics in Victorian Wales* (Abertawe, 1979).

Idem., *The Valleys in the Mid-Nineteenth Century: A Lecture given at the Annual Conference on 13th May, 1980* (Standing Conference on the History of the South Wales Valleys/Torfaen Museum Trust, 1981).

J. Watcyn Jones, *A Brief History or Hermon Baptist Church Nantyglo together with the Centenary Accounts, 1820–1920* (Y Fenni, d.d.).

P. N. Jones, *Colliery Settlement in the South Wales Coalfield 1850–1926* (Gwasg Prifysgol Hull, 1969).

T. Glanville Jones, *Tabernacle, Abertillery: A Brief Account of the First 100 years, 1854–1954* (Abertyleri, 1954).

R. Ivor Parry, *Henry Richard, Member of Parliament, 1868–88: his message for his own times and its relevance for today* (Committee for the Centenary of Henry Richard's Election to Parliament, 1968).

Ceinwen Thomas, *Monmouthshire in Wales* (Caerdydd, 1958).

E. P. Thomas, *A History of Siloh Baptist Church Tredegar, 1798–1948* (Tredegar, 1948).

Edgar Watkins, *Tabernacle Congregational Church Ebbw Vale: Our Hundred Years 1843–1943: A brief history by Edgar Watkins* (Glynebwy, d.d.).

Griffith John Williams, *The Welsh Tradition of Gwent* (Caerdydd, 1958).

Y Parch Peter Williams, *The Story of Carmel, Ter-Jubilee Celebrations, 1815–1965* (Glynebwy, d.d.).

Stephen J. Williams, *Crefydd a'r Gymraeg: Anerchiad a draddodwyd o Gadair yr Undeb yn Llanelli, 1969* (Abertawe, d.d.).

(c) Erthyglau

'Llythyron Cymanfa Beddyddwyr Mynwy, 1832–1945', *Trafodion Cymdeithas Hanes Bedyddwyr Cymru*, (1945–7), 51–9.

J. Allen, 'When Japanned Tinplate was a Status Symbol', *Presenting Monmouthshire*, 34 (1972), 34–6.

D. F. Arnold, 'The Overlapping Fortunes of Coal and Iron, 1825–75', *Presenting Monmouthshire*, 24 (1967), 39–44.

W. H. Baker, 'Friendly Societies in Monmouthshire to 1850', *Presenting Monmouthshire*, 13 (1962), 33–9.

F. J. Ball, 'Housing and the Industrial Revolution in Ebbw Vale', *Presenting Monmouthshire*, 10 (1960), 10–14.

Tom Beynon, 'The Circulating Welsh Charity Schools in Monmouthshire', *Cylchgrawn Cymdeithas Hanes y Methodistiaid Calfinaidd*, (1936), 124–83.

A. L. Bowley, 'Rural Population in England and Wales; A Study in Changes of Density, Occupations and Ages', *Journal of the Royal Statistical Society*, LXXVII (1914), 597–646.

Joseph Bradney, 'The Association of Welsh Clergy in the West Riding of the County of York, 1822–56', *Journal of the Welsh Bibliographical Society*, III, 6 (1929), 243–50.

Emlyn Davies, 'Academi'r Fenni, sef Cymdeithas Addysg Bedyddwyr Cymraeg a Saesneg', *Trafodion Cymdeithas Hanes Bedyddwyr Cymru*, (1948–9), 54–8.

E. T. Davies, 'The Census of Religion in Monmouthshire in 1851', *Gwent Local History*, 42 (1977), 37–40; 43 (1977), 22–5; 44 (1978), 14–15.

Hywel M. Davies, 'Morgan John Rhys a'r Bedyddwyr', *Trafodion Cymdeithas Hanes Bedyddwyr Cymru*, (1982), 13–37.

J. D. Griffith Davies, 'Monmouthshire, Wales or England', *Monmouthshire Review*, I, 2 (1933), 137–45.

Walter Haydn Davies, 'The Penny Readings Resound in Rhymney, Fochriw and Pontlottyn', *Gelligaer*, VIII (1970), 18–44.

A. H. Dodd, 'Welsh and English in East Denbighshire: A Historical Retrospect', *Trafodion Cymdeithas Anrhydeddus y Cymmrodorion*, (1940), 34–65.

H. D. Emmanuel, 'Dissent in the Counties of Glamorgan and Monmouth', *Cylchgrawn Llyfrgell Genedlaethol Cymru*, VIII (1953–4), 399–419; IX (1955–6), 22–42, 216–34.

Leslie Wynne Evans, 'Colliery Schools in South Wales during the Nineteenth Century', *Cylchgrawn Llyfrgell Genedlaethol Cymru*, X (1957–8), 137–66.

Maxwell Fraser, yn *Cylchgrawn Llyfrgell Genedlaethol Cymru*,
'The Waddingtons of Llanover 1791–1805', XI, 4 (1960), 385–92.
'Benjamin Hall's Youth, 1802–1823', XII, 3 (1962), 250–64.
'The girlhood of Augusta Waddington', XII, 4 (1962), 305–22.
'Young Mr. and Mrs. Hall, 1823–30', XIII, 1 (1963), 29–47.
'Benjamin and Augusta Hall, 1831–36', XIII, 3 (1964), 209–34.
'Benjamin Hall, M.P. for Marylebone, 1837–9', XIII, 4 (1964), 313–28.
'Sir Benjamin and Lady Hall at home in the 1840's XIV, 1 (1965), 35–52.
'Sir Benjamin and Lady Hall at home in the 1840's, XIV, 2 (1965), 194–213.
'Sir Benjamin and Lady Hall at home in the 1850's, XIV, 3 (1966), 285–300.
'Sir Benjamin and Lady Hall at home in the 1850's, XIV, 4 (1966), 437–500.
'Lord and Lady Llanover, 1862–3', XVI, 2 (1969), 105–22.

P. Friedlander a R. J. Rhosier, 'A Study of Internal Migration in England and Wales', *Population Studies*, XIX, 3 (1966), 239–79.

H. Giles a R. Y. Bourhis, 'Welsh is Beautiful', *New Society*, (Ebrill 1974).

T. G. Grey-Davies, 'Sidney Gilchrist Thomas', *Presenting Monmouthshire*, 7 (1959), 11–12; 9 (1960), 18–21; 31 (1971), 30–4.

J. D. Griffith Davies, 'Monmouthshire, Wales or England?' *Monmouthshire Review* 1, 2 (1933), 137–45.

Joan N. Harding, 'Dau Frawd o Sir Fynwy', *Barn*, 212 (Medi 1980), 261–3.

B. Ll. James, 'John Hodder Moggridge and the Founding of Blackwood', *Presenting Monmouthshire*, 25 (1968), 25–9.

H. J. James, 'Industrial Changes and Economic Growth in the County of Monmouth', *Presenting Monmouthshire*, 28 (1969), 21–7.

A. O. H. Jarman, 'Cymreigio'r Ardaloedd Seisnigedig', *Y Crynhoad*, 15 (1953), 37–41.

D. Jenkins, 'Aber-porth: A Study of a Coastal Village in South Cardiganshire' yn E. Davies a A. D. Rees (goln.), *Welsh Rural Communities*, (1960), 1–63.

Islwyn Jenkins, 'The Church in Industrial Rhymney, 1800–50', *Journal of the Historical Society of the Church in Wales*, XVI (1966), 77–87.

R. T. Jenkins, 'Mosera', *Cylchgrawn Cymdeithas Hanes Y Methodistiaid Calfinaidd*, 37, 2 (1952), 13–16.

Idem., 'Williams Richards o Lynn', *Trafodion Cymdeithas Hanes Bedyddwyr Cymru*, (1930), 17–61.

Arthur-Gray Jones, 'Origins of Calvinistic Methodism in Monmouthshire', *Cylchgrawn Cymdeithas Hanes Methodistiaid Cymru*, 34, 3 (1949), 62–70; 35, 1 (1950), 2–10.

David Jones, 'Chartism at Merthyr: A Commentary on the Meetings of 1842', *Bwletin y Bwrdd Gwybodau Celtaidd*, 24 (1972), 232–40.

D. Parry Jones, 'The Use of Abercarn', *Province*, XVIII (1967–8), 58–64, 97–105, 131–8.

Emrys Jones, 'Some Aspects of Cultural Change in an American Welsh

Community', *Trafodion Cymdeithas Anrhydeddus y Cymmrodorion*, (1952), 15–39.

E. D. Jones 'The Journal of William Roberts, ('Nefydd')', *Cylchgrawn Llyfrgell Genedlaethol Cymru*, VIII, (1953–4), 199–220, 306–34; IX (1955–6), 93–101, 365–73, 463–74; X (1957–8), 107–17, 215–29, 312–22.

Frank Price Jones, 'Yr Achosion Saesneg', *Cylchgrawn Cymdeithas Hanes y Methodistiaid Calfinaidd*, LVII 3 (1972) 60–80; LVIII 1 (1973), 2–11.

Ieuan Gwynedd Jones, 'The Building of St. Elvan's Church, Aberdare' Sturart Williams, (gol.), yn *Glamorgan Historian*, II, 71–81.

Idem., 'The Liberation Society and Welsh Politics, 1844–68', *Cylchgrawn Hanes Cymru*, 1, 2 (1961), 193–224.

Idem., 'The South Wales Collier in the Mid-Nineteenth Century' yn *Victorian South Wales: Architecture, Industry and Society* Seventh Conference Report (1969), (Llundain, d.d.), 34–51.

Idem., 'Church Reconstruction in Breconshire in the Nineteenth Century', *Brycheiniog*, XIX (1980–1), 7–26.

Oliver Jones, 'Zephaniah Williams: The Man and His Mind', *Presenting Monmouthshire*, 28 (1969), 28–32.

P. N. Jones, 'Some Aspects of Immigration into the Glamorgan Coalfield between 1881 and 1911', *Trafodion Cymdeithas Anrhydeddus y Cymmrodorion*, 1 (1969), 82–98.

Idem., 'Baptist Chapels as an index of Cultural Transition in the South Wales Coalfield before 1914', *Journal of Historical Geography*, II, 4 (1976), 347–59.

R. Tudur Jones, 'Agweddau ar Ddiwylliant yr Ymneilltuwyr', *Trafodion Cymdeithas Anrhydeddus y Cymmrodorion*, 2 (1963), 171–89.

G. S. Kenrick, 'Statistics of the Population of Trevethin (Pontypool) and at the neighbouring works of Blaenavon in Monmouthshire, chiefly employed in the Iron trade, and inhabiting, part of the district recently disturbed', *Journal of the Royal Statistical Society*, III (1840–1), 369–70, 373.

T. M. Hodges, 'The Peopling of the Hinterland and the Port of Cardiff', *Economic History Review*, XVII (1947), 62–72.

Glyn Tegai Hughes, 'Cysylltiad Iaith a'r Ymwybyddiaeth Genedlaethol yng Nghymru', *Efrydiau Athronyddol*, XXIV (1961), 31–8.

Ceri Lewis, 'The Welsh Language in the Rhondda' yn K. S. Hopkins (gol.), *Rhondda Past and Future*, (Rhondda Borough Council: 1975), 205–21.

Glyn Lewis, 'Migration and the Decline of the Welsh Language' yn J. A. Fishman (gol.), *Advances in Societal Multilingualism*, (Efrog, Newydd 1978), 265–305.

G. J. Lewis, 'The Geography of Cultural Transition in the Welsh Borderland 1750–1850', *Cylchgrawn Llyfrgell Genedlaethol Cymru* XXI 2 (1979), 131–44.

T. H. Lewis, 'Y Wasg Gymraeg a Bywyd Cymru, 1850–1901', *Trafodion Cymdethias Anrhydeddus y Cymmrodorion*, I (1964), 93–127.

Abraham Morris, 'Chapel Ed. Goetre', *Cylchgrawn Cymdeithas Hanes y Methodistiaid Calfinaidd*, III, 4 (1918), 75–86.

J. Parry Lewis, 'The Anglicisation of Glamorgan', *Morgannwg*, IV (1960), 28–47.

Henry Pelling, 'Religion and the Nineteenth Century Working Class', *Past and Present.*, 27 (1964), 128–33.

W. T. R. Pryce, 'Approaches to the Linguistic Geography of North East Wales, 1750–1846', *Cylchgrawn Llyfrgell Genedlaethol Cymru* 17, (1972), 343–60.

Idem., 'Industrialism, Urbanization, and the Maintenance of Culture Areas: North East Wales during the mid nineteenth century', *Cylchgrawn Hanes Cymru*, 7 (1975), 307–40.

Idem., 'Migration and the Evolution of Culture Areas: Cultural and Linguistic Frontiers in North-east Wales, 1750–1851', *Transactions of the Institute of British Geographers*, 65 (1975), 79–104.

Idem., 'Welsh and English in Wales 1750–1971: A spatial analysis based on the linguistic affiliation of parochial communities', *Bwletin y Bwrdd Gwybodau Celtaidd*, 28, 1 (1978), 1–36.

Idem., 'Language Shift in Gwent, C. 1770–1981' yn N. Coupland ac A. R. Thomas (goln.), *English in Wales: Diversity, Conflict and Change* (Clevedon, 1989).

R. D. Rees, 'Glamorgan Newspapers Under the Stamp Acts', *Morgannwg*, III (1959), 61–94.

R. G. Roberts, 'J. P. Davies Tredegar a'i gyfraniad i Ddiwinyddiaeth ei gyfnod', *Trafodion Cymdeithas Hanes Bedyddwyr Cymru*, (1927), 1–40.

Alan Roderick, 'A History of the Welsh Language in Gwent', *Gwent Local History*, 50 (1981), 13–36; 51 (1981), 2–32.

Elfyn Scourfield, 'Rhai o Gyfrinfeydd Iforaidd ac Odyddol Sir Gaerfyrddin yn y bedwaredd ganrif ar bymtheg', *Carmarthenshire Antiquary*, VII (1971), 102–18.

David B. Smith, 'The Future of Coalfield History', *Morgannwg*, XIX (1975), 59–60.

Brinley Thomas, 'The Migration of Labour into the Glamorganshire Coalfield, 1861–1911', *Economica*, X (1930), 275–94.

J. Gareth Thomas, 'Population Trends in Wales', *The Welsh Anvil/Yr Einion*, IV (1952), 87–97.

Idem., 'The Geographical Distribution of the Welsh Language', *Geographical Journal.*, 122 (1956), 71–6.

A. E. Trueman, 'Population Changes in the Eastern part of the South Wales Coalfield', *Geographical Journal*, 53 (1919), 410–18.

Phillip L. Wagner, 'Remarks on the Geography of Language', *Geographical Review* (Ionawr 1958), 86–97.

D. Eurof Walters, 'Yr Annibynwyr a'r Dylifiad Seisnig', *Hanes ac Egwyddorion Annibynwyr Cymru* (Cyfrol Dathlu Tri Chanmlwyddiant Annibynwyr Cymru 1639–1939), (Abertawe, 1939), 169–81.

Colin H. Williams, 'Language Contact and Language Change in Wales, 1901–1971: A Study in Historical Geolinguistics', *Cylchgrawn Hanes Cymru*, 10, 2 (1980), 207–38.

David Williams, 'Micah Thomas and the Chartists', *Trafodion Cymdeithas Hanes Bedyddwyr Cymru* (1950), 28–31.

D. Trevor Williams, 'Linguistic Divides in South Wales: A Historico-Geographical Study', *Archaeologia Cambrensis*, XC (1935), 239–51.

Idem., 'The Distribution of the Welsh Language 1931–51', *Geographical Journal*, 119, 3 (1953), 331–5.

Glanmor Williams, 'Language, Literacy and Nationality in Wales', *History*, 56, 186 (1971), 1–16.

Gwyn A. Williams, 'Friendly Societies in Glamorgan 1793–1832', *Bwletin y Bwrdd Gwybodau Celtaidd*, 18 III (1959), 275–83.

Idem., 'Twf Hanesyddol y Syniad o Genedl yng Nghymru', *Efrydiau Athronyddol*, XIV (1961), 18–30.

G. J. Williams, 'The Industrial Development of the Risca Area in the Early Nineteenth Century', *Presenting Monmouthshire*, 9 (1960), 12–17.

Gruffudd John Williams, 'Cyhoeddi Llyfrau Cymraeg yn y Bedwaredd Ganrif ar Bymtheg', *Journal of the Welsh Bibliographical Society*, IX, 4 (1965), 152–61.

Michael Williams, 'The Linguistic and Cultural Frontier in Gower', *Archaeologia Cambrensis*, CXXI (1972), 61–9.

R. Howell Williams, 'Capel Ed', *The Treasury*, LXXXIX 10 (1965), 146.

Stephen J. Williams, 'Carnhuanawc, Eisteddfodwr ac Ysgolhaig', *Trafodion Cymdeithas Anrhydeddus y Cymmrodorion*, (1954) 18–30.

W. O. Williams, 'The Survival of the Welsh Language after the Union of England and Wales: The First Phase, 1536–1642', *Cylchgrawn Hanes Cymru*, 2 1 (1964), 67–93.

Traethodau ymchwil heb eu cyhoeddi

J. A. Addis, 'The Heavy Iron and Steel Industry in South Wales 1870–1950' (Traethawd Ph.D., Prifysgol Cymru, Aberystwyth 1957).

James Gerard Crowe, 'The Reform Acts of 1884–5 and the Industrial Electorate of Northern Monmouthshire' (Traethawd MA, Prifysgol Cymru, Aberystwyth, 1981).

J. E. Daniel, 'The Geographical Distribution of Religious Denominations in Wales in relation to Racial and Social Factors' (Traethawd M.Sc., Prifysgol Cymru, Aberystwyth, 1928).

Islwyn W. R. David, 'Political and Electioneering Activity in South East Wales 1820–1852' (Traethawd M.Sc., Prifysgol Cymru, Abertawe, 1959).

Clifford Davies, 'The Evolution of Industries and Settlements between Merthyr Tydfil and Abergavenny from 1740 to 1840' (Traethawd MA, Prifysgol Cymru, Aberystwyth, 1949).

D. Emrys Davies, 'A General Survey of the School Board Movement as it Affected Monmouthshire' (Traethawd MA, Prifysgol Cymru, Caerdydd, 1927).

J. Davies, 'The Industrial History of the Rhymney Valley with regard to the Iron, Steel and Tinplate Industries, Coal Mining, Lead Mining and Smelting and Quarrying' (Traethawd M. Sc., Prifysgol Cymru, Caerdydd, 1926).

John Gwyn Davies, 'Industrial Society in North-West Monmouthshire 1750–1851' (Traethawd Ph. D., Prifysgol Cymru, Aberystwyth, 1980).

Walter Haydn Davies, 'The Influence of Recent Changes in the Social Environment on the outlook and habits of individuals, with special reference to mining communities in South Wales' (Traethawd MA, Prifysgol Cymru, Caerdydd, 1933).

Catherine Evans, 'The Rise and Progress of the Periodical Press in Wales up to 1860' (Traethawd MA, Prifysgol Cymru, Bangor, 1926).

Ellen Evans, 'Bilingual Education in Wales, with special reference to the teaching of Welsh' (Traethawd MA, Prifysgol Cymru, Aberystwyth, 1924).

Leslie Wynne Evans, 'The Works Schools of the Industrial Revolution in Wales' (Traethawd Ph. D., Prifysgol Cymru, Caerdydd, 1953).

Mair Gregory, 'Cymdeithas Cymreigyddion y Fenni a'i Chynhyrchion Pwysicaf, gyda sylw manylach i waith Thomas Stephens, Merthyr'. (Traethawd MA, Prifysgol Cymru, Caerdydd, 1949).

Ruth Hindley, 'Linguistic Distribution in South East Wales a study in trends over the last century' (Traethawd MA, Prifysgol Leeds, 1952).

D. B. Hughes, 'The Education of Pauper Children in Monmouthshire 1834–1929' (Traethawd MA, Prifysgol Cymru, Caerdydd, 1967).

Aled Jones, 'John Thomas Morgan and the Workman's Advocate/ Amddiffynydd y Gweithiwr: The Labour Press and Trade Unionism in South Wales 1871–6' (Traethawd MA, Prifysgol Warwick, 1979).

Arthur Gray Jones, 'The Economic, Industrial and Social History of Ebbw Vale during the period 1775–1927; being a study in the origin and development of an industrial district of South Wales in all its aspects' (Traethawd Ph.D., Prifysgol Cymru, Abertawe, 1929).

T. E. Jones, 'The Industrial Revolution in Monmouthshire' (Traethawd MA, Prifysgol Cymru, Caerdydd, 1929).

William Rhys Lambert, 'Drink and Sobriety in Wales 1835–1895' (Traethawd Ph.D., Prifysgol Cymru, Abertawe, 1969).

Ewart Thomas Lewis, 'Religious Organizations in Wales Considered in Relation to Economic Conditions, 1850–1930' (Traethawd MA, Prifysgol Cymru, Caerdydd, 1965).

R. Ivor Parry, 'The Attitude of Welsh Independents towards Working Class Movements (including public education) from 1815 to 1870' (Traethawd MA, Prifysgol Cymru, Bangor, 1931).

R. D. Rees, 'A History of the South Wales Newspapers to 1855'. University of Reading, MA, 1955. 'Parliamentary Representation of South Wales 1790–1830' (Traethawd Ph.D., Prifysgol Reading 1962).

William Henry Rees, 'A Survey of Bilingualism in Wales and the Marches' (Traethawd MA, Prifysgol Liverpool, 1941). 'The Vicissitudes of the Welsh Language in the Marches of Wales, with special reference to its territorial distribution in modern times' (Traethawd Ph.D., Prifysgol Cymru, Aberystwyth, 1947).

M. A. Swallow, 'A History of the Development of the Means of Communication in the County of Monmouth, 1760–1914' (Traethawd Ph.D., Prifysgol Llundain, 1932).

George F. Thomason, 'An Analysis of the Effects of Industrial Changes upon Selected Communities in South Wales' (Traethawd Ph.D., Prifysgol Cymru, Caerdydd, 1963).

C. B. Turner, 'Revivals and Popular Religion in Victorian and Edwardian Wales' (Traethawd Ph.D., Prifysgol Cymru, Aberystwyth, 1979).

Ryland D. Wallace, 'Political Reform Societies in Wales 1840–86' (Traethawd Ph.D., Prifysgol Cymru, Aberystwyth, 1978).

W. D. Wills, 'Ecclesiastical Reorganisation and Church Extension in the Diocese of Llandaff, 1830–1870' (Traethawd MA, Prifysgol Cymru, Abertawe, 1965).

Tystiolaeth Lafar

Gellir gwrando ar dapiau o gyfweliadau rhwng yr awdur a'r canlynol yn Amgueddfa Werin Cymru, Sain Ffagan oni noder yn wahanol. Recordiwyd y mwyafrif ohonynt rhwng 1978 a 1980, ond y mae'r rhai a noder a'r arwydd * yn perthyn i gasgliad Sir Fynwy yr Amgueddfa a recordiwyd gan aelodau o staff yr adran dafodieithoedd yn ystod y 1950au a'r 1960au. Dynoda'r arwydd + y ffaith fod ansawdd y recordiad a wnaethpwyd yn rhy wael i'w atgynhyrchu'n effeithiol. Mae'r tâp hwn ym meddiant yr awdur.

Elizabeth Beddoe, Moreia Street, Rhymni (gynt) (g. 1892) Rec. 1978.

David a Muriel Carey, Moreia Street, Rhymni (gynt) (g. *c.* 1900) Rec. 1978.

Rhoda Dowling, Cwmfelinfach (g. 1897) Rec. 1978.

Mary Harris, Harcourt Place, Rhymni (g. 1893) Rec. 1980.

Mary Hopkins, King Street, Brynmawr (gynt) (g. 1882) Rec. 1978.

William Hughes,* Tredelerch (gynt) (g. 1887) Rec. 1958.

Phil Jenkins,* Tafarnau Bach (gynt) (g. 1882) Rec. 1955.

Thomas Jenkins, 6, Bryn Seion, Rhymni (gynt) (g. 1898) Rec. 1979 a 1980.

Jack Jones, Pen y Cottage Llanofer (g. 1902) Rec. 1978.

Mary Jones, + Rhymni (gynt) Holwyd yn Ysbyty Llantrisant yn 1979 a hithau'n gant oed.

Sarah Ann Jones, + Glynebwy (gynt) (g. 1886) Rec. 1979.

William Jones,* Croespenmain (gynt) (g. 1886) Rec. 1960.

Blodwen Morris, + Bryn Seion, Rhymni (gynt) (g. 1893) Rec. 1980.

Elizabeth Roberts, Cwmfelinfach (gynt) (g. 1888) Rec. 1978. Er i'r awdur holi Mrs Roberts sawl gwaith yn ystod 1978 ni recordiwyd y sgyrsiau hyn ond mae sawl tâp o gyfweliadau eraill perthnasol i'r gwaith hwn gan Mr Alun Burge, 72, Glenroy Street, Caerdydd. Llawer o ddiolch iddo am fy nghyflwyno i Mrs Roberts ac am fenthyg y tapiau imi.

Mynegai